Евгений
НОСОВ

В ЧИСТОМ ПОЛЕ, ЗА ПРОСЕЛКОМ...

Москва • «Вече»

Русская проза

УДК 821.161.1-3
ББК 84(2Рос=Рус)6
Н84

Н84   **Носов, Е.И.**
        В чистом поле, за проселком... : рассказы / Евгений Носов. —
        М. : Вече, 2018. — 352 с. — (Русская проза).
        ISBN 978-5-4444-6331-4

Знак информационной продукции **12+**

В книгу известного русского писателя, лауреата Государственной премии России Евгения Ивановича Носова (1925—2002) вошли его рассказы разных лет, относящиеся в основном к «деревенской прозе». По некоторым из них в 1981 году был снят фильм «Цыганское счастье», режиссер Сергей Никоненко, в главных ролях: Марина Яковлева, Сергей Никоненко, Николай Крючков. Цыганка Мария и ее сын Сашка решили навсегда оставить кочевую стезю и жить как все — иметь крепкое хозяйство, читать по вечерам Пушкина и совершенствовать свое ремесло. Но цыганское сердце не знает покоя, и в погоне за счастьем им еще предстоит сделать свой нелегкий выбор...

УДК 821.161.1-3
ББК 84(2Рос=Рус)6

КОВАРНЫЙ КРЮЧОК

Уклейку, эту вездесущую крошечную, не больше пальца, рыбешку, считают самым веселым и беззаботным существом в наших среднерусских речках. Глядя, как уклейки смело шныряют у ног купальщиков, устраивают шумную возню вокруг брошенной корки или, выпрыгивая из воды, всплескиваясь и сверкая, наперегонки гоняются за мошкарой, говоришь себе: «Вот кому весело живется!»

И вид у уклейки тоже легкомысленный: хрупкая, плосконькая, в зеркально-сверкающем наряде, с большими черными зрачками в радужной оправе. И клюет-то она с какой-то веселой беспечностью: с налету, не разобравшись, берет на самую пустяковую удочку из катушечной нитки, кусочка пробки и даже без грузила. Несерьезная рыбка! Селявка!

А между тем судьба у нее самая незавидная. Одни только ребятишки сотнями нанизывают на кукан, так просто, ради озорства. Принесут домой да и швырнут низку в угол: мол, кошка съест. А сколько других неприятностей поджидает уклейку на каждом шагу!..

Плывет она мимо затонувшей коряги, плывет — ничего не подозревает. Да вдруг ожившее бревно как метнется наперерез! Щелкнула щучья пасть — и конец.

А то окуни налетят. Эти полосатые разбойники не прячутся в засаду, как щука, а нападают целой шайкой — с шумом, гиком, стараясь побольше паники нагнать. Залучат табунок мелочи в какой-нибудь заливчик да такой погром учинят, только брызги летят в разные стороны...

И серая цапля, и зимородок, и утка, и даже ворона не прочь пообедать уклейкой, и каждый по-своему промышляет ею.

Вся эта прожорливая братия особенно наседает на уклейку в мае, когда та начинает метать икру и набивается в мелкие травянистые протоки, рукава и заливы. В это время ее даже руками можно наловить: иная так запутается в тине, что только жабрами шевелит. А то невзначай выскочит на пухлую подушку водорослей и танцует на ней, стараясь поскорей до воды добраться. Бывает, сразу по нескольку рыбок на тине бьется. Подходи и бери руками. Ну а цапля и подавно не упустит такого случая: шасть-шасть по воде на своих ногах-ходулях, подойдет к тине и позавтракает готовеньким. Или налетят вороны, наскочат утки.

Но страшнее всех для уклейки белизна. Может, видели: идут против течения рыбешки стайкой, торопливо работают плавничками и вдруг как метнутся испуганно врассыпную! Это неподалеку прошла белизна. Нет, она не погналась, она только проплыла стороной. И то уже какой переполох! А вот ежели подкрадется да ударит серебристо-голубой молнией в самую гущу — тогда беда! Раздается резкий и хлесткий удар, будто по воде со всего маху веслом полоснули. Взметнется в небо фонтан, закипит вода воронкой. Обезумевшие от ужаса уклейки чуть ли не на полметра выбрасываются наружу. Иногда даже на берег выскакивают и, пожалуй, только благодаря этому остаются целыми. Попрыгав на берегу, они кое-как скатываются в реку. А белизна уже подбирается к другой стае.

Сильная, стремительная, осторожная и красивая эта рыба. Внешне она совсем не похожа на хищника. Даже беззубая. Но зато какой хвост! Ширины и силы необыкновенной. Им-то белизна и глушит рыбу. Налетит да как шарахнет — какую сразу наповал, какая, ошеломленная, бестолково вертится. В это время и хватает их хищник — и живых и полумертвых.

В мае белизна тоже подходит к местам нереста уклеек и здесь жирует, нападая на беспомощных, обессилевших рыбок.

Однажды я пошел поискать нерестилища, чтобы вблизи них поохотиться на белизну. В эти дни она бывает не так осторожна и смелее берет приманку.

Река, вырвавшись из глинистых крутояров, поросших лесом, широко разлилась в низких песчаных берегах. Ничем не стесненная, она каждый год меняет здесь русло, намывая в половодье острова и оставляя протоки. Дул легкий южный ветер. По небу торопливо плыли разрозненные округлые облака. Их тени проносились по еще не кошенному лугу, и яркие краски цветущих трав на мгновение гасли, а вода в луговых болотцах темнела, наливалась холодным свинцом. Над песчаной отмелью летали крачки. Плаксиво перекликаясь и тяжело взмахивая узкими обвислыми крыльями, они медленно пробивались навстречу ветру. Потом, словно устав бороться, шарахались назад и снова тянули над рекой, жалобно всхлипывая.

Я понял, почему крачки так упорно держатся именно этого места. Здесь собрались уклейки на икромет. Значит, и белизна ходит где-то поблизости.

И верно: перебираясь вброд на маленький островок, я услышал шумные всплески, будто кто-то невидимый бросал в воду тяжелые комья земли. Мелочь испуганно шарахалась, рябя поверхность реки. Это делала свое лихое дело она — гроза уклеек.

Не упустить момента и подбросить блесну как раз тогда, когда хищник после удара хвостом крутится и хватает оглушенную мелочь, — основное в охоте на белизну. Я торопливо собрал спиннинг, выждал, когда белизна сделает очередной всплеск, и метнул. Но заброс не удался: блесна, задержанная встречным ветром, упала с опозданием. Новые попытки тоже не принесли успеха. Я давал блесне тонуть, пускал ее в полводы, заставлял вращаться у самой поверхности, даже делать короткие скачки по воде, чтобы вызвать хватку хищника, но он не обольщался моей металлической рыбкой. Мол, знаем, что это за штука! Не обманешь! И вызывающе поднимал фонтаны брызг то справа, то слева, то почти совсем рядом с моим островком. Однажды я даже увидел эту неуловимую разбойницу. Она на какое-то мгновение вывернулась из глубины у самого берега. Широкое серебристое тело, темная спина, острый, как парус яхты, спинной плавник и страшный хвостище, упруго и гибко сверлящий воду. Даже холодок внезапной оторопи пробежал по спине, как бывает всегда при неожиданной встрече с серьезным противником. Белизна круто развернулась, сверкнув полированным боком, и растворилась в зеленоватой толще воды.

Когда у охотника из-под носа срывается куропатка, он вздрагивает от неожиданности и беспорядочно палит вслед. То же самое бывает и с рыболовами. Хотя было и бесполезно, но я замахнулся, и... Всегда вот так, когда торопишься. Блесна полетела не в ту сторону и унесла чуть ли не все сто метров лесы. Досадуя, я стал тотчас выбирать шнур. Узкоперистая блесенка, борясь с течением, шла у самой поверхности воды. Издали она походила на маленькую рыбку, с трудом пробивающуюся навстречу речной струе.

И вдруг неизвестно откуда появилась крачка. Задержав крылья на замахе, она упала на воду в том месте, где сверкала никелем блесна. Я машинально рванул лесу. Птица неестественно дернулась и, разбрызгивая воду, забила крыльями. Взлетев, она тут же с размаху кувыркнулась в волну. Я понял, что птица засеклась на крючок...

Крачка отчаянно барахталась, взлетала, рвала из рук удилище, снова падала, а я, растерявшись, никак не мог сообразить, что же делать. Да и что можно было придумать? Я — на острове, а птица на крепкой жилке бьется метрах в тридцати от меня на воде. Не обрывать же лесу. Крачка взлетит и, запутавшись жилкой где-нибудь в кустах, погибнет. Тащить птицу к себе тоже нельзя: она будет биться и повредит себя. Единственное, что показалось мне разумным, — это выключить на катушке тормоз.

Выждав, когда птица снова поднялась над рекой, я отжал тормозную кнопку на катушке. Не чувствуя больше сопротивления лесы, крачка взмыла в небо. Катушка быстро завертелась, сбрасывая шнур. Глядя, как сквозь кольца удилища со свистом улетала жилка, я испугался: «Сейчас кончится последний метр, птица с разлету дернет, разорвет себе клюв или, остановленная резким рывком, кубарем полетит вниз и разобьется о воду».

И до того как леса окончательно сошла с катушки, я начал снова притормаживать барабан, слегка прикасаясь к нему пальцем. Почувствовав сопротивление, птица тяжело замахала крыльями. Я надавил на катушку сильнее, и крачка, не в силах преодолеть сопротивление, стала разворачиваться на кругу, постепенно снижаясь. Вот она уже поравнялась с берегом, вот летит над зарослями лозы, задевая крыльями верхние ветви... На ходу сматывая лесу, я перелез через протоку и побежал навстречу.

Она упала в траву меж кустов лозняка и лежала на спине, раскинув ослабевшие крылья. С никелированной блесны, свисавшей из полураскрытого клюва, капала кровь...

Чувствовал я себя преотвратительно. Так, будто непоправимо сломал чужую вещь. Эту вещь — частицу природы — нельзя трогать грубыми руками, как нельзя прикасаться к жемчужной капле росы в чашечке цветка, к пыльце на крыльях бабочки, к серебристой головке одуванчика, сотканной из пуха и воздуха, пронизанной солнцем... Всем этим можно только любоваться. Тронул — и все испортил...

За спиной слышались печальные вскрики крачек да тяжелые, глухие всплески. Это вскидывалась белизна — гроза беззаботных уклеек. Жизнь шла своим чередом.

1958

ТАИНСТВЕННЫЙ МУЗЫКАНТ

Однажды после долгого хождения с удочкой по берегу реки я присел отдохнуть на широкой песчаной отмели среди прибрежных зарослей. Поздняя осень уже раздела кусты лозняка и далеко по песку разбросала их узкие лимонные листья. Лишь на концах самых тонких, будто от холода покрасневших веточек еще трепетали по пять-шесть таких же бледно-желтых листков. Это все, что осталось от пышного карнавала осени.

Было пасмурно и ветрено. Вспененные волны накатывались на песчаную отмель, лизали почерневшие водоросли, вытащенные на берег рыбацким неводом.

И вдруг среди этих шорохов и всплесков послышались тревожащие своей необычайностью звуки. Было похоже, что где-то совсем близко играла крошечная скрипка. Порой тоскливая, зовущая, порой задумчивая и покорная, полная светлой печали мелодия робко вплеталась в неугомонное ворчание хмурой реки. Звуки мелодии были так слабы, что порывы ветра иногда обрывали, как паутинку, эту тонкую ниточку загадочной трели.

Прислушавшись, я уловил закономерную связь между скрипачом и ветром. Стоило ветру немного утихнуть, как скрипка переходила на более низкие ноты, звук становился густым, и в нем отчетливо улавливался тембр. Когда же ветер усиливался, звуки забирались все выше и выше, они становились острыми, как жало, скрипка плакала и всхлипывала. Но дирижер-ветер был неумолим, он настойчиво требовал от скрипача новых и новых усилий. И тогда таинственный музыкант, казалось, не выдерживал темпа, срывался, и... слышались только сердитые всплески волн и шорох опавших листьев.

Как завороженный слушал я этот удивительный концерт на пустынной песчаной отмели. Я прислушивался снова и снова, и напев все время повторялся все в тех же сочетаниях звуков.

Наконец я установил направление и даже приблизительное место, откуда текла эта тоненькая струйка мелодии. Оно находилось справа, не более чем в двух-трех шагах от меня. Но там был все тот же песок, и ничего больше, если не считать полузасыпанной раковины на гребне песчаного холмика. Это была раковина обыкновенного прудовика. Такие у нас встречаются во множестве. Если подойти к берегу водоема в тихий солнечный день, то у поверхности воды можно увидеть плавающие, как пробки, черные, спирально закрученные домики прудовика. Всколыхните веткой зеленоватую гладь, и эти домики медленно, как бы ввинчиваясь в воду, пойдут на дно — подальше от опасности.

Я подошел к холмику. Широкое входное отверстие ракушки было обращено навстречу ветру и немного в сторону. Край ее в одном месте обломан. Я наклонился поближе и окончательно убедился, что волшебный музыкант спрятался в раковине. Оттуда, из глубины спирального, выложенного перламутром убежища, отчетливо слышались звуки крошечной скрипки.

Я осторожно взял раковину, чтобы рассмотреть повнимательнее. Но ничего особенного не нашел: обыкновенная, как все другие, которых на песке оказалось довольно много.

Но почему звуки исходили только из этой, а все остальные молчали? Может быть, и в самом деле в ней кто-то запрятался? И мне снова захотелось послушать игру раковины-музыканта.

Я положил ее на прежнее место, приготовился слушать. Но «скрипач» молчал. Похоже, что он рассердился за то, что его бесцеремонно потревожили, и ожидал, пока я снова уйду.

Я, конечно, догадался, что слышанную мной мелодию извлекал из раковины ветер. Но почему после того, как домишко прудовика был водворен на прежнее место, он больше не мог извлечь ни единого звука? И тут я понял, что допустил роковую ошибку, сдвинув раковину с места. Из множества других, видимо, только она лежала по отношению к ветру так, что на малейшее его дуновение тотчас отвечала звучанием. Возможно, этому еще способствовала та самая щербатина, которую я обнаружил на краю отверстия, и даже тот песок, которым она была наполовину засыпана.

Долго я возился с ней, клал так и этак, осторожно подсыпал под нее песок, насыпал внутрь, но так и не смог извлечь ни единого звука.

Огорченный, я положил раковину в карман и пошел домой.

Теперь она лежала на письменном столе, в картонной коробке с речным песком.

Я видел немало диковинных заморских раковин — необыкновенных размеров, необычайной расцветки, удивительной формы. О многих из них ходят целые истории. Говорят, что если такую раковину приложить к уху, то услышишь шум морского прибоя. Конечно, никаких ударов волн в ней не слышно. Шумит раковина потому, что она помогает уху более чутко улавливать окружающие нас звуки. Да в этом и нетрудно убедиться: накройте ухо ладонью, сложенной лодочкой. Слышите шум? Вот и весь секрет.

А эта, что лежит на моем столе, — скромная серенькая обитательница наших тихих речных затонов, — действительно обладает секретом.

Иногда я выношу мой «музыкальный инструмент» во двор, подставляю под ветер, пытаюсь настроить с помощью песка, но пока это мне не удается. Видно, не хватает терпения.

Когда же я оставляю раковину на столе, а сам выхожу в соседнюю комнату, то мне чудится, будто за приоткрытой дверью кто-то осторожно настраивает маленькую скрипку...

1959

ГДЕ ПРОСЫПАЕТСЯ СОЛНЦЕ?

Тяжело махая крыльями, летели гуси. Санька сидел на перевернутой лодке и, запрокинув голову, тянулся глазами к этим большим усталым птицам. А они то резко темнели, когда пролетали под влажно-белым весенним облаком, то вдруг сами ослепительно белели чистым, обдутым ветрами пером, когда окунались в солнечные лучи, в голубое бездонное разводье между облаками. И сыпались на землю их сдержанные, озабоченные вскрики.

Гуси всегда летели в одну сторону: из-за домов наискосок через реку и поле к далекому лесу.

Санька глядел вслед птицам долго и завистливо, как гусенок с перешибленным крылом. Издали вся стая походила на обрывок черной нитки, которая, плавно изгибаясь над зубчатой стеной леса, то провисала качелями, то вытягивалась в ровную линию.

— Уже, поди, и до дяди Сергея долетели, — прикидывал он.

Дядя Сергей поселился у них среди зимы. Однажды, возвращаясь из школы, Санька увидел под окнами своего дома нечто совершенно непонятное: не самолет, не автомобиль. Диковинная машина была вся запорошена снегом: и овальные окна, и ребристые бока, и огромная фара на кончике длинного, как у моторной лодки, носа. Стена Санькиного дома была густо залеплена снегом, будто на улице только что прошлась вьюга. Позади кузова невиданной машины Санька разглядел красную лопасть пропеллера.

— Ух ты! — прищелкнул языком Санька и побежал через сугроб домой.

Во дворе Санька увидел незнакомого человека в сером свитере, в рыжей лохматой шапке и таких же рыжих меховых сапогах. Лицо его густо обросло щетиной. Человек колол дрова.

В горнице за столом сидел еще один приезжий, Степан Петрович. Смешно надув щеки и глядя в маленькое зеркальце, он бритвой соскабливал с лица густую мыльную пену.

Все это неожиданное нашествие наполнило их пустой гулкий дом ощущением праздника. Саньку совершенно покорили и чудо-машина под окном, и загадочные вещи, сваленные в сенях, и эти бородатые, ни на кого не похожие люди, и даже швырчащая колбаса на сковородке.

Улучив момент, Санька дернул мать за рукав.

— Мам, кто такие?

— Квартиранты.

— У нас будут жить? — переспросил Санька.

— Говорят, поживут до лета.

— Мам, и машина будет у нас?

— Не знаю, Санюшка. Садись поешь.

После обеда Санька побежал на улицу к машине. Там уже толпились ребятишки. Протирали рукавичками окна, почтительно притрагивались к алой лопасти пропеллера, пролезали под днищем.

— А ну, не трогать руками! — налетел Санька. Ребятишки послушно отступили. Ничего не поделаешь: машина стояла перед Санькиным домом. Приходится подчиняться. — У нас теперь квартиранты на постое, — сказал Санька. — А это их машина.

Ребятишки с завистью глядели на Саньку.

Вечером дядя Сергей и Степан Петрович расстелили на столе большую карту, всю исчерченную кривыми, причудливыми линиями, и стали вымерять что-то блестящим циркулем и помечать цветными карандашами. Санька с любопытством следил за их непонятным занятием.

— А ну-ка, Санька! — сказал дядя Сергей. — Покажи-ка нам на карте свою реку.

Санька забрался на стул, растерянно оглядел пестрый лист. Никакой реки он не увидел и смущенно сказал:

— Ее снегом замело. Зимой всегда заметает.

Дядя Сергей и Степан Петрович расхохотались.

Работали они допоздна. А на рассвете Санька проснулся от рева мотора. Яркий свет полоснул по окнам, и на миг стали видны до последней прожилки морозные веточки на стеклах. Мотор завыл, в окна швырнуло снегом, и вскоре был слышен лишь отдаленный рокот, который постепенно совсем истаял.

Утром Санька выбежал на улицу и внимательно оглядел снег. Он отыскал три широкие лыжни. Они вели прямо к реке. С обрыва было видно, как лыжни сбежали по крутому спуску на реку, пересекли ее поперек, выбрались на тот берег и ровными голубыми линиями умчались по чистому снегу к далекому лесу.

«Вот бы прокатиться!» — думал Санька, щурясь от солнечной белизны и силясь проследить как можно дальше стремительный росчерк лыжни.

Так они уезжали каждое утро и возвращались, когда становилось совсем темно. Санька еще издали замечал в поле рыскающий луч света, который отбрасывала фара, и, радостный, бежал домой:

— Мам, едут!

Они снимали в передней пахнущие морозным ветром шубы и шапки, и Санька поливал им на руки из кувшина. Потом дядя Сергей шел раздувать самовар, который он чудно́ называл «ихтиозавром». После ужина дядя Сергей и Степан Петрович садились за карты и чертежи.

Дядя Сергей был большой выдумщик и всегда что-нибудь привозил из лесу. Как-то раз он выгрузил из аэросаней разлапый сосновый корень, весь вечер опиливал и строгал корягу, и получилась голова оленя с красивыми рогами. Когда же дядя Сергей уезжал надолго, Санька скучал и льнул к матери, и та укачивала его на коленях, закрыв теплой вязаной шалью. В такие дни в доме было тихо и пусто. Спать ложились рано.

В последний раз дядя Сергей уехал перед самой весной. Санька ожидал его каждый день. Он бегал к обрыву и глядел на реку. Но поле было пустынно и белело, как чистый лист бумаги — без единого пятнышка, без черточки. Свежая пороша замела все следы.

Когда же с пригорков хлынули ручьи и река вздулась и подняла лед, Санька понял, что дядя Сергей больше не приедет. По реке мчались льдины с оборванными строчками лисьих следов и кусками санной дороги. Льдины тупо, упрямо бодали пустые стволы старых ракит, и те содрогались до самой макушки. А вверху, тяжело махая крыльями, летели гуси. Они летели туда, где просыпалось солнце.

Санька никогда не бывал по ту сторону соснового бора. Он только знал, что каждое утро из-за леса поднималось солнце, оно было большое и красное, и Санька думал, что оно спросонья такое. «Вот если бы пройти весь лес, — размышлял он, стоя на крутояре, — тихонечко подкрасться и спрятаться за кусты, то можно подсмотреть, как просыпается солнце. Дядя Сергей, поди, уж видел много раз».

Весенние дни побежали быстро. Санька с утра до вечера пропадал на улице и постепенно стал забывать дядю Сергея.

Однажды под окном на раките радостно засвистел скворец. И Санька вспомнил, что уже давно собирался сделать скворечник. Старый совсем развалился. Санька побежал домой, вынес на крыльцо дощечки, топор, ножовку и принялся за дело. Тяпал топором и виновато поглядывал на скворца.

— Как же я забыл? — приговаривал Санька. — Ну посиди, я сейчас.

Скворец сидел тут же на ветке, охорашивался с дороги и понимающе косил черным глазом на кучерявую щепку.

Сладив скворечник, Санька полез приколачивать его на раките. Он уже сидел на самой макушке, когда к их дому подкатил вездеходик с брезентовым верхом. Из машины вылез человек в сером дождевике и резиновых сапогах.

— Дядя Сергей! Дядя Сергей! — закричал Санька. — Я — вот он! — Он заскользил на животе вниз по корявому стволу. — Я сейчас!

Санька глядел на дядю Сергея, и его губы сами собой растягивались в улыбке. На Санькиной щеке багровела свежая царапина. К куртке пристали кусочки сухой коры.

— Ну, как вы тут? — дядя Сергей присел перед Санькой на корточки.

— Мы ничего... Живем. Только с мамкой ждали... Думали, совсем не приедете.

— Дела, Санька. Вот скоро с тобой поедем, сам увидишь. Тут я тебе одну штуку привез. — Дядя Сергей порылся в машине. — Нака, держи!

Это был трехмачтовый кораблик с килем, форштевнем, каютами, бортовыми шлюпками. По всему было видно, что кораблик находился в долгом и трудном плавании. Его корпус, выкрашенный белым, покрылся рыжей илистой пленкой. Мачты были сломаны. Обломки запутались в снастях. Уцелела только бизань-мачта с мокрыми парусами. К парусу прилип бурый ракитовый лист.

Санька держал в руках кораблик так осторожно, будто это было живое существо, живая, трепещущая птица. Где-то он плавал, гонимый ветрами, встречал закаты и восходы, боролся с непогодой, какие-то видел берега... Саньке даже не верилось, что в его руках такой необыкновенный корабль, он даже покраснел от счастья.

— Спустился к реке, чтобы подлить воды в радиатор, — сказал дядя Сергей. — Гляжу, плывет!

Пока мать готовила обед, Санька и дядя Сергей взялись за ремонт судна. Отмыли под рукомойником корпус и палубу, выстругали новые мачты и прикрутили к ним реи. Санькина мать достала из сундука белый лоскут для парусов. Корабль выглядел нарядно, празднично. Он стоял на столе на подставке от утюга, будто на стапелях, снова готовый к дальним странствиям.

— А что ж мы про флаг забыли! — всплеснул руками сияющий Санька. Он разыскал в ящике швейной машины кусочек красной материи и выкроил флаг.

— Без флага кораблю нельзя, — одобрил дядя Сергей. — Только поднимать его еще рано, потому что у корабля нет названия. Надо дать ему имя. Самое красивое. Ну-ка, Санька, подумай!

Санька озабоченно наморщил лоб.

— Чайка!.. — сказал он.

— Чайка... — в раздумье повторил дядя Сергей. — Чайка! Что ж, неплохое название! Подходит! Но не будем торопиться: есть слова лучше.

— Морской орел! — выпалил Санька. — Орел сильнее чайки!

— Нет, это слишком воинственное. Не нравятся мне эти морские орлы, — сказал дядя Сергей. — Давай, знаешь... — задумался он. — Давай назовем вот как... «Мечта». Понимаешь?!

Санька задумался. Он никак не мог себе представить, какая она бывает, эта мечта.

— Ты о чем-нибудь мечтаешь? — спросил дядя Сергей. — Есть у тебя какое-нибудь самое большое желание?

— Есть... — тихонечко, почти шепотом, проговорил Санька.

— Какое? Какое?

— Хочу поглядеть, как солнце просыпается, — смущенно пробормотал Санька.

— Ну вот, видишь... У каждого человека есть свое самое большое желание. У тебя, у меня, у твоей матери. Без него нельзя, вот так же, как чайке нельзя без крыльев. Мечта — тоже птица. Только летает она и выше и дальше. Понимаешь?

Вместо ответа Санька порылся в кармане, достал огрызок чернильного карандаша и, взглянув на дядю Сергея, спросил:

— Где писать название?

И, послюнив карандаш, Санька старательно вывел на носу корабля большими печатными буквами: МЕЧТА.

— А теперь слушай мою команду! На флаг смирно! — по-военному громко сказал дядя Сергей и вытянул руки по швам.

Санька поглядел на него и тоже прижал к бокам руки. Лицо его стало серьезным, и только царапина на щеке и синее пятнышко от чернильного карандаша на нижней губе несколько не соответствовали параду.

В дверном проеме стояла Санькина мать. Вытирая рушником тарелку, она глядела то на дядю Сергея, то на своего сына, улыбалась, но губы почему-то дрожали, а глаза ее блестели так, будто она только что крошила сырую луковицу.

— Можешь спускать корабль на воду! — объявил дядя Сергей.

Санька схватил суденышко и выбежал на улицу.

Вскоре он прибежал обратно. Вид у него был растерянный. В глазах стояли слезы.

— Дядя Сергей! Кораблик-то уплыл...

Мать всплеснула руками:

— Как же это ты? Так-то тебе давать хорошие вещи! За это уши надо драть.

— Да-а... — захныкал Санька. — Я не хотел... Я только оттолкнул его от берега, а паруса надулись... И — уплыл...

Дядя Сергей и Санька вышли на улицу. С высокого берега было видно, как на тихой ряби реки, на самом стрежне, белел стройный красивый парусник. Это была Санькина «Мечта». Попутный ветер надувал ее паруса, и она, чуть покачиваясь и трепеща алым флагом, быстро бежала все дальше и дальше.

Дядя Сергей поискал глазами лодку, на которой можно было бы догнать кораблик, но единственная лодка лежала на берегу вверх днищем.

— Только не хныкать, — сказал дядя Сергей. — Ничего не поделаешь! Видно, такой уж это беспокойный корабль. Не любит мелкой воды. Ты, Санька, не огорчайся. Мы построим новый. Винтовой пароход. С трубами. Тот никуда не уплывет. А этот пусть плывет...

Дядя Сергей присел на перевернутую лодку и притянул к себе Саньку.

Вечер быстро наливался густой, плотной синевой. Река стала еще шире, просторней. Затуманился и куда-то уплыл противоположный берег. Далеко-далеко, где-то за лесом, на темном вечернем небе неясно и таинственно вспыхивали и дрожали то голубоватые, то бледно-желтые всполохи, и доносился глухой, едва уловимый рокот.

— Слышал я, Санька, одну загадочную историю, — начал дядя Сергей. — Рассказывали мне, будто плавает по нашей стране неведомо кем построенный кораблик с мачтами, с парусами — все как положено. Никто не может удержать его. Швыряют тот кораблик волны, ветер ломает мачты и рвет паруса, а он не сдается — плывет и плывет. Поймает его какой-нибудь парнишка, починит и думает, вот хорошая игрушка. Только спустит на воду, а кораблик надует паруса — и был таков. Так и плывет он мимо сел и городов, из реки в реку, через всю страну, до самого синего моря.

— А когда до моря доплывет?

— А когда доплывет до моря, его непременно изловит какой-нибудь человек. Обрадуется: хороший подарок сыну! И увезет куда-нибудь к себе. Ну а сын, известное дело, сразу бежит на речку. Кораблику только этого и надо. И снова — из реки в реку, от мальчишки к мальчишке, через всю страну. И вот что удивительно. Всякий парнишка, который подержит его в руках, навсегда становится беспокойным человеком. Все он потом что-то ищет, чего-то дознается...

В эту ночь Саньке снились чайки и огромное красное солнце. Солнце наполовину вышло из моря, и навстречу ему, рассекая волны, гордо бежал белокрылый корабль.

1961

ШУБА

Засыревший большак, исполосованный колесами, выбирая, где пополаже, широкой дугой поднимается на косогор. На дороге и пашне еще видны следы недавней бессонно-горячей работы, когда из земли выбиралось и выдиралось все, что она успела и сумела родить людям за недолгое лето. То попадалась в колее раздавленная колесами свекла, то звено от тракторной гусеницы или еще какая неведомая железяка, оброненная впопыхах машиной, то в стороне, среди черного, белесые скирды молодой соломы. А у обочины торчал случайно не задетый плугом, сгорбившийся, как старик, сухой подсолнух. Ветер шуршал лохмотьями его листьев, а он все кивал и кланялся путникам непокрытой растрепанной головой.

Страда отшумела, и теперь по обе стороны большака чернела по-осеннему засмиревшая земля, комковато и неловко улегшаяся на покой.

Дуняшка и Пелагея, поспешая, шли обочь дороги. Опустевшие поля не вызывали у них никаких размышлений: они здесь жили, и все было привычным и незаметным, как этот осенний полевой воздух, которым дышали. Они шагали бок о бок и оживленно болтали о всяких своих житейских делах.

Пелагея, еще шустрая, сухощавая баба, шла налегке в сером клетчатом платке и в Степкином ватном пиджачке с жестяными перекрещенными молотками в петлицах, — Степка учился в школе механизации, на воскресенье приехал домой, и Пелагея выпросила у него пиджак съездить в город. Из-под пиджака высовывался белый, оборчатый, надетый по торжественному случаю передник, который встречный ветер то поддувал пузырями, то запихивал между худых Пелагеиных колен. Но она не одергивала, а так и шла, шлепая о тощие икры широкими голенищами резиновых сапог.

Дуняшка старалась не отставать. Она хоть и была выше матери, но подростковое пальтишко с короткими рукавами узило ее в плечах и как-то казало и ниже ростом и моложавее, скрадывая года два — именно те, в течение которых Дуняшка успела повзрослеть, похорошеть и уже кое-кому приглянуться.

Увлеченные разговором, они все прибавляли и прибавляли ходу, пока, запыхавшись, Пелагея уже не могла ничего связно сказать, кроме отдельных, перебитых частым дыханием слов, после чего она остановилась и удивленно оглядывалась на деревню, говоря:

— Чтой-то мы… так… бегём? Гляди, уже где… дворы. Небось… не на пожар.

Но, передохнув минутку, они снова поворачивались и шли скоро и торопко. Такая уж деревенская дорога: сызмальства не приучены ходить по ней вразвалочку. Всегда у бабы в конце этой дороги какое-то спешное дело: детишки ли, квашня ли с тестом, поросенок ли некормленый, — если идти с поля, а если в поле, то и того пуще всяких дел, особенно когда подоспеет страда. Как ни богат колхоз техникой — и комбайны, и культиваторы, и сеялки-веялки всякие, и трактоы по восемьдесят лошадиных сил, — и все же еще столько прорех, что каждый умный председатель, если хочет, чтобы дело шло без сучка без задоринки, непременно бросит клич: «А ну, бабоньки, подсобим! — и добавит для подбодрения: — Техника техникой, а все же бабы в колхозе — большая сила!» И бабы наваливаются. Мужики ездят на тракторе взад и вперед по свекловищу, дергают рычаги, руль крутят, выковыривают культиватором бураки. А бабы, будто галки за плугом, с галдецой, коли еще не притомились, или уже молча к закату дня, все собирают и собирают свеклу в корзины и подолы и таскают, и таскают ее, в комьях тяжелой земли по перепаханному полю в кучи. А после, собравшись в кружок, вперемежку с пустыми разговорами и пересудами незаметно да и переворошат опять многие тонны бурака, обобьют от земли, отсекут ботву, обрежут хвосты и сложат в кучи. И лишь когда завечереет и не разобрать, то ли это свекла, то ли просто грудка земли, поднимаются пестрой стаей и бегут, бегут полевой дорогой, на другом конце которой ждут их другие неотложные домашние заботы.

А на току разве обойтись без нее? Или на сенокосе? На ферме? Да где ты без нее обойдешься? Нехитрая машина — баба, простая в обращении, на еду непривередливая, не пьет, как мужик, и не кочевряжится при расчете. Мужик за кручение руля на тракторе полтора трудодня берет, хоть и со сменщиком работает, она без всякой смены и на половинную долю согласна, потому как понимает: руль с умом крутить надо. А где бабе ума взять? Ум-то весь мужикам достался.

Но особенно поспешает она, если, вырвавшись от дел, соберется в город. Не часто это случается, и поэтому побывать в городе — чуть ли не праздник. Потолкаться в магазинах, посмотреть на ситцы, а коли есть деньги, развернуть их колковатую, нетронутую, радостно-пеструю свежесть — ромашками да незабудками, — повыбирать и поволноваться, прикидывая в уме, как это подойдет подросшей девке, а то и себе. Себе-то ведь тоже хочется!

А платки какие! За шелковый и взяться страшно: к рукам липнет. Руки-то шершавые, а материя что твой дым — дунул, и полетела! И обутка всякая, и гребенки. Конфет да пряников — аж в глазах рябит. Целый день ошалевшая, радостно-увлеченная, ходит она по лавкам да по лоткам, не поест, не присядет, потому как нет для нее ничего волнительнее, чем разные товары да обновы.

Купит ли картуз мальчонке или мужику — не прячет его в корзину, а наденет поверх платка и несет всю дорогу, чтобы не помялся часом, а больше — чтоб люди видели обнову. Картуз-то вся цена два рубля, а несет она его так, будто невесть что купила. А уж если ситчику или штапелю на платье, то всю дорогу останавливается, заглядывает в корзину, щупает, шепчет что-то над нею и вдруг зардеется смущенно, если застанут невзначай за этим таинством знакомые...

— Да вот обнову купила, — скажет посерьезнев. — И не знаю, то ли угодила, то ли нет? — Но тут же сама и порешит: — Сошьется — сносится. Не барыня.

А у Пелагеи и того важнее была причина торопиться: Дуняшке идут пальто покупать. Не какое-нибудь простенькое. А хорошее, настоящее зимнее. Чтоб с меховым воротником, на подкладке шелковой, да чтоб сукно было доброе. Не часто приходится такие дорогие обновы справлять. Себе-то уж и не помнит, когда покупала. С воротником — так и вовсе. Почитай, полсотни лет прожила, а ни разу мехового воротника не носила. Да их как-то раньше и не было, окромя овчинных. Платок накинула — вот и весь воротник. Теперь-то всякие пошли. Под разного зверя. Во всем их роду Дуняшка первая наденет. Подружки уже поисправляли, а она до сих пор в этом куцем бегает. Против людей неловко. Да и то сказать — невеста уже. Третьего дня вышла Пелагея ввечеру корову подоить, глянула через плетень, а Дуняшка с парнем у калитки стоит. Это ничего, что с парнем. Уже самостоятельная. Нынче осенью тыщу двести в колхозе заработала. Пятьсот рублей уже разошлись. Поросеночка купили, сена копенку, да и так, по мелочам, потратилось. Если не купить — разойдутся. Тогда до будущего года ждать. А то уж одета будет.

Потому и частила сапогами Пелагея, будто сваха, озабоченная и взвинченная предстоящим нешуточным делом. Где-то там, как в сказке, за горами, за долами, невесть в каком магазине, в каком универмаге, неведомое еще какое — синее, черное или коричневое, а может, и еще краше, висит то, единственное, с меховым воротником, которое предстоит Пелагее разыскать, выбрать, да не прогадать ни в какой малости, чтобы в самый раз пришлось Дуняшке. Не так уж это просто.

Все эти думки и заботы вихрились в Пелагеевой голове наряду с теми словами, которые выговаривала на ходу Дуняшка. Думы — сами по себе, слова — сами по себе.

Дуняшка, перекликаясь с матерью, тоже про свое думала. Прожитая жизнь ее покороче, забот поменьше, но зато с покупкой пальто у нее связано много своих девичьих мыслей, от которых всю дорогу радостно голубеют глаза и румяно горят щеки.

Взойдя на самую верхушку косогора, где дорога опять встретилась с телефонными столбами, взбежавшими на гору прямиком по самой крутизне, Пелагея остановилась глотнуть воздуха. Обе оглянулись и, отдыхая, смотрели на деревню. Она все еще виднелась серой полоской соломенных крыш среди черной зяби и просторных полос подросшей озими. Деревня казалась совсем маленькой меж необозримого уймища земли, вздыбленной холмами, и еще большего неба, серо клубящегося осенними тучами.

Пелагея, пробежав глазами по ряду похожих одна на другую хат, безошибочно нашла свою и, озаботясь, проговорила:

— Наказала Степке сходить в сельпо за керосином. Забегается — не сходит…

А Дуняшка нашла длинный белый брусочек своей птицефермы на отшибе деревни, подумала, догадается ли дед Алексей перетянуть под навес привезенную рыбную муку, вспомнила о пропавшей вчера любимой курице Моте, которую она умела отличать среди сотен других таких же белых. Мотя была нерасторопная и копуша, но несла крупные яйца. Потом Дуняшка тоже, как и Пелагея, стала перебирать глазами хаты. Но искала она не свою, а другую… Вот она, под молодым, еще не облетевшим рыжим топольком. Сердце колыхнулось и пролилось теплом… Под этим топольком на лавочке прошлый раз — не дай бог, мать узнает! — поцеловал ее Сашка. Она, внутренне полыхая от стыда и счастья, сорвалась со скамейки и побежала, угнув голову. Только ноги не слушались, а сердце так гулко колотилось под пальтишком, что не слышала, как нагнал он ее и пошел рядом…

Дуняша, забывшись, долго глядела затуманенными глазами на рыжий тополек, пока Пелагея не позвала:

— Пойдем, девка! Чтой-то ты?

А выйдя на ровное и разойдясь малость, спросила:

— Третьего дня ктой-то под нами стоял?

— Ты про кого, мать? — как могла простовато спросила Дуняшка, а сама так и пыхнула, благо что пыхать-то ж больше некуда было.

— Ну, не дури, — осерчала Пелагея. — Небось не глухая. Голос вроде знакомый, а признать не признала.

— Сашка стоял, — уклончиво сказала Дуняшка. — Так, мимо шел.

— Это чей же? Акимихин, что ли?

— Тетки Фроси… Что хата под тополем.

— А-а! Ну-ну!.. Отслужился, стало быть?

— В Германии служил.

— Что же, привез что-нибудь?

— Не знаю, не спрашивала. Мне-то что!

— Должон привезти, — решила Пелагея.

Обежали большую лужу, налитую дождями, в которой утонули обе тропочки, проторенные рядом: Пелагея — справа, Дуняшка — слева. А когда опять сошлись, Пелагея спросила:

— С матерью будет жить аль в город подастся?

— Не знаю я.

— А ты б спросила.

— Не спрашивала я.

— Как же об этом не спросить-то? — удивилась Пелагея.

— Он мне про Германию рассказывал. Интересно так! А про это разговору не было.

— Гляди-ка! — хлопнула себя Пелагея по переднику. — Да об этом первовдядь спрашивать надо. А так — что толку провожаться?

Дуняшка заморгала глазами, отвернулась, глядя на голые придорожные кусты.

— Ну-ну! — примирительно сказала Пелагея. — А только, если опять придет, попытай. Тут ничего зазорного нету.

— Не буду я спрашивать, — сердито мотнула головой Дуняшка.

— Не будешь, так я сама разузнаю, — решительно сказала Пелагея, ловко перепрыгивая через канаву.

— Стыд-то какой! И не смей! И не думай даже!

— Дура и есть дура.

— Пусть! А только не смей! Нужен он мне больно!

— У калитки стоишь — стало быть, нужон.

— Много я настояла! — дернула плечами Дуняшка и побежала вперед, норовя обогнать Пелагею, идти одной. — Только и знаю: на ферму и домой.

— Я аль запрещаю? Парень он тихий. На тракториста учился. Стой. А только стоять с умом надо. Девичье дело такое… Вот купим пальто…

Но Пелагея не договорила, потому что и сама не знала, что должно быть, когда купят они пальто.

На шоссе вышли как раз к самому автобусу, часа полтора ехали, разлученные теснотой, терпеливо вынося давку и тряску, и наконец вывалились на автостанции. Пелагея — без одной пары жестяных молоточков в петлице, Дуняшка — со взбившимся на затылок вязаным платком и такая, будто побанилась с березовым веником. Она тут же стала озираться по сторонам, дивясь пестрой городской сутолоке, а Пелагея сразу сунула руку за пазуху Степкиного пиджака и царапнула кофту под грудью: «Целы? Целы… Ох!»

Они вышли на главную улицу, и город захватил их своим хлестким людским водоворотом.

Мимо Дуняшки шли кепки и косынки, шинели и спецовки, шарфы и шарфики. Проходившие очки удивленно и близоруко косились на Пелагеин передник. Вертлявые береты больше поглядывали на Дуняшку. Она даже слышала, как один берет сказал другому: «Гляди, какая вишенка! Блеск! Натуральный напиток!» И она деревенела от робости и смущения. Проходили всякие шляпы — угрюмо надвинутые и лихо заломленные. И всякие шляпки. Дуняшка дивилась цветочным горшкам и горшочкам для гречневой каши, мелким тарелочкам и эмалированным мисочкам и просто ни на что не похожим. Шныряли авоськи с картошкой, плавно покачивались сетки с мандаринами, робко шаркали матерчатые боты, подпираемые костыликом. А над всем эти людским потоком каменными отвесными берегами высились дома.

Дуняшка редко бывала в городе, и каждый раз он открывался по-новому. Когда приезжала с матерью еще маленькой девочкой, ее так поразили вороха конфет, пряников и множество всяких кукол, что ничего другого она не запомнила, и потом в деревне долго еще снился пряничный город, в котором жили веселые, красивые куклы. Постарше она читала вывески, заглядывалась на милиционера, как он размахивает полосатой палкой и поворачивается туда-сюда, и, пока Пелагея стояла за чем-нибудь в очереди, глядела на кассовую машину, выбивавшую чеки.

Но теперь больше всего ее занимали люди.

«Сколько их, и все разные!» — дивилась Дуняшка, проталкиваясь за матерью. Мимо прошли тысячи, а схожих нет! И не то чтобы лицом, одеждой или годами. А чем-то еще таким, чего Дуняшка понять не могла, но смутно чувствовала эту несхожесть. У них в деревне люди как-то ровные — и лицом, и одеждой, и жизнью.

По пути Пелагея и Дуняшка заходили в магазины, приглядывались к одежде, но примерять не брали. Пелагея говорила:

— Пойдем в главном посмотрим.

Ей казалось, что самое лучшее пальто должно быть в универмаге. Но идти туда ей не хотелось. Нельзя же так: прибежал, отвалили деньги — и до свидания! Кто так покупает? Пелагее было лестно, как продавщицы — красивые, белолицые — снимали с вешалки одно, другое пальто, выбрасывали перед ней на прилавок, а она хотя и знала, что покупать пока не будет, да и по цене подходящего не находилось, но деловито тормошила пальто, щупала верх, дула на воротник, разглядывала подкладку. А тем временем Дуняшка застаивалась в галантерее.

Бог ты мой, сколько тут всего! Чулки простые, челки в резиночку, чулки тоненькие, в паутинку, как у ихней учительницы. Мониста! Голубые, в круглую бусинку, красной рябинкой, зеленым прозрачным крыжовником, и рубчатые, и граненые, и в одну нитку, и в целый пучок… А брошки! А сережки! Блузки какие! Гребенки и вовсе небывалые! Глядела на все это Дуняшка, и даже продавцы замечали, как разбегались глаза от красоты невиданной, как сами собой раскрывались пухлые Дуняшкины губы от восхищения. Подходила Пелагея, не торопясь разглядывала все это богатство, полная внутренней гордости, что если захочет, то все может купить.

Смотрели на Дуняшку продавцы, ждали, чего пожелает она, на чем остановит выбор. А Дуняшка торопливо шептала Пелагее:

— Глянь, какие сережки! Не дорого, а как золотые! — и моляще дергала мать за рукав.

— Пошли, пошли! Некогда тут! — озабоченно говорила Пелагея.

А Дуняшка:

— Мама, хоть гребенку!

Но Пелагея направлялась к выходу и лишь за порогом, чтоб не слышали люди, гусиным шепотом выговаривала:

— Гребенку купим, а на пальто не хватит. Понимать надо!

До универмага они добрались лишь после обеда. Правда, сами они еще ничего не ели: и некогда было, и не хотелось. У входа в магазин люд вертелся, как вода в мельничном омуте. Здесь засасывало, кружило и выбрасывало сразу десятки людей. Из дверей универмага доносился глухой непрерывный гул, будто там тяжело вращались жернова.

Пелагея и Дуняшка протолкались внутрь, наспех обежали первый этаж, но там продавалось не то, что нужно, и они пошли выше. На лестничной площадке, между первым и вторым этажами, они увидели себя в огромном зеркале, вделанном в стену. Зеркало молчаливо подсказывало каждому проходящему мимо, что именно надо ему заменить или чего не хватает в одежде.

Пелагея поднималась по лестнице, высоко подбивая коленями свой оборчатый фартук. Она отчужденно взглянула на себя и вдруг проговорила:

— Батюшки, молотки-то я потеряла! Теперь убьет малый…

Одной ступенькой ниже поднималась Дуняшка. Она глядела в зеркало во все глаза, потому что видела себя вот так, всю сразу, в первый раз в жизни. В своем вязаном платке, делавшем ее голову круглой и обыкновенной, в куцем, узкоплечем сереньком пальтишке, из-под которого торчали длинные, крепкие ноги в хромовых забрызганных сапогах, Дуняшка походила на молодую серенькую курочку, у которой еще как следует не прорезался нарядный гребешок, не округлился зобик, не поднялся кверху хвостик, зато уже отросли сильные, выносливые ноги. Но щеки ее по-прежнему неутомимо пылали, и зеркало шепнуло: «Разве можно в таком пальто ходить под рыжий тополек?»

В отделе верхней женской одежды было не очень много народу, за прилавком в огромном длинном салоне в благоговейной тишине и терпком запахе мехов и нафталина висели пальто и шубы. Они помещались длинными рядами, как коровы в стойлах на образцовой совхозной ферме, — рукав к рукаву, масть к масти, порода к породе. На каждом из них висели картонные бирки. Между рядами в торжественном почтении, разговаривая вполголоса, ходили покупатели, брали в ладони бирки, приценивались.

— Вам для девочки? — посмотрев внимательно на Дуняшку, спросила полная пожилая продавщица в очках и халате, похожая на ветврача из соседнего совхозного отделения. — Пожалуйста, пройдите. Сорок шестые направо.

Пелагея, а за ней Дуняшка несмело вошли за обитый красным плюшем барьер и начали осмотр с края. Но Дуняшка шепнула: «Черное не хочу», — и они прошли к бежевым. Бежевые были хороши. Большие роговые пуговицы. Мягкий коричневый воротник. Кремовая шелковая подкладка. Пелагея смяла в кулаке угол полы — не мнется.

— Дуня, ну-ка прочитай.

— Тысяча двести.

— Так-так, — сдвинула брови Пелагея. — Маркое дюже. Вон у агрономши. Ехала в машине — запятнала. А теперь хоть брось.

— Мама, смотри, вон темно-синие! — зашептала Дуняшка.

— Ничего сукнецо! — одобрила Пелагея.

— Воротник красивый! Просто пух! — шепнула Дуняшка.

— А цена? Ты цену прочитай.

— Тысяча девятьсот шестьдесят.

— Это небось год указан?

— Да нет… рубли.

— А-а… рубли… Уж больно дорого что-то. Пальто — так себе. И воротник небось собачий. Не лиса, не кот.

Дальше висели светло-серые. Они были почему-то без воротников, но зато с опушкой на рукавах. Пелагея недоверчиво покосилась на бирку, но просить Дуняшку прочитать не решилась. За серыми пошли шубы.

— Небось тоже дорогие, — сказала Пелагея, — тыщи на полторы, не меньше.

— Ну, подобрали что-нибудь? — спросила продавщица.

— Да что-то не нравятся, — озабоченно сказала Пелагея. — То маркие больно, то крою не нашенского.

Продавщица, бросив едва заметный взгляд на Пелагеин передник, спросила:

— Вы на какую цену хотели бы?

Пелагея задумалась.

— Да вот и сама не знаю, — сказала она. — Брать дорогое рискованно. Дочка еще будет расти. Пока б рублей за семьсот. А то можно и подешевле.

— Конечно, конечно, — понимающе закивала очками продавщица. — Девочка еще в росте.

— Вы уж, пожалуйста, постарайтесь.

— Есть у нас для нее великолепное пальто! — сказала продавщица. — Недорогое, но очень даже приличное. Пойдемте. Мы ее сейчас так разоденем.

Продавщица прошла в самый конец ряда и, покопавшись, подала:

— Вот, пожалуйста.

Пальто и верно было хорошее. Коричневое в елочку. Воротник черный. Вата настегана не внатруску, а как следует. Теплое пальто! Пелагея дунула на воротник — мех заколыхался, провела по шерсти — прилег мех, заблестел вороновым крылом.

— Драп, воротничок под котик, — пояснила продавщица, поворачивая пальто на пальце. — Пожалуйста, подкладочка из шелковой саржи. Чистенько. Тебе нравится? — спросила она Дуняшку.

Дуняшка застенчиво улыбнулась.

— Ну вот и отличненько! — тоже улыбнулась продавщица. — Давайте примерим. Вот зеркало.

С радостным трепетом надевала Дуняшка пальто. От него пахло новой материей и мехом. Даже сквозь платье Дуняшка ощущала, какой гладкой была подкладка. Она была прохладной только сначала, но потом сразу же охватило тело уютным теплом. Вокруг шеи пушисто, ласково лег воротник. Дрожащими пальцами Дуняшка застегивала тугие пуговицы, и Пелагея, озабоченно раскрасневшаяся, кинулась ей помогать. Как только пуговицы были застегнуты, Дуняшка сразу почувствовала себя подтянутой и стройной. Грудь не давило, как в старом пальто, а на бедрах и в талии она ощутила ту самую ладность хорошо сидящей одежды, когда и не тесно и не свободно, а как раз в самую пору.

Посмотреть на примерку пришли почти все бывшие за барьером покупатели. Какой-то старичок с белой будто выстиранной бородкой, летчик с женой. Дама в черном пальто и черно-дымчатой лисице с мужчиной очень приличного вида в красном шарфике тоже подошли к примерочной.

Дуняшка посмотрела в зеркало и обомлела. Она и не она! Сразу повзрослела, выладнялась, округлилась, где положено. Она увидела свои собственные глаза, сиявшие счастливой голубизной, и впервые почувствовала себя взрослой!

— Прямо невеста! — сказал старичок.

— Вам очень к лицу, — заметила жена летчика. — Берите, не сомневайтесь.

— Ну что за прелесть девчонка! — улыбнулась дама в лисе. — Что значит одеть как следует человека! Недаром же говорят: «По одежде встречают…» Разреши, милая, я заправлю твою косичку. Вот так! Чудо, а не пальто

— Выписывать? — наконец спросила продавщица и достала из кармана чековую книжку.

— Раз люди хвалят, то возьмем, — сказала Пелагея. — Восемнадцать годков дочке-то. Как не взять.

— Пожалуйста: шестьсот девяносто три рубля двадцать одна копейка. Касса рядом.

Пелагея побежала платить, а Дуняшка, неохотно расставшись с новым пальто, натянула на себя старенькое и повязала платок.

— Счастливая пора у этой девочки, — вздохнула дама. — Первое пальто, первые туфельки… Все впервые…

Продавщица ловко завернула покупку в бумагу, несколькими взмахами руки обмотала бечевкой и, щелкнув ножницами, подала Дуняшке.

— Носи на здоровье.

— Спасибо, — тихо поблагодарила Дуняшка.

— Спасибо вам, люди добрые, за совет и помощь, — сказала Пелагея. — Тебе, дочка, спасибо на ласковом слове, — сказала она даме.

— Ну что вы! — улыбнулась дама. — Приятно было посмотреть на вашу девочку. Ты в каком классе?

— На ферме я, — проговорила Дуняшка застенчиво и уставилась на свои большие красные руки, державшие покупку.

— Она у нас птичницей в колхозе работает, — пояснила Пелагея. — Триста ден выработала. На ее деньги пальто и справили.

— Ну, это совсем мило! — сказала дама и очарованно еще раз посмотрела на Дуняшку.

Сразу уходить из магазина не хотелось. Пелагея и Дуняшка еще не остыли от возбуждения и долго толкались по разным отделам. После покупки пальто, которое Дуняшка носила под мышкой, все время поглядывая на него, хотелось еще чего-нибудь. И они, разглядывая товары, говорили, что хорошо бы к такому пальто прикупить еще и боты. «Вон те, с опушкой». — «Говорят, они неноские». — «Как же неноские? Катька Аболдуева третью зиму носит». — «Ладно, купим. Такие у нас в сельпо есть». — «Мама, глянь, какие шляпы!» — «Ты что, спятила? Будешь ты ее носить!» — «Да я так просто». — «Тебе б платок теперь пуховый».

Так обошли они весь этаж и опять, проходя мимо отдела верхней одежды, остановились взглянуть на прощание на висевшие пальто.

За барьером они увидели даму, примерявшую шубу. Мужчина в красном шарфике стоял рядом. Он держал ее пальто.

Шуба была из каких-то мелких шкурок с темно-бурыми спинками и рыжими краями, отчего она выглядела полосатой. Продавщица, развернув шубу, набросила ее на даму, и та сразу потонула с головы до пят в горе рыжего легкого меха. Были видны только гребень взбитых на макушке волос цвета крепкого чая да снизу, из-под края шубы, — щиколотки ног и черные туфельки.

— Широкая дюже, — шепотом заметила Пелагея. — Совсем человека не видно.

Дуняшке шуба тоже показалась очень просторной и длинной. Она свисала с плеч волнистыми складками, рукава были широкие, с большими отворотами, а воротник разлегся от плеча до плеча. Может быть, так казалось после черного пальто, которое очень ладно сидело на даме?

Пальто это было очень хорошее, совсем новое — и материал, и лисий воротничок. Его еще можно носить и носить, и если бы у Дуняшки было такое, она не стала бы брать шубу, а купила бы пуховый платок и боты.

Дуняшке хотелось сказать об этом даме, хотелось проявить участие, посоветовать что-нибудь, как советовали только что во время примерки ей самой. Но, конечно, она ни за что не решилась бы. Это она только так, про себя. Она не знала, какие надо говорить слова, и вообще робела перед этой хотя и приветливой, но все же в чем-то недоступной женщиной.

Дама передернула плечами, отчего шуба заходила на спине широкими складками, и посмотрела на себя в зеркало. Дуняшка увидела ее красивое, в этот момент слегка побледневшее лицо, охваченное широким рыжим воротником. Живые светло-коричневые глаза смотрели внимательно и строго, а подкрашенные губы чуть улыбались.

— Филипп, тебе нравится? — спросила дама, проводя выгнутой ладонью по щеке и волосам.

— В общем, ничего, — сказал мужчина. — Пожалуй, даже лучше той…

— Как сзади?

— Три складочки. Как раз то, что ты любишь.

— Может быть, не будем брать? Мне не очень нравится воротник.

— Отчего же? Шуба тебе к лицу. А воротник — пригласи Бориса Абрамовича. Переделает.

— Мне его что-то не хочется. Марина Михайловна говорила, что он ей испортил шубу. Я позвоню Покровской — у нее хороший скорняк.

Дама еще раз взглянула на себя в зеркало.

— Хорошо, я беру, — сказал она. — Если что — Элка сносит.

— Разрешите выписать? — учтиво спросила продавщица.

— Да-да, милая…

Мужчина пошел платить. Он расстегнул портфель и положил на кассовую тарелочку два серых кирпичика сотенных, перехваченных бумажной лентой.

— Это все за одну шубу?! — ахнула Дуняшка.

Шуба была завернута в бумагу. Продавщица с серьезным лицом, на котором была написана вся торжественность момента, несколькими привычными взмахами руки обмотала пакет бечевкой и, вручая даме, так же, как и Дуняшке, пожелала:

— Носите на здоровье.

— Благодарю вас.

— Вот мы с тобой и с обновками! — улыбнулась дама, заметив Дуняшку и ласково потрепала ее по щеке.

В ее руках был совсем такой же пакет, как и Дуняшкин, почти такого же размера, в той же белой бумаге с красными треугольниками, так же перехваченный крест-накрест бечевкой. Положить рядом — не различишь.

Мужчина взял у нее пакет, и они вышли.

На улице сыпал мелкий дождик. Асфальт блестел. Дуняшка и Пелагея видели, как дама и мужчина сели в мокрую блестяще-черную машину и поехали. В заднем окошечке мелькнула лисья мордочка воротника с красной пастью.

— Хорошие люди, — сказала Пелагея. — Обходительные.

Дуняшка посмотрела на свой пакет. Дождь дробью барабанил по обертке, и бумага покрылась пятнами. Дуняшка расстегнула пальто, спрятала покупку под полу.

— Мама, есть хочется, — сказала она.

На сдачу от пальто они купили у лоточницы по булке и по мороженому, остальную мелочь спрятали на дорогу. Зашли за газетную будку и стали есть. Они ели жадно и молча, потому что проголодались, и еще потому, что было неловко есть на людях. А мимо все шли и шли поднятые воротники и шляпы, кепки и спецовки, очки и береты, цокали туфельки и шаркали матерчатые боты. Время от времени проходили раздутые портфели, и Дуняшке казалось, что они набиты сотенными. Иногда проплывали лисы, уютно пристроившиеся под зонтиками. На них не капало.

— Ну, пошли что ли? — сказала Пелагея, отряхивая с пиджака крошки. — Не знаю, купил ли Степка керосину…

С автобуса они сошли еще засветло. Дождь перестал, но большак осклиз и тускло поблескивал среди черной, тяжело осевшей влажной земли. Пелагея подоткнула под пиджак фартук и, разъезжаясь сапогами по убитой тропинке, зашагала впереди Дуняшки. Теперь она спешила домой, потому что надо еще успеть постирать Степкино белье. Завтра рано ему ехать в школу механизации. Дуняшка бежала следом. Ей тоже хотелось поскорее домой.

Уже перед самым косогором вдруг проглянуло солнце. Оно ударило пучком лучей в узкую прореху между землей и небом, и большак засверкал бесчисленными лужами и залитыми колеями.

Выйдя на самую кручу, они остановились передохнуть. После дождя потишило и потеплело. Город притомил Дуняшку своей суто-локой, а здесь, в поле, было тихо, хорошо и так все привычно. Возле подсолнуха, одиноко торчавшего у дороги, стоял теленок. Он обдергивал влажные, обмякшие листья и неторопливо жевал их, пересовывая языком черенок. Перестав есть и растопырив уши, он задумчиво уставился на Пелагею и Дуняшку. Недоеденный черенок торчал из его влажных розоватых губ.

— Скоро придем, — сказал Пелагея. — Ну-ка, дай сюда…

Она взяла у Дуняшки сверток и проткнула пальцем бумагу. В прорыв проглянула подкладка. Она была цвета молочной печенки и шелково переливалась на свету.

— Хорошая подкладка! — одобрила Пелагея. — Ну-ка, погляди.

— Хоть на платье! — сказала Дуняшка. — Мама, а верх какой? Я забыла…

Поковыряли бумагу в другом месте, добрались до верха.

— И верх хороший! — еще раз убедилась Дуняшка.

— Ну, верху — сносу нет! Говори, что тыщу отдали.

— За тыщу и хуже бывает. Помнишь, то висело, бежевое?

— И глядеть не на что!

— Мама, давай воротник посмотрим. Еще воротник не посмотрели.

Воротник был мягок и черен, как вороново крыло. Замечательный воротник!

— Как она сказала — какой воротник?

— Под котик.

— А-а… Ишь ты! Дорогой небось.

— Мама, и теплое!

— Теплое, дочка. — Пелагея прикинула сверток на руке. — Насчет теплоты и говорить нечего. А что шуба? Одно только название. Ни греву, ни красы. Как зипун. Была б она целая. А то из латок. Того и гляди, лопнет на швах. Да и вытрется. А уж это — красота! И к лицу. И сидит ладно.

— Я в нем как взрослая, — застенчиво улыбнулась Дуняшка.

— Молчи, девонька, продадим теленка — платок пуховый справим.

— И ботики! — вся засветилась Дуняшка.

— Справим и боты! Справим!

Под горку бежалось легко. Чтоб сократить дорогу, пошли напрямки по травянистому склону. Впереди, выхваченная солнцем из темной пашни, белела хатами деревня. Дуняшка, млея от тихой тайной радости, отыскала глазами рыжий тополек.

1962

БЕЛЫЙ ГУСЬ

Если бы птицам присваивали воинские чины, то этому гусю следовало бы дать адмирала. Все у него было адмиральское: и выправка, и походка, и тон, каким он разговаривал с прочими деревенскими гусями.

Ходил он важно, обдумывая каждый шаг. Прежде чем переставить лапу, гусь поднимал ее к белоснежному кителю, собирал перепонки, подобно тому, как складывают веер, и, подержав этак некоторое время, неторопливо опускал лапу в грязь. Так он ухитрялся проходить по самой хлюпкой, растележенной дороге, не замарав ни единого перышка.

Этот гусь никогда не бежал, даже если за ним припустит собака. Он всегда высоко и неподвижно держал длинную шею, будто нес на голове стакан воды.

Собственно, головы у него, казалось, и не было. Вместо нее прямо к шее был прикреплен огромный, цвета апельсиновой корки клюв с какой-то не то шишкой, не то рогом на переносье. Больше всего эта шишка походила на кокарду.

Когда гусь на отмели поднимался в полный рост и размахивал упругими полутораметровыми крыльями, на воде пробегала серая рябь и шуршали прибрежные камыши. Если же он при этом издавал свой крик, в лугах у доярок звонко звенели подойники.

Одним словом, Белый гусь был самой важной птицей на всей кулиге. В силу своего высокого положения в лугах он жил беспечно и вольготно. На него засматривались лучшие гусыни деревни. Ему безраздельно принадлежали отмели, которым не было равных по обилию тины, ряски, ракушек и головастиков. Самые чистые, прокаленные солнцем песчаные пляжи — его, самые сочные участки луга — тоже его.

Но самое главное — то, что плес, на котором я устроил приваду, Белый гусь считал тоже своим. Из-за этого плеса у нас с ним давняя тяжба. Он меня просто не признавал. То он кильватерным строем ведет всю свою гусиную армаду прямо на удочки да еще задержится и долбанет подвернувшийся поплавок. То затеет всей компанией купание как раз у противоположного берега. А купание-то это с гоготом, с хлопаньем крыльев, с догонялками и прятками под водой. А нет — устраивает драку с соседней стаей, после которой долго по реке плывут вырванные перья и стоит такой гам, такое бахвальство, что о поклевках и думать нечего.

Много раз он поедал из банки червей, утаскивал куканы с рыбой. Делал это не воровски, а все с той же степенной неторопливостью и сознанием своей власти на реке. Очевидно, Белый гусь считал, что все в этом мире существует только для него одного, и, наверное, очень бы удивился, если бы узнал, что сам-то он принадлежит деревенскому мальчишке Степке, который, если захочет, оттяпает на плахе Белому гусю голову, и Степкина мать сварит из него щи со свежей капустой.

Этой весной, как только пообдуло проселки, я собрал свой велосипед, приторочил к раме пару удочек и покатил открывать сезон. По дороге заехал в деревню, наказал Степке, чтобы добыл червей и принес ко мне на приваду.

Белый гусь уже был там. Позабыв о вражде, залюбовался я птицей. Стоял он, залитый солнцем, на краю луга, над самой рекой. Тугие перья одно к одному так ладно пригнаны, что казалось, будто гусь высечен из глыбы рафинада. Солнечные лучи просвечивают перья, зарываясь в их глубине, точно так же, как они отсвечивают в куске сахара.

Заметив меня, гусь пригнул шею к траве и с угрожающим шипением двинулся навстречу. Я едва успел отгородиться велосипедом.

А он ударил крыльями по спицам, отскочил и снова ударил.

— Кыш, проклятый!

Это кричал Степка. Он бежал с банкой червей по тропинке.

— Кыш, кыш!

Степка схватил гуся за шею и поволок. Гусь упирался, хлестко стегал мальчишку крыльями, сшиб с него кепку.

— Вот собака! — сказал Степка, оттащив гуся подальше. — Никому прохода не дает. Ближе ста шагов не подпускает. У него сейчас гусята, вот он и лютует.

Теперь только я разглядел, что одуванчики, среди которых стоял Белый гусь, ожили и сбились в кучу и испуганно вытягивают желтые головки из травы.

— А мать-то их где? — спросил я Степку.

— Сироты они...

— Это как же?

— Гусыню машина переехала.

Степка разыскал в траве картуз и помчался по тропинке к мосту. Ему надо было собираться в школу.

Пока я устраивался на приваде, Белый гусь уже успел несколько раз подраться с соседями. Потом откуда-то прибежал пестро-рыжий бычок с обрывком веревки на шее. Гусь набросился на него.

Теленок взбрыкивал задом, пускался наутек. Гусь бежал следом, наступал лапами на обрывок веревки и кувыркался через голову. Некоторое время гусь лежал на спине, беспомощно перебирая лапами. Но потом, опомнившись и еще пуще разозлившись, долго гнался за теленком, выщипывая из ляжек клочья рыжей шерсти. Иногда бычок пробовал занять оборону. Он, широко расставляя передние копытца и пуча на гуся фиолетовые глаза, неумело и не очень уверенно мотал перед гусем лопоухой мордой. Но как только гусь поднимал вверх свои полутораметровые крылья, бычок не выдерживал и пускался наутек. Под конец теленок забился в непролазный лозняк и тоскливо замычал.

«То-то!..» — загоготал на весь выпас Белый гусь, победно подергивая куцым хвостом.

Короче говоря, на лугу не прекращался гомон, устрашающее шипение и хлопанье крыльев, и Степкины гусята пугливо жались друг к другу и жалобно пищали, то и дело теряя из виду своего буйного папашу.

— Совсем замотал гусят, дурная твоя башка! — пробовал стыдить я Белого гуся.

«Эге! Эге! — неслось в ответ, и в реке подпрыгивали мальки. — Эге!..» Мол, как бы не так!

— У нас тебя за такие штучки враз бы в милицию.

«Га-га-га-га...» — издевался надо мной гусь.

— Легкомысленная ты птица! А еще папаша! Нечего сказать, воспитываешь поколение...

Переругиваясь с гусем и поправляя размытую половодьем приваду, я и не заметил, как из-за леса наползла туча. Она росла, поднималась серо-синей тяжелой стеной, без просветов, без трещинки, и медленно и неотвратимо пожирала синеву неба. Вот туча краем накатилась на солнце. Ее кромка на мгновение сверкнула расплавленным свинцом. Но солнце не могло растопить всю тучу и бесследно исчезло в ее свинцовой утробе. Луг потемнел, будто в сумерки. Налетел вихрь, подхватил гусиные перья и, закружив, унес вверх.

Гуси перестали щипать траву, подняли головы.

Первые капли дождя полоснули по лопухам кувшинок. Сразу все вокруг зашумело, трава заходила сизыми волнами, лозняк вывернуло наизнанку.

Я едва успел набросить на себя плащ, как туча прорвалась и обрушилась холодным косым ливнем. Гуси, растопырив крылья, полегли в траву. Под ними спрятались выводки. По всему лугу были видны тревожно поднятые головы.

Вдруг по козырьку кепки что-то жестко стукнуло, тонким звоном отозвались велосипедные спицы, и к моим ногам скатилась белая горошина.

Я выглянул из-под плаща. По лугу волочились седые космы града. Исчезла деревня, пропал из виду недалекий лесок. Серое небо глухо шуршало, серая вода в реке шипела и пенилась. С треском лопались просеченные лопухи кувшинок.

Гуси замерли в траве, тревожно перекликались.

Белый гусь сидел, высоко вытянув шею. Град бил его по голове, гусь вздрагивал и прикрывал глаза. Когда особенно крупная градина попадала в темя, он сгибал шею и тряс головой. Потом снова выпрямлялся и все поглядывал на тучу, осторожно склонял голову набок. Под его широко раскинутыми крыльями тихо копошилась дюжина гусят.

Туча свирепствовала с нарастающей силой. Казалось, она, как мешок, распоролась вся, от края и до края. На тропинке в неудержимой пляске подпрыгивали, отскакивали, сталкивались белые ледяные горошины.

Гуси не выдержали и побежали. Они бежали, полузачеркнутые серыми полосами, хлеставшими их наотмашь, гулко барабанил град по пригнутым спинам. То здесь, то там в траве, перемешанной с градом, мелькали взъерошенные головки гусят, слышался их жалобный призывный писк. Порой писк внезапно обрывался, и желтый «одуванчик», иссеченный градом, поникал в траву.

А гуси все бежали, пригибаясь к земле, тяжелыми глыбами падали с обрыва в воду и забивались под кусты лозняка и береговые обрезы. Вслед за ними мелкой галькой в реку сыпались малыши — те немногие, которые еще успели добежать. Я с головой закутался в плащ. К моим ногам скатывались уже не круглые горошины, а куски наспех обкатанного льда величиной с четвертинку пиленого сахара. Плащ плохо спасал, и куски льда больно секли меня по спине.

По тропинке с дробным топотом промчался теленок, стегнув по сапогам обрывком мокрой травы. В десяти шагах он уже скрылся из виду за серой завесой града.

Где-то кричал и бился запутавшийся в лозняке гусь, и все натужнее звякали спицы моего велосипеда.

Туча промчалась так же внезапно, как и набежала. Град в последний раз прострочил мою спину, поплясал по прибрежной отмели, и вот уже открылась на той стороне деревня, и в мокрое заречье, в ивняки и покосы запустило лучи проглянувшее солнце.

Я сдернул плащ.

Под солнечными лучами белый, запорошенный луг на глазах темнел, оттаивал. Тропинка покрылась лужицами. В поваленной мокрой траве, будто в сетях, запутались иссеченные гусята. Они погибли почти все, так и не добежав до воды.

Луг, согретый солнцем, снова зазеленел. И только на его середине никак не растаивала белая кочка. Я подошел ближе. То был Белый гусь.

Он лежал, раскинув могучие крылья и вытянув по траве шею. Серый немигающий глаз глядел вслед улетавшей туче. По клюву из маленькой ноздри сбегала струйка крови.

Все двенадцать пушистых «одуванчиков», целые и невредимые, толкаясь и давя друг друга, высыпали наружу. Весело попискивая, они рассыпались по траве, подбирая уцелевшие градины. Один гусенок, с темной ленточкой на спине, неуклюже переставляя широкие кривые лапки, пытался взобраться на крыло гусака. Но всякий раз, не удержавшись, кубарем летел в траву.

Малыш сердился, нетерпеливо перебирал лапками и, выпутавшись из травинок, упрямо лез на крыло. Наконец гусенок вскарабкался на спину своего отца и замер. Он никогда не забирался так высоко.

Перед ним открылся удивительный мир, полный сверкающих трав и солнца.

ВАРЬКА

Вот уже битый час Варька, мокрая и встрепанная, в куцем, выгоревшем за лето сарафане, гонялась по озеру за утками. Она упиралась широко расставленными ногами в борта полузатопленной плоскодонки, весло цепко увязало в иле, путалось в пухлых травянистых пластах. От каждого толчка лодка заваливалась набок, и в ее отсеках хлюпала и взбрызгивалась парная, цвелая вода. Комары столбом толклись над головой, и Варька, отмахиваясь, яростно шлепала себя то по остро выпиравшим лопаткам, темным и худым плечам, то по мокрым и красным, исцарапанным камышами икрам.

— И штоб я в другой раз заместо кого осталась! — кричала она злым, грубым голосом. — И пропади они все пропадом, те утки! Нашли дуру!

Птица нахально лезла в самое непролазное лопушье, набивалась в камыши, рассчитывая пересидеть там Варькино буйство и все-таки остаться ночевать на озере. Варька шуровала веслом в камышах, колотила плашмя по воде, взбивая розовые при закатном солнце брызги. Утки, тоже розовые, мельтешили в ее глазах вместе с ослепительными бликами взбаламученной воды. Устав махать веслом, Варька оглядела озеро, рукой заслоняясь от багрового солнца.

— И когда же вас, самураев, заберут от меня на птицекомбинат, навязались вы на мою головушку…

Сторож Емельян что-то кричал, командовал Варьке, но она в утином гомоне ничего не разбирала и только, оборачиваясь, видела, как Емельян, черный на светлом предвечернем небе, прыгал на своей деревяшке по крутому голому берег размахивая кисетом.

— А иди ты… — досадовала на него Варька. — Размахался!

Птичник стоял в лугах, верстах в семи от деревни, на берегу глубокой старицы с донными ключами. Построили его года четыре назад, когда пошла по колхозам мода на водоплавающую птицу. Председатель Парашечкин, круглый, коренастый мужичок в кепке с пуговкой, верхом на своем белом горбоносом жеребце, как Наполеон перед сражением, самолично выбирал позицию. Он долго петлял по лугам, среди неразберихи стариц, заросших ивняком и всякой дурной болотной всячиной, и под конец остановился на этом одиноком бугре. Будучи человеком осторожным и прижимистым, он не стал сразу разоряться на капитальное строительство, а поначалу распорядился сладить птичник на скорую руку — для пробы. «Так — дак так, а не так — дак и ладно», — приговаривал он, размечая бугор саженкой — откуда и докуда ладить постройку. Плотники сплели из лозы опояску в полметра высотой, сверху сомкнули жердяные стропильца и все это закидали соломой. С тех пор и стоит посреди лугов этот приземистый, безглавый балаган. Мода, однако, прижилась, утка оказалась доходной птицей, теперь можно было бы взамен шалаша поставить что-нибудь пооснновательнее, тем более что колхоз при средствах, но Парашечкин что-то не спешил.

— Срамота-то какая! — донимали Парашечкина птичницы, когда тот появлялся на озере. — Против соседей совестно. В миллионерах ведь ходим.

Парашечкин, сощурясь, издали оглядывал птичник, вдруг, побагровев, начинал ругаться:

— Ну-к што, што в миллионерах! С красоты воды не пить. Птичник как птичник. Не капает. Утка тебе што? Утка тебе не курица. Ей хоромы не нужны. А если я сюда двести тыщ кирпича убухаю, посчитайте, во что кило птицы обернется, дуры!

— Да ведь мы-то не утки. Нам и переночевать негде. В деревню каждый раз не набегаешься.

— Вон берите тракторную будку, хватит с вас.

По весне на птичник завозили с инкубатора две-три тысячи зеленовато-желтых пискунов, выпускали их на старицу, все лето полоскались они на полной природе, казенные харчи, правда, тоже были подходящие, подкармливали зерновыми отходами, мучной мешанкой, так что к концу августа, к тому моменту, когда надо закруглять дело, от уток на озере некуда было бросить камень. К этой поре все чаще наведывался Парашечкин, хватал первую попавшуюся утку, прикидывал ее на руке, разгребал пух и тихо так, заискивающе говорил:

— Вы уж, девки, давайте пошуруйте эту недельку. Чтоб все по высшей категории пошло. А я, так и быть, помимо грамот... — он прищуривал один глаз и совсем так, как только что оглядывал уток, оценивающе посматривал на птичниц, — так и быть, я вам по набору духов преподнесу. По «Кармену». От себя лично.

Наконец объявляли сдачу, несколько дней на птичнике стоял гам, уток распихивали по клетушкам, грузили на машины и отправляли на птицекомбинат.

Остальное время балаган пустовал. Зимой по нему, занесенному сугробами, упиваясь утиным духом, шастали лисы. Весной же он одиноко торчал на бугре, со всех сторон облитый полой водой.

Варьку на птичнике называли приблудной. Она объявилась там сама по себе и не числилась ни в каких штатных расписаниях. Позапрошлой весной шла она из школы домой, увидела возле правления грузовик, из которого доносился жалобный многоголосый писк, залезла на заднее колесо, заглянула в кузов. В решетчатых ящиках копошились черноглазые, похожие на пуховички вербы утята.

«Ой, да какие же они!» — загорелась Варька счастливой нежностью, закинула портфель в кузов и прикатила на птичник. Сначала бегала туда после уроков, а когда распустили на каникулы, осталась там на все лето.

Приходила мать, ругалась с птичницами за то, что они сманивают девку, отбивают ее от двора, и Варька пряталась от матери в камышах. Из-за этого птичницы сперва косились на Варьку, гнали ее домой, но потом привыкли и даже не мыслили дела без варькиной помощи.

Варька разжигала кормозапарник, замешивала отруби, гонялась за утками, когда те, узнав про соседнюю бахчу, улепетывали туда клевать помидоры, бегала с поручениями птичниц в контору, палила из дробовика по коршунам, с Емельяном ставила в лопушистых заводях верши. Сарафанишко висел на ней застиранной и вконец выгоревшей тряпицей, сама же она заветривала и обгорала до сизой шелухи, а руки и ноги источались до такой степени, что от выпиравших суставов походили на узловатые жерди.

К концу лета утки надоедали ей до крайности. Из нежных беспомощных пискунов они превращались в прожорливых, нахальных и бестолковых тварей. Они изматывали Варьку до того, что у нее начинал портиться характер, Варька становилась злой, как осенняя муха, и клялась широким остервенелым крестом, что больше ноги ее не будет на этом распроклятом птичнике. А на следующую весну Варька опять прибегала к озеру, с какой-то болезненной жадностью набрасывалась на недельных утят, прижималась к ним щекой, хватала ртом черные мягкие клювики и визжала, дрожа голосом:

— Ой, девчата, не могу! Какие же они хорошенькие!

И все начиналось сначала. Вот уже третье лето.

После обеда на птичник должны были привезти подкормку. Возил корм обычно Генка на «газике». Но вместо него неожиданно прикатил на пароконке с тремя мешками комбикорма Сашка-цыган.

Года три назад в позднюю осеннюю распутицу Сашка прибился к деревне вместе со своей матерью. Варька впервые увидела его в тот день возле правления. Пока мать обговаривала свою просьбу в кабинете Парашечкина, Сашка, тогда еще щуплый, узкоплечий мальчонка с заостренным, перепуганным лицом, сидел на затоптанном осенней грязью крыльце правления и сторожил узелок с пожитками. На нем была какая-то замызганная, не по росту кацавейка с подвернутыми рукавами, из которых зябко торчали черные сухие пальцы с белесыми ногтями. Больше всего Варьке запомнилась Сашкина обувь — глубокие резиновые старушечьи боты, дырявые и переломленные в носках, отчего казались странно и неприятно пустыми. Варька, пока шла мимо, поминутно оглядывалась, дивясь не столько самому цыганенку, сколько его неприкаянному и равнодушно-покорному виду, и ей хотелось, чтобы Парашечкин принял их в колхоз.

Зимовали они на свиноферме, в общественной хате, служившей красным уголком и обогревалкой. Весной для них запахали кусок выгона на краю деревни, и до той поры, когда появится вольный материал на хату, плотники помогали сладить маленькую времянку в одно оконце. С первым теплым днем соседка-бабка выгребла из своего погреба мешок картошки, набрала в подол узелков и кулечков со всякими семенами и повела Сашкину мать Марию на свежераспаханный выгон обучать земле. Мария, высокая, неловко и терпеливо что-то сажала и сеяла, поглядывая на проворные и корявые бабкины пальцы. Любопытные бабы нарочно бегали с ведрами к выездному колодцу, чтобы ненароком подсмотреть, как обживаются чужепришельцы.

Иные, не скрывая своей стародавней крестьянской непримиримости к бродяжьей жизни, посмеивались, кивая.

— Сеять да пахать — не на карты брехать!

Однако постепенно все это изгладилось. Мария помаленьку обвыклась, привыкли и к ней. Она оказалась неназойливой женщиной, без нарочной цыганской нахалинки, на свинарнике работала с молчаливым терпением — одним словом, баба как баба. К тому ж и горе носила в себе самое обычное, бабье: бросил ее муж. Рассказывала, что цыган не смирился перед новым законом, не сдал коня государству, а в необдуманной горячности и глухой тоске по прежней кочевой жизни тайно забил его в лесу, мясо продал, а сам подался искать волю в Молдавию, а может, и дальше куда, к сербам. Звал и ее с собой. Но одному, может, где и воля, а куда же ей с мальчонкой…

Труднее приживался на деревне Сашка. Ребятишки то липли к нему, забавляясь его чужой необычностью, странным говором и привычками, то, вдруг, не поделив какой пустяк, дружно и наглухо чурались, лепили всякие обидные прозвища и по малолетству бездумно попрекали всем цыганским: Сашкиной кучерявостью, глазастостью. «Сыган, сыган, коску смыгал!» — выкрикивал из-за плетня какой-нибудь сопливый бесштанный пацан, просто так, от нечего делать. Свистушки-девчонки, без семи лет невесты, тоже сочиняли про Сашу всякую обидную небывальщину, вроде того, что, мол, у него цыганские ненадежные глаза, многозначительно ахали и, пугая друг дружку Сашкиной неверностью, уговаривали «ни за что на свете» не водить с ним компанию.

Сашка держался хотя и невраждебно, но настороженно и замкнуто, больше вертелся возле взрослых мужиков и все дни пропадал на конюшне. На улице видели его редко, в дневную школу он не ходил, стеснялся своего роста, в вечерке же по причине его неграмотности не нашлось начальных классов. Ради него одного учреждать изначальное обучение в вечерней школе никто не стал, хотя завуч и уговорил Сашку по вечерам брать уроки у него на дому. Свалив мешки, Сашка закурил сигарету, присел у заднего колеса на корточки.

— Девчата, шестимесячный приехал! — крикнула птичница Нинка Арбузова, и вслед за ней все остальные высыпали из вагончика.

Сашка бывал на птичнике редко, и на него сбегались глядеть, как на диковинку. Сашкину голову покрывала буйная копна нестриженых волос, опутывавших шею сине-смоляными кольцами. Девчата завидовали этому даром доставшемуся нечесаному счастью и между собой называли Сашку шестимесячным.

— Саш, продай бигуди, — притворно серьезным тоном сказала Ленка Пряхина, присев перед цыганенком на корточки.

Птичницы томились знойной скукой августовского дня и обрадовались случаю побалагурить.

— Какие бигуди? — не понял Сашка.

Девчата прыснули. Сашка, смигивая черными ресницами, выжидающе поглядывал то на одну, то на другую.

— Он их на конюшню отнес, — вставила Нинка, подписывавшая на грядке телеги Сашкину накладную. — Кобылам на ночь хвосты накручивает.

Девчата снова дружно захохотали. Сашка отвернулся, пустил длинную струйку дыма на свои босые серо-пыльные ноги.

— Саш, а правду говорят, что ты девкам зелье подсыпаешь? — не унималась Ленка. — Девки выпьют и сразу дурочками становятся.

— Ты и без зелья дурочка, — огрызнулся Сашка.

Варька, сочувствовавшая Сашке еще с того самого дня, как видела его на крыльце правления с узелком под мышкой, не принимала участия в балагурстве, топталась в сторонке, испытывая стыдливую неловкость от обидных и задиристых шуток птичниц. Девчата заметили Варькино смущение, тотчас истолковали его на свой лад и бессовестно набросились на нее.

— Ты чего за спины прячешься?

— Девки, да она краснеть научилась…

— Одни глаза чего стоят!

— Берегись, Варька, они глазливые!

Поймав на себе черно-сливовый Сашкин взгляд, Варька совсем смешалась, еще больше пыхнула от жаркого и сладкого испуга и гнева и, чувствуя, как глаза наливаются слезами, нагнула голову и убежала за будку.

— Отдай накладную, — нахмурился Сашка.

— Погоди! Куда ты спешишь! Побудь с нами.

— Сашечка, сплясал бы, что ли!

— Ага, Саш! Чего тебе стоит! А мы Парашечкина попросим, чтоб он тебе трудодень за это начислил. Как за художественную самодеятельность.

Сашка угрюмо зыркал из-под спутанных завитков, потом подскочил, хотел было выхватить накладную, но Нинка, увернувшись и подняв бумажку над головой, захохотала:

— Сперва спляши…

— Дай, говорю! Я на работе, поняла?

— Поняла... Твоя работа никуда не убежит. Вон как хвосты обвисли.

Сашка затравленно озирался. Не найдя слов, болезненно скривясь, он вдруг выхватил из повозки длинный кнут.

Девчата взвизгнули и рассыпались. Перевалившись через решетчатую дробину и огрев кнутом сонно выстаивавших жару лошадей, Сашка покатил прочь в сухом грохоте растрепанной телеги.

— Ой! — спохватилась Ленка Пряхина, когда Сашка был уже за озером. — А что же мы про кино не спросили? Сегодня же четверг. В клубе кино должно быть.

...Варька весь остаток дня носила в себе обиду на девчат за давешнее и уже было настроилась вечером сходить в клуб, но к ней неожиданно подошла Ленка, обняла пухлой рукой за плечи и потащила в сторону от балагана.

— Пойдем, чегой-то скажу.

— Чего еще? Небось подежурить?

— Ага, Варь, золотце, побудь за меня!

— Больно нужно! — Варька сердито дернула плечами, но Ленка крепко и непрекословно обхватила ее за талию, прижала к своему мягкому и теплому бедру.

— Варь, ну ладно тебе... Ты чего, в кино собираешься?

— А хоть бы и в кино.

— Ну что тебе кино? Успеешь еще, находишься.

— А тебе больно нужно?

— Сама знаешь... Ну просто аж душа сохнет. Ну, хочешь, я тебя поцелую?

Варька знала, что у Ленки любовь, и давно тайно и пытливо приглядывалась к птичнице. Ленка ходила то улыбчивой и потерянной дурочкой, то рассеянной и молчаливой, но все равно было заметно, что ей хорошо. Это было чем-то вроде странной и счастливой болезни. Варьку и самое от одного этого слова охватывало щемяще-сладким ознобом, и она начинала смотреть куда-то далеко-далеко, за деревню, за край земли. Все это было как-то неопределенно и ничем не похоже на Ленкину любовь, к тому же бесследно проходило, как только она начинала возиться с утками. Но через эти смутные наплывы сладостной грусти Варька понимала, что происходит с Ленкой, и то сочувствовала ей, то вдруг упрямо и вызывающе грубила ей.

— Побудь, а, Варь… — вкрадчиво шептала Ленка. — Дай доходить… Теперь уж недолго осталось…

— Да что ты на меня виснешь! — Варька рванулась, но, не вырвавшись, задвигала острым и жестким локтем. — Нашли дуру! Я и так за вас все лето тут сижу.

— Варь, ты же хорошая, чего же ты орешь дурным голосом?

— Как хочу, так и кричу! Отпусти, говорю!

— Тебе уже пора за собой последить. Вон как девеча на тебя Сашка глядел… Парни — они все примечают: и как ходишь, и как с людьми обращаешься. А ты орешь как скаженная…

— Больно нужен мне твой Сашка! — протестующе выкрикнула Варька, снова закипая обидой на девчат за их досужую проницательность.

Она вдруг рванулась и убежала, стукотя пятками по убитому, высохшему бугру.

— Вот чумовая!

Через час, когда птичницы уже ушли, Варьке стало жалко неприкаянно бродившую возле балагана Ленку, и она, подкравшись, виновато сказала:

— Ладно, иди уж…

Ленка обернулась, вся просияв, сцапала Варьку, сдавила своими цепкими, удушливыми ручищами.

— Опять тискать! — завопила Варька, задыхаясь в сдобной Ленкиной груди. — Чуть что — прямо на ше…ею. Гляди, промахне… ешь…ся… не на ту повиснешь…

— Ах ты язва сухоребрая! — взвизгнула Ленка.

— Уйди, говорю, а то ушибу!

Варька, вскидывая коленки, начала топать, норовя наступить Ленке на ноги, та неуклюже запрыгала, отдергивая ступни, запнулась о корыто, и они шлепнулись и раскатились, хохоча: Ленка — тоненько, молодым барашком, Варька — раскатисто и басовито.

Ленка стала собираться. Она стащила старенькую блузку и, продев локти в спущенные лямки нижней сорочки, оголилась до пояса, круглотелая и ладная, белея крепкими грудями. Она, ни чуточки не смущаясь Варьки, в сознании собственного превосходства, неспешно оглядела самое себя и, поглаживая нежно-розовые соски, попросила полить умыться. Варька с готовностью подхватила ведро, стала лить на мониста, в то место, где темный загар от выреза воротника четко переходил в чистую белизну спины. Ленка вздрагивала, радостно придыхала от ледяной ключевой воды, поводила литыми, сразу порозовевшими плечами, и Варьке была приятна здоровая и красивая Ленкина нежность, которой она искренне и открыто завидовала.

— Лен, а ты справная! — сказала она и тут же, отвернувшись, трижды поплевала себе под ноги.

— Тоже… выдумаешь! — передыхая, отозвалась Ленка.

— Ей-богу, Лен!

Умывшись, Ленка ушла в тракторную будку, покопалась там в сундуке, стала одеваться в чистое. Варька неотступно ходила следом.

— Варь, застегни.

И Варька, озабоченно волнуясь, неловко и торопливо застегивала настоящий лифчик, туго перерезавший Ленкину спину узкой белой полоской.

Ей было любопытно и сладко наблюдать все эти таинства девичьих сборов: как Ленка неспешным движением плавных, красивых рук расчесывала влажные после умывания волосы, встряхивала и откидывала распушенную голову, как пришлепывала комочком ваты, будто крестясь, — сначала на лоб, потом на подбородок, а затем уже на обе щеки — душистую пудру, как потом, растерев ее приученными движениями, облизала запорошенные губы, вдруг блеснувшие свежо и ярко, и как послюнила палец и провела по бровям, словно расправила два птичьих крыла. От всего этого Ленка сразу несказанно похорошела, и никак нельзя было подумать, что совсем недавно она месила утиные отруби. Варьке было немножко грустно, что все эти превращения происходят не с нею самой и что, если бы в клуб пошла она, Варька, то никому до этого не было бы дела, а просто сидела бы в первых рядах вместе с такими же, как она, девчонками, грызла бы семечки в подол, отпускала тумаки сопливым ребятишкам, которые в темноте суют за воротник раздавленный шиповник, а потом, после кино, отирались бы с подружками возле уличной гармошки, держась от нее в стороне, с независимым видом, громко и без дела смеясь и подтрунивая над старшими. И все же Варька радовалась за Ленку, радовалась ее праздничной нарядности и тому, что ожидает ее сегодня в деревне. Ей хотелось, чтобы все у Ленки было хорошо и счастливо.

— А целоваться будешь? — жарким шепотом спросила Варька.

Ленка, сощурясь, посмотрела строго и осуждающе, но, не выдержав Варькиной искренней простоты и влюбленности, самодовольно хохотнула:

— Ну и дура же ты!

— Нет, Лен, правда?

— Отстань!

Ленка ушла.

Прислоняясь щекой к дверной притолоке тракторной будки, Варька долго глядела, как она шла торопким, кокетливым мелкошажьем, помахивая в руке белыми босоножками, то пропадая в ложбинах, то снова появляясь на открытом.

...Емельян и Варька наконец собрали уток в плетеный загончик вокруг балагана. Продираясь сквозь густо облепившие ее базарно горланящие утиные шеи, поддавая под них ногой, чтобы расчистить корыто, Варька вываливала из ведер теплое мучное месиво и бежала опять к кормозапарнику. С полчаса у корыт творились галдеж и толчея, жадное чавканье и прихлебывание, потом гомон постепенно стихал, враз отяжелевшие утки, волоча зобы, разбредались от корыт, начиналась чистка перьев, прихорашивание и, наконец, все успокаивалось. Спрятав головы под мышки или зарыв носы в грудастые, распушенные зобы, улегшиеся утки недвижно белели в загоне плотной булыжной мостовой.

Тем временем Варька, перевалившись через край, задрав голые, искусанные комарами ноги, выскребала и споласкивала котел, потом таскала воду, чтобы утром, к моменту, когда проснется вся эта орава и поднимет голодный крик, снова заполнить корыта свежей мешанкой.

После молчаливого ужина за тесовым столиком возле тракторной будки Емельян, неспешно выкурив самокрутку, полез, покряхтывая, в свою каморку, прилаженную сбоку к балагану, такую же безоконную, соломенную, с узким лазом, выстланную сухой осокой.

Оставшись одна и не зная, что больше делать, Варька длинной тенью бродила по притихшему птичнику. После ухода разнаряженной и откровенно счастливой Ленки, взбудоражившей Варьку своими сборами, ею все больше овладевало чувство своей никому ненужности и неотвязно росла смутная, беспокойная потребность что-то делать с собой. Солнце уже зашло, малиновым шаром, будто медный пятак в дорожную пыль, зарылось в сизую мглу на горизонте. На луга пала грустная сумеречная синева. На ближних и дальних старицах лениво и равнодушно, со старческой хрипотцой квакали матерые лягушки, нагоняя тоску и скуку.

Походив вокруг балагана в одуряющем томлении и так и не найдя себе дела, Варька вернулась в тракторный загончик. В будке еще плавало хмельное облако духов, оставшееся от Ленки. Она непроизвольно и жадно потянула носом этот манящий в какие-то светлые, обманчивые царства запах, от которого все вокруг — и этот соломенный балаган, и вытоптанный выгон, и разбросанные по нему корыта — начинало казаться ненужным, угнетающим своей трезвой равнодушной обыденностью.

Варька прокралась к Ленкиному сундуку, нетерпеливо и воровато покопалась в его темном нутре и выгребла себе в подол зеркальце, причудливо ограненный флакон духов и коробочку с пудрой. С гулко колотящим сердцем она расставила все это на откидном столике у маленького, еще светлого оконца, перед которым недавно сидела Ленка. Пристроив зеркальце, она разглядывала себя, поворачивая лицо и кося глаза, потом открыла пудру, мазнула ватой по облупленному редисочному носу.

Нос мучнисто-бело проступил на темном остроскулом лице, и тогда Варька, будто испугавшись, стала торопливо заляпывать все остальное. Из квадрата зеркала на нее смотрело безбровое большеротое существо. У существа было странно-бледное, мертвое лицо и почти черные оттопыренные уши. Оно поворачивало голову на длинной тонкой и тоже почти черной шее и косило круглые, болотно-зеленые глаза с отчужденно и испуганно расширенными зрачками, после чего ненавидяще, со злобной растяжкой сказало:

— У, зан-н-нуда!

Она выскочила из будки, сбежала к озеру, сдернула через голову сарафан и вышагнула из трусов. Берег был илист, истоптан крестиками утиных лап. Варька голышом, горбясь побежала вдоль берега к круче и с ходу, высоко вскинув пятки, бухнулась вниз головой. Над ней взбугрился пенный бурун, затухая, он расплылся по озеру тяжелыми ленивыми кругами, разнося на изгибах прибрежную черноту воды. Она долго и сильно гребла в придонной глубине, пугаясь невидимых трав, трогавших ее живот мягкими, вкрадчивыми лапами, и вынырнула далеко от берега, задохнувшаяся, оглохшая от шума воды в ушах. Коротким нырком Варька смыла с глаз прилипшие волосы, шумно отфыркалась, потерла по лицу ладонями и поплыла ребячьими размашистыми саженками. Вода охладила и успокоила Варьку. Уморившись, она опрокинулась на спину, вытянулась плашмя и замерла. Над поверхностью виднелись только нос и подбородок да еще два бугорка грудей, то проступавших, то погружавшихся в ритме Варькиного дыхания.

Озеро простиралось в темной раме вечерних сумеречных берегов. Плотной стеной темнели по сторонам камыши, чернела причаленная Емельянова лодка, чернели верши, выброшенные на сухое, и только сама вода была еще светла. Лежа на спине на середине озера, Варька не замечала ни берегов, ни обступивших камышей, она видела только небо, огромное и высокое, кажущееся особенно высоким теперь, вечером, когда только в самой безмерной его глубине, на неподвижно замерших кучеряшках облаков еще розовел свет давно угасшей зари. И еще видела она воду, начинавшуюся у самых ее глаз. Зеркально ясная гладь озера, чуткая ко всему, что простиралось над ним, была заполнена подрумяненными облаками и уже не казалось озером, а таким же, как и небо, бездонным пространством, и нельзя было сказать, где кончались настоящие облака и где было только их отражение. Два мира, вода и небо, охваченные вечерним задумчивым покоем, где-то за пределами Варькиного зрения слились воедино, и ей стало радостно и жутковато вот так, одной, недвижно парить в самой середине этой сомкнувшейся светлой бездны, и снизу и сверху заполненной облаками. Она наслаждалась простором, легкостью, почти неосязаемостью своего тела, и все ее недавние томления и горести казались нелепыми и смешными. Здесь не было ни балагана, ни Ленки, ни деревни, — все это ушло из ее сознания и стало почти нереальным, а была только одна она, Варька, в своем гордом и высоком одиночестве. И она завопила как можно громче, для одной только себя, не стесняясь своей безголосости:

Кавказ подо мною. Один в вышине
Стою над снегами у края стремнины.

И так же нараспев, затяжно выкрикнула:

— Я-я-я-я! Эге-ей!

Своего голоса Варька не услышала, потому что уши находились под водой. Она смутилась, взбила ногами шумный фонтан и поплыла к берегу. На ходу она обрывала белые лилии, уже закрывшиеся на ночь. Лилии волочились за ней на длинных гибких стеблях, концы которых Варька придерживала зубами. Она любила делать из них мониста, надламывая стебелек то в одну, то в другую сторону. Получалось что-то вроде цепочки с тяжелым цветком на конце.

Одевшись и сполоснув в лодке ноги, Варька расстелила на берегу, на высоком месте, телогрейку, бросила на нее пучок лилий, принесла и разложила рядом полдюжины крепких приплюснутых помидоров, краюху хлеба и соли на лопушке. Помидоры еще хранили в себе тепло знойного дня, Варька, озябшая после купания, радовалась этому живому теплу, некоторое время держала помидоры в ковшиках ладошек и лишь потом, надавливая большими пальцами на черенковую ямочку, разламывала пополам. Положив половинку в рот, она запрокидывала голову, досылала щепотку соли и, пожевав, прикусывала краюшкой. Она еле не спеша, радуясь вкусу хлеба, с удовольствием хрустя крупинками соли, ела, поглядывая, как в лугах зарождались туманы. Сизое курево проступало откуда-то из низин, слоилось тонкими лоскутами, обозначая все неровности земли, старицы и ложбины. Постепенно туманы перемешались с загустевшей сумеречной синевой, упрятались горбатые спины стогов, темные островки лозняка, далекие деревеньки на суходолах, а затем и сами суходолы, скрылись все следы человеческого бытия. Размылся и пропал из виду горизонт, раскованная перед сном, отпущенная на волю земля беспредельно разбегалась во все стороны, таинственно уходила краями в глубину ночи и простиралась перед Варькой в величаво-спокойной тишине и безлюдье.

Варька доела помидоры, легла на живот, подперла голову кулаками. Она лежала просто так, умиротворенно глядя и прислушиваясь к лугам. Именно в эти минуты прихода ночи Варька испытывала наибольшую близость и свое слияние с простой и ничем не приметной круговиной земли, простершейся вокруг нее. Она чувствовала себя тоже раскованной и отпущенной на волю, в такую пору луга всегда манили ее куда-то. Они манили ее своей новой незнакомостью, когда даже стог, много раз виденный днем, вдруг неузнанно выплывал из темноты и воспринимался с удивлением и легким испугом, манили своей таинственной оборванностью тропинок, которые, казалось, были протоптаны не просто к балагану или к бахчевым шалашам, а вели к неразгаданному и где-то совсем близко заплутавшемуся счастью, заставляя чутко прислушиваться при каждом шаге и держать настороже свое тихо и радостно бодрствующее сердце, учащенное острым ощущением бытия.

Между тем взошла поздняя, натужно-красная луна. Пробившись сквозь сдвинутые к горизонту плоские и вытянутые облака, она очистилась от багровости, пролилась рассеянным, не оставляющим теней голубоватым светом. В загустевшей было темноте наступил перелом. Варька знала, что теперь уже до самого утра в лугах будет брезжить эта призрачная голубизна. За озером на просяном поле глухо заворочался трактор — начали перепахивать под зиму. Поле это не имело правильной формы, оно причудливо изгибалось меж обступивших низин, и трактор, светя себе единственной фарой, будто зеркальцем, мерцал издалека на поворотах «Сбегать посмотреть!» — обрадовалась Варька возможности пойти куда-нибудь.

Но пока она обходила озеро и шла лугом, трактор успел обогнуть поле и теперь удалялся по другому его краю. Свежая пахота опоясала белесое при луне просяное поле. Варька пожалела, что не перехватила трактор и не посмотрела, кого прислали распахивать просо, и некоторое время шла следом, по борозде, босыми ногами ощущая влажный холодок перевернутого пласта. Но, вдруг заметив слева от поля огонек, которого раньше не видела, остановилась. Огонек то исчезал, то опять вспыхивал, и Варька сначала подумала, что кто-то идет лугом и курит, и лишь когда он вскинулся ясным высоким пламенем, она поняла, что разжигали костер. Еще сама не зная, что собирается там делать, Варька выбралась из борозды и свернула влево. Она шла, не обходя глубоких низин, держась на свет костра. Старицы запутанными петлями избороздили луг, вода в них держалась недолго, только после половодья, а остальное время стояли сухими, иные лишь с вязкой мокрецой, вокруг которой безудержно бушевали травы и лозняки. Только немногие питали себя подземными ключами. Но Варька еще издали определяла их по лягушачьему кваканью. Низины до краев были заполнены серебристым при лунном свете туманом. Варька входила в него, как в воду, сначала по пояс, а потом и вовсе с головой. Твердь земли внезапно убегала, почти проваливалась под ногами, тело охватывал овражный холодок, и Варька с приостановившимся дыханием продиралась сквозь брызжущие росою заросли, разрывая сомкнувшиеся стебли коленками и спеша поскорее выбраться на открытое. А выбравшись, оглядывалась и с поздним веселым страхом удивлялась самой себе, как это она прошла через этот распадок, такой жуткий и затаенно-невидимый под седой гладью тумана. Уже неподалеку от костра в одной из таких низин Варька повстречала лошадей. Они паслись на дне, под туманом. Были слышны только сочное хрумканье и тяжелый переступ спутанных ног. Из серой пелены то проступал темный круп, то показывалась поднятая голова, будто кони всплывали из озерных глубин, и тогда они казались Варьке фантастическими чудищами, что бродили по земле в далекие времена.

У костра Варька никого не встретила. В мерцающей круговине света стоял только белый Парашечкин конь, задумчиво и недвижно глядевший на желтые языки пламени. Казалось, что это он распалил костер, чтобы просушиться от низинной сырости и обдумать какие-то свои лошадиные думы.

Варька поглядела по сторонам, застясь от света ладошкой. Удивленно хмыкнув безлюдью, она приподняла сарафан, поставила под горячий дым мокрые озябшие коленки. Мерин за ее спиной переступил несколько шагов, потянулся шеей, стал обнюхивать и тыкаться мягкими губами в Варькины лопатки, обдавая теплым травяным дыханием и щекоча шею усатой мордой.

— Отстань, дурак, — незлобно передернулась Варька и, обернувшись, увидела бредущего к костру человека.

Варька ойкнула, поспешно опустила густо паривший подол. В круг костра вошел Сашка в наброшенной на плечи стеганке, с жестяным чайником в руке. Варька замерла от неожиданности.

Весь сегодняшний вечер она полнилась какой-то радостно-беспокойной смутой, странным и непонятным ожиданием, отчего было просто невозможно свернуться калачиком в тракторной будке и проспать эту ночь, и ноги сами бежали и несли ее в туманные, затаившиеся дали лугов. Она не знала, кого встретит у этого одиноко мерцавшего костерика, не думала ни о ком и ни о чем и шла сюда в неосознанном стремлении идти куда-то. И вдруг этот Сашка. Его будто нарочно кто подослал во второй раз за сегодняшний день. Она замерла, охваченная мгновенно налетевшим чувством сладкого и знобкого смятения. Тотчас припомнился внимательно-тягучий Сашкин взгляд, каким он посмотрел на нее давеча возле тракторной будки и который Варькина память помимо ее желания, оказывается, ревниво припрятала в своих самых тайных глубинах — припрятала даже от нее самой, еще не умевшей ничего беречь долго и серьезно.

Сашка сбросил с себя телогрейку и, оставшись в красной майке, сливаясь чернотой обнаженных рук и плеч с чернотой ночи, загущенной светом огня, подсел к костру. Он молча закопал в угли чайник, подложил сушняку, потом, припав на четвереньки, стал раздувать пламя. Он дул в малиновый переливчатый жар, медно блестел лицом от пламени и, отстраняясь, чтобы глотнуть свежего воздуха, обнажал сахарно-белые, клыкастые зубы. Варька глядела на Сашку, так и не поняв, обрадовалась она ему или испугалась.

На нее же он не обращал ни малейшего внимания, будто ее вовсе тут и не было, и это его непонятное молчание еще больше смущало Варьку.

Она хотела было уйти, исчезнуть так же тихо в ночи, как и появилась, но за спиной был длинный, запутанный и нехоженый путь к озеру, через отяжелевшие от студеной сырости луга, а здесь горел огонь, и он притягивал иззябшую Варьку веселым, обжитым теплом. Но еще больше притягивали вдруг открывшееся тайное Сашкино одиночество и сам Сашка, такой непонятный и ни на кого не похожий. Все еще не поборов робости, она тихо присела по другую сторону костра, отгородившись от Сашки ярко заплясавшим пламенем.

— А ты чего тут?

Сашка оторвался от огня и долгим прищуром посмотрел на нее, будто увидел только теперь.

Внутренне холодея, ожидая какого-то страшного гипноза от Сашкиных сливово-черных глаз, чувствуя, что деревенеет лицом, Варька, однако, выдержала взгляд. Сашка отвернулся первым, и она сказала как можно небрежнее:

— Костра, что ли, жалко?

Охватив колени руками и чуть откинувшись, она с независимым видом стала следить за искрами, торопливо, в неверном, трепетном лёте исчезавшими в темноте.

— Куда идешь?

— Кино смотрела, — соврала Варька. — На птичник иду.

— Тут дороги нету.

— А я напрямки.

Сашка покосился на мокрый подол сарафана.

— Смелая…

Отвалившись, он вытащил из куста котомку, выложил из нее жестяную самодельную кружку и, покопавшись, выгреб горсть черной ягоды вместе с листьями и мелкими веточками. Все это, не очищая, он натолкал в чайник.

— Чай кипятишь? — дружелюбно спросила Варька.

Сашка хмуро усмехнулся.

— Зелье завариваю.

Было видно, что в нем еще не улеглась обида на птичниц, а может быть, заодно и на нее тоже.

Сашка на ощупь брал из вороха несколько веток и не спеша выкладывал их колодцем по бокам чайника. Огонь то вспыхивал, жадно набрасываясь на одеревенелые былки прошлогоднего бурьяна, то опять затаивался под шевелящимся пеплом. Ночь топталась и ходила вокруг костра, отступая перед огнем на несколько шагов и снова сужая круг, и тогда Варька спиной чувствовала ее влажное прикосновение. Глядя, как Сашка, большеголовый в непроглядной черни спутанных завитков, весь в пляске багровых бликов, с молчаливой сосредоточенностью возился с чайником, взбудораженная всей этой таинственностью глухого, затерянного места, она и сама была готова поверить, что он на самом деле заваривал что-нибудь небывалое и колдовское. Но она только передернула плечами:

— Так уж и зелье…

— Не веришь?

Подавляя неприятный холодок сомнения, Варька вызывающе встряхнула головой:

— Дай попробовать.

Сашка молча снял с огня вскипевший чайник, неспеша, с какой-то устрашающей медлительностью нацедил отвару и, подняв смоляную бровь, поставил кружку в траву рядом с Варькой.

— Дурочкой станешь, — предупредил он, насмешливо блестя глазами.

— Так уж и дурочкой! — передернула плечами Варька. — Держи карман!

Кружка жгла руки, Варька завернула ее в холодные листья конского щавеля. Вытянув сторожко губы и кося к носу глаза, она легонько потянула крепко пахнущий кипяток.

— А, испугалась! — Сашка вдруг весело захохотал, довольный, что подурачил Варьку.

— И ни чуточки! — сконфузилась Варька.

— Видел, видел! — смеялся Сашка, прихлопывая по коленкам.

— Подумаешь! Обыкновенная смородина. — То, что кипяток был заверен самой обыкновенной черной смородиной, даже разочаровало Варьку. — Думаешь, не знаю, где рвал? Возле Белых ключей. А я знаю, где ежевика.

— Сам знаю.

— А терн?

— Какой такой терн? — не понял Сашка.

— Синяя ягодка. С косточкой.

— Колючий такой? Знаю. Сколько хочешь.

— А свербига где, знаешь?

Сашка замигал мохнатыми ресницами.

— И не знаешь! — обрадовалась Варька.

Она прихлебывала чай маленькими жаркими глотками, посматривая на Сашку сквозь душистый парок и торжествуя, что Сашка не знает свербигу.

Сашка достал кусочек пиленого сахара, небрежно бросил в Варькин подол. Потом вытащил желтую, в пятнистых подпалинах лепешку, разломил на коленке и положил на траву возле Варьки.

Ободренная Сашкиным угощением, она принялась за лепешку. Лепешка оказалась свежей, с хрусткой, поджаристой корочкой, и было вкусно запивать ее смородиновым чаем. Ее первая сковывающая робость перед Сашкой прошла, да и сам Сашка больше не смотрел на нее с пугающей настороженностью, и ей стало легко и хорошо.

Примечая в Сашке все цыганское — его буйную черноту волос, диковатый, летучий взгляд, гортанную картавость речи, все то, что вызывало у деревенских девчонок непонятную ей самой настороженную неприязнь, — Варька посматривала на Сашку с добрым участием, дивясь его притягивающей необычности. К нему как-то особенно шли и длинные, затоптанные на отворотах штаны, и жарко-красная майка, и этот огонь, игравший на каштаново-черных плечах влажными блуждающими бликами, и даже сама ночь, которую он коротал неспешно и деловито.

— Саш, а ты откуда? — спросила она, думая о том, где он жил и вырос до того, как объявился в деревне.

— Как откуда? — не понял Сашка.

— Ну, где жил раньше?

— А нигде…

— Как это?

— А так… Ездил.

— Ну а родился-то ты где?

— А не знаю, — сказал Сашка с небрежным безразличием. — Тебе зачем?

— Так просто… Чудно как-то…

Та его жизнь была для Варьки загадочной и непонятной и казалась зря потраченной.

— И в школу не ходил?

— Какая школа? Говорю — ездил…

— А что делал, когда ездил?

— Что делал, что делал… Когда дождь — из кибитки смотрел. Когда вечер — у костра сидел. Когда на базар ходил — плясал. — И, усмехнувшись, добавил: — На пузе, на голове…

— Как это? — удивилась Варька. — Покажи.

— Что ты как муха... жж-жж... Чаю — дай, как жил — скажи, плясать — покажи... Музыку надо. Я без музыки не могу.

Варька пошарила позади себя рукой, нащупала узкий листок лисохвоста, сорвала и, заложив между двух больших пальцев, поднесла к губам. В ее ладонях родился негромкий бархатистый звук. Белый конь приподнял жесткие изогнутые ресницы и сторожко шевельнул ушами. Набрав побольше воздуху и раздув щеки, Варька заиграла «Яблочко». Она дудела, покачиваясь из стороны в сторону, раскрывая и прикрывая ладошки и весело посмеивалась одними только глазами. Лисохвост пел совсем как дудочка — нежно и чисто.

Сашка некоторые время удивленно смотрел и слушал, губы его непроизвольно раздвигались и раздвигались, пока не прорезалась широкая белозубая улыбка. И вдруг, будто решившись на отчаянный поступок, он подскочил, утробно гикнул и частой дробью прошелся ладошками по коленкам.

— Давай.

В следующее мгновение он уже встрепанным бесом выстукивал пятками, пришлепывая и пришаркивая длинными обтопанными штанинами, бубня себе под нос какие-то слова, то ли просто так балабоня языком.

Варьке было забавно и весело глядеть, как в красных отблесках огня смешно подскакивал Сашка, колотил себя с неистовой яростью то по выпяченному животу, то по надутым щекам. Вдруг он быстро нагнулся, уткнул голову в траву и, упершись в землю руками, задрал ноги. Сделав на голове несколько неуклюжих прыжков, Сашка опрокинулся на живот, и изогнувшись рыбой, завертелся на животе, подминая метелки травы. Наконец он подскочил, часто дыша и улыбаясь открытым ртом.

Варька хохотала, пригнув голову к коленкам.

— Чего смеешься? — спросил Сашка, сам хохоча и пьяно пошатываясь. — Тут плохо... трава мешает... И давно не плясал... разучился малость.

Он отхлебнул из кружки остывшего чая и пошел собирать сушняк.

Откинувшись на траву, Варька слушала, как где-то совсем рядом, за ближайшими кустиками бессмертника, деревянно поскрипывал коростель: кр-икр, кр-икр... Варьке чудилось, что это вовсе не птица, а сторож Емельян скрипит своей деревяшкой, ковыляет в лугах, ищет ее, Варьку, хочет загнать в тракторную будку. Но ей не хочется в будку и совсем не хочется спать. Вот даже ни капельки! И Варька, тихо посмеиваясь, загребла обеими руками и пригнула себе на грудь, на лицо гибкие шелковинки мятлика. Пусть Емельян пройдет мимо. Он не должен ее найти. Она глядела сквозь кружево тонких метелок в небо, вдруг проступившее после костра. Ночь сияла, искрилась щедрым, непрерывно струящимся лунно-голубым свечением, в логу звенели путами кони, и пьяняще пахло аиром, раздавленным конскими копытами. От этого ощущения ночной светлой земли Варька испытывала в себе радостную легкость и тихое ответное ликование.

Пришел Сашка, сбросил вязанку сушняка, стал подкладывать и раздувать огонь.

— Не надо, — тихо попросила Варька. — Давай посидим так.

Сашка послушно присел на вязанку.

Они молчали, прислушиваясь друг к другу.

— Это твои лошади в логу? — спросила наконец Варька.

— Мои. А что?

— Просто так… Мало их осталось.

— Четыре пары. И две на конюшне.

— Что станешь делать, когда и этих сдадут? Тебе жалко, что лошадей не будет?

Сашка захрустел вязанкой.

— Я на трактор уйду, — глухо сказал он.

— На трактор так не возьмут. Надо учиться.

— А сколько надо? — с боязливой надеждой отозвался Сашка.

— Семь классов.

— Семь? Много… А у тебя сколько?

— Девять…

— Девять! — не поверил Сашка.

— Сдам уток — в десятый пойду.

— Зачем тебе столько?

— Не знаю… Буду уток считать, — засмеялась Варька.

— А у меня только два, — не сразу ответил Сашка. — Осенью в третий буду ходить. Три будет. Я в сельмаге книжку купил про трактор. Когда коней пасу — картинки гляжу. А слова не понимаю.

Сашка замолчал. Было видно, что он всерьез огорчился.

— А ты пока сказки читай, стихи, — посоветовала Варька. — Тогда и про тракторы поймешь.

— Я читаю…

Сашка потянулся к котомке, вытащил и подал Варьке маленькую книжечку.

— Вот…

Открыв книжку и повернув ее к лунному свету, Варька узнала пушкинские поэмы. Она узнала их как-то сразу, еще до того, как разглядела название, — одним только беглым взглядом на стройные, точеные колонны стихов. Она перебирала страницы, и в ней непроизвольно, сама собой, рождалась какая-то неуловимая, светлая и высокая музыка. Совсем так, как звучно начинала петь для нее одной та самая скрипка, которую она каждый раз видит на гвоздике в сельмаге.

— Эту читать легко. — Сашка ревниво следил за Варькиными пальцами, перелистывающими страницы. — Про цыган написано. Сандро Пушкин писал.

— Александр Пушкин, — поправила Варька.

— Н-нет! — Сашка упрямо тряхнул кудрями. — Сандро! Как я. Я Сандро, и он Сандро. Цыган тоже. Тут есть его портрет. Я глядел — цыган.

Варька вовсе не собиралась уступать Пушкина, но спорить не захотела. Она была сегодня добрая и не стала разрушать Сашкину наивную и гордую веру. Пусть думает. Она только сказала:

— Это тоже Пушкин написал…

И негромко, бережно отставляя друг от друга слова, сама завораживаясь торжественностью вещих стихов, стала читать «Памятник».

Слух обо мне пройдет по всей Руси великой,
И назовет меня всяк сущий в ней язык,
И гордый внук славян, и финн, и ныне дикой
Тунгус, и друг степей калмык.

— Пушкин — он для всех, — сказал Варька, дочитав стихотворение до конца.

Сашка молчал, задумавшись.

В двух шагах от нее по-прежнему дремал конь. Он стоял против лунного света и теперь виделся не белым, а будто высеченным из серого камня. Варька глядела на него снизу, сквозь спутанную сетку мятлика, и ей, возбужденной только что прочитанными стихами, от которых все вокруг обрело какое-то новое видение, конь показался вдруг сказочно высоким. Он возвышался над ней узловатой, глыбистой громадой. Над его хребтом висела, почти касаясь, луна, и шерсть на крупе голубовато блестела горным слежалым снегом.

— Давай покатаемся, — сказала, радостно замирая.

— Ты что?

— Давай, Саш! Смотри, как хорошо!

Сашка промолчал.

— Ну дай мне лошадь. Я одна поеду.

— Ты что, дурочка?

— Ничего ты не понимаешь!

Она поднялась и вдруг, тихо чему-то засмеявшись, кошачьим прыжком подскочила к лошади, подхватила свисавший повод и вскинулась, переломившись, животом на спину. Испуганный конь шарахнулся и понес прочь в тяжелом галопе.

— Догоня-я-ай! — донесся ее азартно-радостный голос.

Сквозь всплески белой гривы Варька видела, как проносились мимо лунно-серые купы лозняков, тускло и бездонно мерцала вода в низинах и как все бежало и бежало навстречу нестройно рассыпавшееся в мокрых травах черное войско конских щавелей. Перемахнув топкий ручеек, Варька выбралась на отдающий чабрецом песчаный бугор и придержала повод. И сразу до нее донесся торопливый галоп. Сашка! Она почти наверняка знала, что он пустился в погоню. Ей даже хотелось, чтобы он за нею погнался. Она только не знала, какой скачет за нею Сашка: то ли обозленный ее своеволием, то ли задетый ее насмешливым вызовом… Пронизанная сладким холодком испуга, Варька ойкнула и пятками ударила лошадь. Она чувствовала под собою живую доверчивую силу, тепло боков под своими коленками, терпкий и горячий запах бегущего коня и, радуясь охотной резвости понявшего Варькин порыв животного, припала к холке и отпустила поводья. Конь ровно понес ее гребнем суходола между двух темнеющих зарослями стариц. Он нес ее к вольнице покосом в неоглядной россыпи темных стогов.

Оглянувшись, Варька с жутким замиранием приметила позади себя на залитой светом луговине черное пятно всадника. Она поняла всю невыгодность белой масти своего коня и, доскакав до первых выступавших на пути лозняков, обогнула кусты и свернула к старице. Мокрые ветки захлестали ее по ногам. Она подобрала ноги, собралась в комок на самом крупе. Под копытами захлюпала вязкая грязь. Дремавшая на черной воде луна лениво закачалась и, уродливо растягиваясь, разорвалась на масляно-золотые ломти. Крепко ударил из-под копыт запах застоялой болотной прели. Из темных прогалов в лозняках с сухим треском вылетела какая-то птица. Мелькнув белым, она исчезла за выступом противоположного берега. Конь вздрогнул всей кожей, прянул в сторону. «Не бойся, не бойся, родненький!» — приговаривала Варька, сама замирая и не дыша, и похлопала лошадь по вздрагивавшей лопатке. Она направила коня на ту сторону и, почти повиснув на его гриве, выбралась на обрывистый берег.

Едва переводя дух и приглядевшись, Варька снова увидела Сашку. Он разгадал ее уловку и тоже успел где-то перебраться через старицу. Она снова вскачь пустила лошадь, хотела было проскочить к стогам, но Сашка, заметив ее белое мелькание, стал забирать левее, тесня ее в открытые луга. И тогда, тоненько, по-щенячьи скуля, то ли всхлипывая, то ли захлебываясь загнанным смехом, сама не замечая этого смеха, она поскакала напрямую. Встречный ветер взбил сарафан и до трусов оголил ее ноги. Где-то уже давно потерялась гребенка, и волосы били по лицу и набивались в рот. Она скакала теперь к трактору и в прорези конских ушей, как на мушке прицела, старалась удержать плясавший от скачки светлячок тракторной фары. Оглядываясь, она видела из-за плеча черную глыбу всадника, с молчаливым упорством преследовавшего ее.

Сашка нагнал ее у самого просяного поля.

Варька услыхала за спиной топот и тяжелый, отрывистый всхрап Сашкиного вороного. Метнув глазами, она увидела у самого локтя вспененный оскал конской головы. Она заколотила пятками, рванула повод, но горячий конский бок придавил ее ногу, и тотчас что-то крепко обхватило ее у поясницы и сорвало с коня. Варька вскрикнула и зажмурилась.

— Ну?.. Ну?.. Догнал? — задыхаясь и давясь словами, спрашивал Сашка. Он втащил ее на свою лошадь и, больно в горячности обхватив свободной рукой шею, придавил голову к груди. — Будешь еще? Будешь?

— Пусти! Сумасшедший!

Сашка прерывисто дышал ей в шею, и она слышала тугие и гулкие удары его сердца под майкой. И вдруг, нагнувшись и накрыв ее лицо черными растрепанными вихрами, впился в губы торопливым, жадным поцелуем.

— Да ты… что?! — завопила Варька, вцепившись в Сашкин чуб и оторвав Сашку от себя.

— А зачем убегала? Зачем? — горячим, обжигающим шепотом бессвязно твердил Сашка. — Думала, не догоню, да?

Варька, полыхая стыдом, забилась в его руках и угрем скользнула с лошади.

— Потому что цыган, да? — глухо пробормотал Сашка.

— Потому что… дурак!

Не оглядываясь, Варька рысцой побежала к черневшей впереди пахоте. Она бежала, студеня росою ноги, прикрыв голые худые плечи перекрещенными на груди руками. «Чего ж это он? — взбудораженно думала она, силясь понять случившееся. — Чего ж я-то?..»

Она выбежала к просяному полю и пошла по борозде к своему озеру. Трактор все еще пахал. Где-то позади нее он обшаривал развороченную землю длинным косым лучом, и его озабоченный гул за спиной рождал в Варьке успокаивающее чувство близости человека. После ледяной росы вспаханное поле казалось теплым, и она пошла по крайней борозде, отогревая в мягкой рассыпчатой земле окоченевшие ступни.

На одном из поворотов луч трактора внезапно выхватил из темноты лошадей, и Варька тут же увидела Сашку. Он сидел на бочке из-под горючего, брошенной на закраине поля, и держал в поводу обоих коней — белого и черного. Но вот трактор снова чуть повернул, и видение исчезло.

Варька, нагнув голову, торопко шла в ярком пучке света мимо этого места. Она знала, что Сашка ее видит, и ей было не по себе идти вот так, у него на виду. Хмельно путались мысли, почему-то не шли, деревенели ноги, и губы все еще обожженно и стыдливо горели и казались недвижными и чужими.

Наконец она выбралась из борозды и, набредя на знакомую тропку, побежала к озеру. Она бежала, чтобы согреться, сначала неходко, вялой трусцой, но потом все прибавляла и прибавляла ходу. Она бежала, не останавливаясь и не передыхая, глубоко и жадно дыша тугим студеным ветром, зажигаясь горячей радостью бега.

Край неба на востоке слегка позеленел, когда Варька, еще издали выглядывая Емельяна, прокралась к балагану. На берегу по-прежнему валялись отсыревшая за ночь телогрейка и пучок лилий. Она подобрала цветы и прошла к загону.

— Ну, как вы тут без меня, мои родненькие? — ласково заговорила она, перегнувшись через прясло. — Сейчас я вам каши запарю. Просяной. Это вам Сашка привез. Три мешка. Знаете Сашку?

«Сказать Ленке или не сказать?» — уже без испуга, с запоздалым счастливым откликом думала она в то же время о Сашкином поцелуе. И, ужаснувшись этой безумной мысли, сладостно обомлев, Варька тихо, одной только себе, прошептала:

— Низачтошеньки!

Утки понимающе кланялись, согласно и дружно прядая желто-клювыми головками.

1964

ПОДПАСОК

Жаркий августовский полдень.

Выжженный, порыжелый на буграх выгон залит недвижным, дремотным зноем. Дрожит, зыбится горячий воздух, и снуют в нем медным, зудящим гулом остервенелые оводы.

Подпасок Митька в глубоко надвинутом картузе, так что донышко выперло острой макушкой, сидит на бугре, на солнцепеке. На плечах внапашку старая ватная стеганка, под ней спрятана от солнца сумка с едой. По бугру длинной серой змеей распластался кнут, тяжелый, грубо свитый из прорезиненных обрезков. Кнут не его — деда Сереги. Дед уже неделю как хворает, говорит, «перепекся али воды попил как неловко», и Митька попросил у него кнут в знак своего теперешнего старшинства и единовластия.

— Бери, бери, — прошамкал дед, мелко дрожа каждым волоском сивой клокастой бороды. — Вон он, под сараем на перемете висит… И бабку мою бери… себе в подпаски… чтоб трудодни зазря не пропадали… А я тем делом, может, от хворобы опростаюсь.

Недвижно висит жидкое, оплавленное солнце в белесом небе, лениво течет скупое на бег пастушье время. Еще только полдень, а уж намаялся со скотиной Митька, ног под собой не чует. В нынешнем году никак не держат бестравные луга стада. Из всех мест эти болотца самые спокойные. Вода да зелень осок надолго приманивают скотину. Он и так ведет стадо осмотрительно, расчетливо, больше низами — по торфяникам да по лознякам: все укормистее, чем по суходолу.

«Оно, конечно, — размышляет Митька, — хорошо бы теперь свежей резки подвести. Да где там! Нынче опять упустили кукурузу. Сорняк забил».

Вот и гоняет Митька скотину, изловчается, как может, день — так, день — этак, день по солнцу, а назавтра — против. Больше на этой луговине ничего и не придумаешь. А если по совести, то один леший — что по солнцу, что против: мается от бестравия скотина.

Поглядит из-под картуза Митька, не балуют ли коровы, на бабку на дальнем бугре по ту сторону стада — стоит бабка, подперев клюкой подбородок, сухоногая, в белой, низко спущенной косынке, издали похожая на черногузку; переведет взгляд на сосняк, окаймляющий выгон, даже отсюда душный и неприютный своей жаркой сухостью, потом на курган с плоской макушкой, соломисто-желтый от выжженной травы на склонах, — и опять устремляет глаза в землю. Сколько раз за лето глядел-переглядел и на курган и на лес, так что теперь они вроде пустого места. А окромя и глянуть не на что. Разве на самолет лениво вскинет голову Митька, день за днем об эту пору пролетающий над выгоном. Высоко-высоко над всем этим маревом прохладно проблестит с натуженным гулом серебряный крестик и опять истает в полинялом небе — загадочный и, как звезда, далекий от Митькиных забот и жизни.

А проводив самолет, долго ковыряет ногтем бесчисленные занозы от татарника в своих задубелых ногах или глядит, как упоенная зноем стрекочет на кнуте серая кобылка. От этого жаркого стрекота Митьке еще больше хочется пить, но он притерпелся и лишь облизывает корявые, в белых ошметках, заветренные губы. Ждет, пока скотина вволю налазается по осокам.

Через четверть часа коровы, истоптав вдоль и поперек болотце, обглодав корявые, уже не раз обглоданные лозняки, начинают разбредаться, и Митька расслабленно поднимается, нетерпеливо идет впереди стада, волоча за собой длинный, пыльно змеящийся кнут. Вслед за ним с дальнего косогора молчаливо, как тень, снимается бабка.

К обеду Митька наконец выгоняет стадо к реке, на дойку. Доярок еще не видать. Коровы забредают поглубже, пряча брюхо от оводов, долго и пристально тянут теплую на песках воду. Митька, сбросив ватник и зайдя выше коров, тоже лезет в реку прямо в незакатанных штанах, зачерпывает картузом, пьет, а остаток выплескивает себе в лицо, за пазуху. Потом выбирает кручку повыше, садится, свесив ноги с обрыва.

Побединцы пригнали к реке свое стадо раньше. Двое старых пастухов уже храпят под ракитой, пастушата на песке режутся в карты. Одного, рыжего, Митька знает — это Карпуха, остальных двух не разобрать. Хохочут, макают друг друга за чубы в песок — в дурачки играют.

Митька с завистью глядит на реку. Весело там! И все в этой «Победе» получше ихнего. Что скот взять. Кинул Митька наметанным глазом — побединское стадо раза в три больше, скотина справная. И заводу хорошего — почти сплошь черно-рябая. Вдалеке за лугом, под самыми дворами два бруска белеют — новые коровники. А за деревней среди желтого жнивья еще три красных бруска — то уже побединские свинарники. Из кирпича набузовали, один в один. И деревня у них справная. Промеж зелени белеет черепица на крышах, а то и цинком есть покрытые. Вон блестит под солнцем, точно зеркалом выстлано. Это клуб. Радио слышно. Если бы не трактор, всю до слова песню разобрать можно.

Поискал Митька трактор, нашел: кукурузный силос возле фермы буртуют. Упрямым черным жуком ползет на крутую сизо-зеленую кукурузную гору, надрывно ревет мотором, а одолев, стихает довольно и сваливается за другой склон. И опять радио слышно, поет что-то веселое... Живут люди! Прямо на лугу «елочку» поставили. Митька, правда, сам не видел, только слыхал, как она жужжит утром да вечером, но дед Серега ходил, смотрел: занятная, говорит, штука, коровы так отскакивают. И дояркам, понятное дело, облегчение. Их, окромя того, еще и на машинах возят — как солдат, в кузове.

Скосил Митька глаза на свою Покатиловку — скука смертная, а не деревня. Как есть вся под соломой. Коровник и тот камышом крытый. Только в одном месте, у ставка, кучерявятся ракитки, а так все голо, перед хатами рыжая ботва картошки да черные кучки торфа понизу. Да еще черное тырло на отшибе, а посреди черного два пестрых пятна — две заболевшие коровы.

Даже луг у побединцев кажется Митьке лучше, зеленее. Может, оттого, что ракиты по берегу тень бросают. Только дед Серега говорил, что они его весной чем-то посыпали. Может, и от этого.

Тем временем пастушата побросали карты, сели обедать. Из костерка выгребли печеные яйца, вытрясли из сумок помидоры, лепешки. Поевши, Карпуха выкопал из сырого песка под ракитой два огромных арбуза, ополоснул их в реке и, весь перегнувшись, потащил их в подоле рубахи товарищам. Разрезал арбуз на животе, поддел крышку — даже отсюда видно, что спелый.

«Ишь, жируют, черти мордастые, — незлобно подумал Митька, — на бахче натибрили». И сам тоже полез в сумку. Достал кусок мелко нарезанного старого сала, ломоть хлеба, два огурца, стал жевать безо всякой охоты.

На той стороне показывается грузовик, с верхом заваленный свежей кукурузной резкой. Выруливает к берегу, медленно петляет между ракитами. Две бабы, поочередно поддевая вилами, сбрасывают резку на землю. Стадо поднялось с песков, бредет следом. Повеяло мучняным, теплым кукурузным духом.

Митькины коровы тоже обеспокоились, подскочили. Тянут морды, нюхают воздух. И не успел Митька сообразить, как валом полезли в воду. Митька забежал наперед по мелкому, яростно полоснул перед мордами кнутом, завернул стадо. А с другого края, с самого обрыва, плюхнулась и поплыла на ту сторону черноухая первотелка. Переплыла, отряхнулась на песке и побежала, нетерпеливо мыча, к машине.

— Не могли в другом месте посыпать! — сердито проворчал Митька. И, сложив ладони, крикнул: — Карпуха-а! А Карпуха! Пужани корову! Корова переплыла-а!

Карпуха задержал у рта большой ломоть арбуза, прислушался…

— Чего?!

— Корова переплыла!

Карпуха лениво перевалился на другой бок, с шумом выплюнул в воду струю арбузных семечек, крикнул ехидно:

— Спи больше!

— Да не спал я!.. Увидела машину и переплыла…

Карпуха опрокинулся на спину, замотал ногами:

— Ой, умора! Увидела машину… Ну, смехота!

— Пужани, Карпух! — просительно крикнул Митька, глотая насмешку. — Чего тебе стоит?

— Нам ничего не стоит. Нехай побудет у нас. На курорте. Харч подходящий.

Пастушата дружно захохотали.

— Да мы что, не кормим, что ли? — обиделся за коров Митька.

— Оно и видно! Могу отсюдова ребра пересчитать…

— У нас, может, побольше вашего кукурузы, — не очень смело соврал Митька.

Уж слишком обидно ему было слышать ядовитые Карпухины слова.

Карпуха опять запрокинулся на спину, загорланил нараспев:

> У меня есть сапоги,
> Берегу их к лету…
> А по правде вам сказать —
> У меня их нету.

Пастушата опять угодливо расхохотались, а Митька замолчал и долго с колючей горечью в горле смотрел на равнодушно бегущую воду.

— Эй, «Светлый путь»! Держи за свою корову! — Карпуха швырнул через реку недоеденные пол-арбуза. — Больше она не стоит.

Половинка шлепнулась в реку, напугав какую-то рыбью мелочь.

— Наворовали арбузов, а теперь расшвыриваете? — крикнул Митька, чтобы тоже сказать что-нибудь в отместку.

— А ты что за указчик? Ты в своем колхозе указывай, а на чужой берег носа не суй. Откусим. Мне председатель сам говорил: «Ежели надо — бери, сколько хочешь, не стесняйся». Понял?

Митька никак не мог поверить, чтобы ихний Трошин так-таки за мое почтение разрешил Карпухе шастать по бахче.

— Врешь все! — крикнул он.

— А хоть бы и наворовали! Это все едино! У себя воруем, не у вас, — задористо, с гордецой отбрехнулся Карпуха. — У нас этих арбузов — завались. Нам арбузы нипочем, мы миллионами ворочаем. Понял?

— Понял, — язвительно проговорил Митька, но кричать через реку ничего не стал: что зря с дуроломом разговаривать?

— А ты рад бы украсть, — не унимался Карпуха, — да у вас нечего.

— А мне и не надо, — сам себе отвечал Митька. — Чем хвастается! Услыхал бы Трошин…

— Ага, заело? — Карпуха заложил два пальца в рот и засвистел. — Замолчал? Все вы там голопупые! В нашем сельпо селедку полопали!

Митька в бессильной обиде за своих односельчан облизал сухие губы, крепко сжав кнутовище.

Насчет селедки — по весне раз было. Ходили в ихнее сельпо. Потому как в покатиловский магазин ничего не завозили — дороги не было. Запомнил, гад! Только не ему, мордастому, говорить это… тоже работник объявился! За чужими руками да ногами. Побегал бы он с Митькино. Им что! Вон засыпали резку — и часа два хоть в карты дуй, хоть под кустом дрыхни. Да и сам Карпуха не больно-то разгонится. Все норовит вместо себя ребятишек послать. Зануда малый! На той неделе рыбу глушил, мешок судаков выгреб. Все мало ему, куркулю рыжему.

— Ну, ладно тебе трепаться! — крикнул он, сдерживаясь. — Гони корову! Тебе — шалды-балды, а мне — скоро доярки подойдут, доить надо.

— Молоко — это уже дудки! Молоко — наше. Кукурузу жрет? Жрет! Смотри, как уминает! Значит, давай сюда молоко. А как же? По совести!

— Только тронь корову! — хмуро крикнул Митька.

— «Тронь», да? На спор? — Карпуха вызывающе осклабился.

— А вот попробуй…

— Ну, поглядим, поглядим… — И, обернувшись, крикнул пастушонку: — Степка, дуй за ведром.

Митька, закипая холодной, удушливой яростью, бледнея лицом, дрожащими пальцами расстегнул ремень штанов, стащил рубаху и, забыв о картузе, неожиданно нырнул с обрыва. Выплыл он на середке на мелком и, подбивая воду коленками, сразу пошел на ту сторону. Пятнадцатиметровый крученый кнут, пуская по воде усы, дивной зловещей змеей волочился сзади.

— Ребята, не бойтесь, — рыкнул Карпуха, вскакивая с песка. — Пусть сунется…

Но Митька, бугаем нагнув голову и глядя на побединцев сузившимися глазами из-под обвисшего, мокрого картуза, не убавил шагу. Его гнала, подталкивала нестерпимая, гневом заклокотавшая обида и за себя, и за своих коров, и за «голопупых» покатиловцев, за «слопанную» селедку, за это сытое, самодовольное глумление, — будто и впрямь был виноват Карпуха во всех тех бедах и прорехах голой, соломенной Покатиловки.

У берега Митька приостановился, подождал, пока течение вытянет кнут, чтобы можно было в любую минуту поднять его в воздух.

Страшная эта штука — пастуший кнут! Похлеще дробового ружья. Полоснет вокруг ног, обожжет, свалит на землю…

Карпуха растерянно попятился.

— Ну гад, подступись! — сказал Митька решительно и угрюмо, выходя на берег.

И, не глядя больше на Карпуху, по берегу же, держа кнутовище в вытянутой назад руке, голым ощетиненным бесом пошел к корове.

Притихшие пастушата видели, как Митька обвязывал кнутом рога первотелки, подтянул ее к воде и там толкнул в зад обеими руками.

В тени, под ракитой, проснулись старые пастухи — Иван и дед Коля, заспанные, крутят цигарки.

Митька, все еще не остывший от обиды, хотел было пройти мимо, но дед Коля закивал взлохмаченной головой, подзывая:

— Иди, милок, покурим!

Митька, подумав, подошел в чем был, голый, в мокром картузе.

— Опять поцапались, петухи? — сказал дед Коля, протягивая Митьке черной, костлявой рукой кисет, сытно пахнущий махоркой с донником.

Митька помолчал, не стал жаловаться.

— А чтой-то гляжу, деда Сереги твоего не видать?

— Не вышел нынче, — Митька крутил цигарку, просыпая желтую и крупитчатую махорку на мокрые коленки, — слег дед.

— Скажи ж ты! Ай-яй! — горько зажмурился дед Коля. — Не выдержал, стало быть. Сморился… Известное дело! По таким-то лугам, как ноне… Один, выходит, справляешься?

— С бабкой.

— Бяда! Чистая бяда!

Попыхтели цигарками, оглядели друг у друга кнуты. У побединцев ременные, обхлестанные о траву до блеска. Сухие, легкие кнуты, с желтыми латунными колечками.

— Слышь, а вашего Сорокина опять в районной газете пропесочили, — сказал Иван, насмешливо глядя на Митьку единственным глазом. — Не читал? Могу дать почитать. За брехню. Поглядишь — с виду птица: гимнастерка с карманами, ремень офицерский на пузе, сапоги начищенные, — а, выходит, брехун. Потеха!

— Не в ремнях краса, — сказал дед Коля. — Вот наш Трошин… Ни с заду, ни с фасаду… При нем только жилы. Да еще совесть…

— А что, Митька, — опять начал Иван, — все к тому склоняется, что присоединят к нам вашу Покатиловку.

Митька молчал, тоскливо посмотрел за реку, на свои луга.

— Пойдешь к нам в подпаски? — усмехнулся Иван.

— Ну чего липнешь к мальчонку? — перебил его дед Коля. — Нехорошо это… Разве он виноват? Он, может, больше ихнего Сорокина за колхоз думает…

— Ну, я пошел, — сказал Митька. — Доить скоро…

— Иди, иди, — закивал старик. — Как же это дед-то Серега? Ведь мы с ним, почитай, с самого начала колхозов в этих лугах…

Митька вошел в воду. Мелкая рябь бессильно теребила утонувшее одинокое облако. Митька поправил картуз и, поднырнув под облако, скорыми саженками поплыл к своему берегу.

1964

В ЧИСТОМ ПОЛЕ, ЗА ПРОСЕЛКОМ…

1

Кузница стояла у обочины полевого проселка, стороной обегавшего Малые Серпилки. С дороги за хлебами видны были только верхушки серпилковских садов, сами же хаты прятались за сплошной стеной вишняков и яблонь. По безветренным утрам над Адами поднимались ленивые печные дымы, сытно, запашисто отдававшие кизяком и хмызой. Летом оттуда на гречишную цветь, огибая дымную кузницу, со знойным гудом летели пчелы. Осенью же, когда после первых несмелых утренников недели на две устанавливалось задумчиво-кроткое бабье лето с глубоким небом и русоволосыми скирдами молодой соломы, из серпилковских садов далеко в поле проникал горьковато-винный запах яблочной прели и на все лады неумело и ломко кричали кочетки-сеголетки.

Из всех строений со стороны проселка видна была одна только семилетняя школа. Несколько лет назад ее построили взамен старой, изначальной и сильно обветшавшей углами. Поставили ее на задах деревни, на ровном муравистом выгоне, и теперь она число белела на темной зелени садов, а при восходе солнца полыхала широкими и ясными окнами.

Кузница же была выстроена у проселка еще в стародавние времена каким-то разбитным серпилковским мужиком, надумавшим, как паучок, поохотиться за всяким проезжим людом. Сказывают, будто, сколотив деньгу на придорожном ковальном дельце, мужик тот впоследствии поставил рядом с кузницей еще и заезжий двор с самоварным и винным обогревом. И еще сказывают, будто брал он за постой не только живую денежку, но не брезговал ни овсом, ни нательным крестом.

В революцию серпилковцы самолично сожгли этот заезжий двор начисто. Распаляясь, подожгли заодно и кузницу. Однако вскорости смекнули, что кузницу палили зря. Тем же временем расчистили пожарище, прикатили новый ракитовый пень под наковальню, сшили мехи, покрыли кирпичную коробку тесом, и с той поры кузница бессменно и справно служила сначала серпилковской коммуне, а потом уже и колхозу.

Правда, был случай, имеющий самое непосредственное отношение к этому повествованию, когда кузница в Малых Серпилках вдруг умолкла. Нежданно-негаданно помер кузнец Захар Панков. А надо сказать, что Захар Панков был не просто кузнец, а такой тонкий мастер, что к нему ездили со всякими хитроумными заказами даже из соседних районов. Бывало, лопнет в горячей работе какая деталь в тракторе — механики туда-сюда: нет ни в районе, ни в области такой детали. Всякие прочие запчасти предлагают, а такой точно нету. Они к Панкову: так, мол, и так, Захар, сам понимаешь, надо бы сделать… Повертит молча Захар пострадавшую деталь (виду он был сурового, волосы подвязывал тесьмой по лбу, борода смоляная на полфартука, точь-в-точь как старинный оружейник, но в современной технике толк вот как знал!), даже иной раз зачем-то в увеличительное стеклышко поглядит на излом. Ни слова, ни полслова не скажет, а только бережно завернет деталь в тряпочку и опустит в карман. Тут уж и без слов понятно: раз взял, стало быть, выручит. Да и не только поглядеть на Захарову работу, а даже издали послушать было любо. Как начнут с молотобойцем Ванюшкой отбивать — что соборная звонница: колоколят молотки на всевозможные голоса. И баском и заливистым подголоском. Праздник, да и только в Серпилках! Особенно по весне, перед посевной: небо синее, чистое, с крыш капает, теплынь, а они вызванивают на весь белый свет… Сколько помнят Захара, все годы провисел его портрет на колхозной доске почета. И когда помер, не сняли. Навсегда оставили.

Похоронили Захара честь по чести. В серпилковской школе даже занятия были отменены. Три его медали (он на войне служил в саперах) школьники несли на красных подушечках…

Той же осенью призвали на воинскую службу Ванюшку. Совсем осиротела кузница, стоит в чистом поле с угрюмо распахнутыми воротами. Серпилковцы, привыкшие к веселому перезвону молотков за садами, чувствовали себя так, будто в их хатах остановились ходики. Сразу стало как-то глухо и неуютно в Серпилках: очень уж не хватало им этого перестука на выгоне. Да и из хозяйственного обихода выпала кузница: ни отковать чего, ни подладить. Сильно жалели серпилковцы, что в свое время не приставили к Захару какого-нибудь смышленого мальца, чтобы усвоил и перенял тонкое Захарово искусство. И вдруг с пустых осенних полей через сквозные облетевшие сады до Серпилок явственно долетело: «Дон-дон-дилинь… дон-дон-дилинь…»

2

Зазвонило, затюкало глухим темным вечером, в канун Октябрьских праздников, когда серпилковцы еще не укладывались спать. В каждой, почитай, хате бабы запускали тесто на пироги, ощипывали кочетов или разбирали поросячьи ножки на завтрашний холодец. Так что многие услыхали этот неожиданный перезвон в поле и, высыпав во дворы, слушали, не зная, что и подумать.

Но прежде других странный стук молотка в ночи за деревней услыхал Доня Синявкин, сухонький, беспорядочно волосатый дедок, у которого бороденка росла не сплошняком, а пучками. Даже на узком утином носу, на самом его заострении упорно и неистребимо пробивался сивый жесткий кустарничек. За эту пучковатую поросль Доню Синявкина окрестили «квадратно-гнездовым», или попросту Квадратом. Будучи одиноким человеком (впоследствии к нему приедет из города племянница Верка), в хате которого от самой смерти старухи некому было печь пирогов и студить холодцы, дед Квадрат в тот день с самого утра начала обходить Серпилки и поздравлять односельчан с наступающим праздником. Делал он это на старинный манер христославия: открывал дверь, стаскивал у порога шапку и, кашлянув для верности голоса, тотчас начинал забубенной скороговоркой:

— С праздничком вас, люди добрые, мир и согласье вашему дому, быть пирогу едому, яичку крутому, сальцу-смальцу, чарочке в пальцы...

Пропевши такие слова, Квадрат поясно кланялся в красный угол и присаживался на лавку.

Правда, серпилковцам было не до Квадрата: белили хаты, выколачивали перины, возились со стряпней. Однако в двух не то в трех домах дедок все же зацепился, всласть набеседовался о том о сем и к вечеру был в самом благовеселом расположении души. Тут бы ему и отправиться спать, но, проходя мимо хаты председателя колхоза Дениса Ивановича, не смог преодолеть искушения на минутку заскочить к нему, потому как очень уж уважал Дениса Ивановича.

«Кого тогда и поздравлять с праздничком, ежели не Дениса Ивановича!» — почтительно сказал сам себе Квадрат и толкнул калитку.

В хате было жарко топлено, празднично пахло едой, на столе ворохом высилась горка кучерявой, только что обжаренной капусты для пирога. Жена Дениса Ивановича, сдобная, крутобедрая Дарья Ильинична, возилась у дежи, сам же Денис Иванович, в истой исподней рубахе с очками на носу, сидел тут же, подле капусты, и, пощипывая серебряный ус, читал районную газету, а точнее сказать, разглядывал сводку. Когда Квадрат зашел и затянул было свое «быть пирогу едому, яичку крутому», Денис Иванович в самый раз ударил по газете пальцами на манер того, как если бы стряхивал с нее комашку, и сказал, усмехнувшись, но, однако же, и в сердцах:

— Вот ведь сукины дети! Ну и ловкачи!

— Ты кого так? — спросил дед Квадрат, в знак приветствия потрогав хозяйку выше локтя, поскольку кисти рук у нее были заляпаны горчично-желтым тестом.

— Да россошинский «Верный путь», — отложил газету Денис Иванович. — По сводке у них вся зябь поднята, а я давеча проезжал — до сего дня заовражье не тронуто! А вот поди ж ты, на второе место по району выскочили! Ну и ловкач этот Посвистов!

— Сказывают, Тимирязевскую академию кончал, — вставил Квадрат. — И еще штой-то…

— Тимирязевская тут не виновата.

— Дак и я говорю, — поспешно согласился Квадрат. — К ученой голове еще должно быть порядочный доклад от себя лично. Не та шинель, что пуговицами блестит, а та, что греет. Вот хоть тебя, Денис Иванович, взять. Образования у тебя почти что никакого. На живом деле да на людях сам себя образовывал. А хозяйством правишь куда с добром.

— Гм… — кашлянул Денис Иванович и загородился газетой.

— Все сыты и справны, и Серпилки наши, слава те господи, не прорежены бегами да вербовками, — продолжал гомонить Квадрат, подсаживаясь к жареной капусте. — Я вот нынче проходил: любо-дорого поглядеть, какая у нас деревня. Хаты белые, окошки протертые, плетни не проломлены скотиною на манер Россошек.

— Ну и долдон ты, я погляжу, — сказал Денис Иванович. — У кого, может, хаты и побелены, а твоя опять рябая, как лепарда. Соседку попросил бы обмазать, что ли… Людей бы посовестился.

— Ображу, ей-бо, ображу, — заморгал бесцветными веками Квадрат. — Я ведь к чему? Вот ты меня поругал, а мне приятно. От хорошего человека и замечание приятно послушать. Потому как ты настоящий хозяин нашей жизни. И не столько образованием, сколь сердцем что к чему угадываешь.

— Ну ладно, будя… — поморщился Денис Иванович. — Не люблю… закуси лучше.

— Закушу, закушу, — кивнул Квадрат, поглядывая, как Дарья Ильинична, убрав со стола капусту, взамен выставляла из шкафчика тарелки со снедью и графинчик с Морозовым узором и рябиновыми ягодами на дне. — Опять же и колхоз наш получше ихнего называется: «Нива»! А то «Верный путь»… Это в Россошках-то верный путь? Прошлой зимой тринадцать теленков издохло… С названиями, я тебе скажу, надо поаккуратней. Чтоб смущения потом не получалось.

— Закуси, закуси… Что впустую языком молоть…

Всего только две рюмочки рябиновки и выпил дед Квадрат, однако уже начал было и задремывать за разговором. Денис Иванович, сунув босые ноги в сапоги и накинув ватник, сказал:

— Осовел ты, Квадрат, пойдем доведу…

И вот, когда они проходили мостком у старой школы, с которого, если бы не Денис Иванович, дедок не преминул бы оступиться впотьмах, в это время и долетел до Серпилок странный перезвон.

— С-слышь? — навострился дедок и поднял в темноте палец.

Постояли, послушали: из-за темных, окостенелых, осенних садов, из глухой полевой темени еще отчетливей, чем прежде, донеслось: «Дон-дон-дилинь-дон… дон-дон-дилинь-дилинь…»

— Ей-бо, в кузне это… — определил Квадрат.

— Какого лешего… — возразил Денис Иванович.

— Секи мне голову — в кузне!

— Кому это приспичило ночью да еще под праздник?

— А вот и гадай…

— Чепуху мелешь, дед.

— Нет, ты послухай. Вон энти два глухих удара — это он по заготовке молотком тюкает, по раскаленному… по мягкому… потому и глухо… Ты послухай… А энтот, со звоном, то уж он по наковальне…

— Кто это он? — спросил Денис Иванович.

— А вот, должно, он и есть…

— Да кто он, черт тя дери! — озлился Денис Иванович.

— Кто, кто… Може, сам Захар тюкает… — понижая голос до шепота, знобко выдохнул дедок.

— Тьфу! — сплюнул Денис Иванович.

— Его подчерк. Слышь, легкость-то руки какая. Не работает, а благовест вызванивает…

— Спятил ты, что ли?

— Помер-то он прямо за работою… Разрыв сердца вышел. Говорят, осколок от войны близко к сердцу сидел… Прибежали — он лежит замертво, а сошник от культиватора еще на земле дымится. Вот как довелось помереть человеку!

— Человеком был — человеком и помер, — сказал Денис Иванович.

— Вот и я говорю: восстал Захар с погоста за незаконченным делом.

— Однако ты хватил сегодня, — сказал с досадливой укоризной Денис Иванович. — Зря я тебе подливал рябиновки.

— Ты меня хмелем не попрекай… Кузня без него совсем осиротелая осталась… Никакого ни стука, ни грюка не слыхать… Никто его дела не подхватил… Вот он, может, и поднялся… Забота человека одолела…

— Ну это ты… того… — буркнул Денис Иванович, однако стук молотка в темном осеннем поле — ни луны, ни просяного зернышка в небе — показался ему странным, даже стал раздражать своей реальностью, на которую не приходило никакого объяснения.

— Гм, — сказал Денис Иванович так, как сказал бы в его положении норовистый бык, увидевший на дороге красную тряпку. Как человек, не терпящий никаких загадок, он добавил со всей решительностью: — А вот мы сейчас поглядим!

Денис Иванович сошел с мостика и направился в темный проулок, что резал Серпилки поперек и выводил в поле.

Квадрат, однако, замешкался на мостике.

— Денис Иванович, — позвал он. — А может, не надо мешать? Пусть себе тюкает…

— А вот мы разберемся! — упрямо твердил в темноте проулка Денис Иванович.

— Погодь, можа, народ шумнуть?

— Нечего тут. Тебе лишь бы шуметь. Идем, говорю!

Дедку, возбудившему себя всякими предположениями, очень уж захотелось в теплую хату, но, поборов в себе такое желание, он все-таки спустился с мостка и осторожно последовал за Денисом Ивановичем, для верности окликая:

— Идешь, Денис Иванович?

— Да иду. Где ты там?

— Я к тому, что… Идешь ли?

3

Выйдя за сады и чувствуя, что теряет последнюю связь с Серпилками, уютно пахнущими в темноте теплыми, настоянными хлевами, дедок остановился, пяля глаза в черную пустоту, в то место, где должна была стоять кузница. Но строение совсем не проглядывалось, будто его вовсе и не было. Зато с еще большей явственностью, обдавшей дедка колючим холодом, доносилось это таинственное «дон-дон-дилинь»… Он даже уловил носом запах того самого дыма со сладковатой тухлинкой, который при живом Захаре Панкове полевой ветер доносил до Серпилок. И уже рисовалось ему, как в закопченном нутре брошенной кузни молчаливо и сосредоточенно стучит молотком Захар и на его лбу, перехваченном тесемкой, красным взблеском играет отсвет горнила… Но впереди упрямо крошили зяблевые комья сапоги Дениса Ивановича, и дед Доня, окликнув еще раз председателя, побежал за ним мелкой трусцой.

Между тем стук молотка в кузнице прекратился. Теперь они шли к чему-то, безмолвно затаившемуся в ночи.

— Денис… — негромко позвал Квадрат.

— Чего?

— Бегишь-то больно швыдко… Погодь…

Денис Иванович приостановился.

— Угораздил ты меня, ей-богу.

Денис Иванович не отвечал.

— Настырный ты… ужасть! Тюкает, ну и пусть себе тюкает…

Сошлись вместе, постояли.

— Затихло что-то… — сказал дедок.

Поле затаилось в глухой осенней неподвижности. Не было даже видно огней деревни, спрятавшейся за садами. Только крепко, свежо пахло находавшей соломой да еще сладким кузнечным дымом.

— Денис… Гля-ка…

— Вижу.

Впереди проступил проем кузнечных ворот, слабо, призрачно подсвеченный изнутри.

— Пошли, — твердо сказал Денис Иванович.

— Ты, Денис, как хочешь, а я тут постою…

Денис Иванович фыркнул и пошел один. Было слышно, как сердито и упрямо топали его сапоги. Через некоторое время черная коренастая фигура Дениса Ивановича замаячила в освещенных воротах и исчезла в глубине кузницы.

Прошли долгие минуты тишины и безвестности. Дед Квадрат, онемев и напрягшись, готовый задать стрекача, ожидал, что вот-вот в кузнице что-то загремит, рухнет, Денис Иванович выскочит опрометью, а вслед ему полетят лемехи и раскаленное железо. Но время шло, ничего не обваливалось, а Денис Иванович исчез, будто вошел в преисподнюю. Мелко покрестив кадык щепотью, дедок прокрался к воротам и, прячась за створкой, заглянул вовнутрь.

На столбе, подпиравшем кровельную матицу, висела керосиновая коптилка — пузырек с кружалкой сырой картошки, сквозь который был продернут ватный фитиль. Красновато-дымный шнур огня и копоти ронял тусклый и ломкий свет в закопченную темноту кузницы. В горне среди шлака малиновым пятном догорал, остывая, уголь… Денис Иванович стоял у наковальни и, оттопырив губы в тусклом серебре усов, задумчиво вертел в руках какую-то железяку, и по тому, как он ее перекидывал из ладони в ладонь, будто печеную картошку, было видно, что железяка эта еще не совсем остыла.

— Денис Иваныч… — окликнул из-за створки ворот дедок.

— Ну?

— Никого… нетути?

Денис Иванович не ответил, продолжал вертеть в руках поковку…

— А ведь уголья в горне горят… Стало быть, кто-то…

Тут рот Квадрата онемел и остался раскрытым, будто в него вставили распорку. В углу, за тесовым сундуком, в который старый кузнец Захар складывал свой инструмент, дедок узрел чьи-то ноги, обутые в стоптанные кирзовые сапоги. Даже пупырышки разглядел на подошвах.

— У-у… у-у… — произнес дедок и вытянул трясущийся палец в сторону ящика. — У-у…

Денис Иванович, сощурясь, склонив голову набок, долго глядел на торчащие головки сапог, потом подошел к сундуку, запустил за него короткопалую руку и вытащил на свет за балахонистый ватник насмерть перепуганного и по-кутячьи обмякшего мальчонку.

— Ты кто такой? — спросил он.

— М-Митька я… — захныкал малец и заслонил свою треугольную, с остреньким подбородком и широким лбом рожицу длинным, обвислым ватным рукавом.

— Какой такой Митька?

— Это Агашкин сорванец! — тотчас взъерепенным воробьем залетел в кузницу Квадрат. — Агашки проулочной, у которой грушу молоньей расшибло… Ах ты, чирий подштанниковый. Это ты тюкал? Я т-те…

Дедок проворно ухватил оттопыренное Митькино ухо и стал его накручивать, как если бы это была ручка сельсоветского телефона.

— Я т-те покажу, разбулдяй сыромятный, как народ смущать! Люди Октябрьскую революцию собрались отмечать, а он, стервец, тюкает… Я т-те потюкаю…

— Это не я-а-а! — заголосил мальчонка. — Я только мехи качал… Это все Аполошка…

— Я и Аполошке ухи накручу!

— Погоди ты, — отпихнул дедка Денис Иванович. — Сразу и уши откручивать. Аполошка, где ты тут?

— Вылазь немедля! — выкрикнул Квадрат.

— Ну, я… — глухо долетело откуда-то сверху.

С поперечины под самой крышей свесились похожие на утюги солдатские ботинки, из которых торчали портянки, а потом уже заголившиеся мальчишеские ноги. Обметая многолетнюю сажу, с дегтярно-черной матицы спустился неуклюже-длинный, вислоплечий Аполошка, старший Митькин брат. Конфузливо подшмыгивая носом, Аполошка уставился себе под ноги. Большой вислый нос его был покрыт угольной копотью.

Денис Иванович с любопытством и даже как будто с удивлением оглядел ребятишек.

— Чистые сапустаты! — подсказал дед Квадрат.

— Погоди, не лотоши, — поморщился Денис Иванович и спросил Аполошку, повертев перед его закопченным носом найденной на наковальне железякой. — Ты ковал?

— Я... — отворачиваясь, сознался Аполошка.

— Это что ж такое будет?

Аполошка промолчал.

— Это дышляк, — сказал за него малец.

— Что за дышляк?

— Это что колеса вертит, — быстро заговорил Митька, заблестев непросохшими глазами. — Мы тут паровоз делали. И все обратно положим, как было...

Митька с поспешностью подскочил к груде железного хлама и вытащил оттуда самоварно блеснувшую артиллерийскую гильзу крупного калибра.

— Это вот котел самый... Куда воду наливают... Мы вот тута дырку заклепаем, и котел будеть... А тут колеса... Пар сначала пойдет здесь, потом здесь и здесь...

Денис Иванович еще раз оглядел «котел» и поставил на наковальню.

— Ты вот что, Аполошка... Паровоз — это ладно... Ты мне скажи: болт отковать сможешь?

Аполошка перемялся ботинками.

— Ну что ж молчишь? Этий ты козюлистый!

— С нарезкой? — глядя куда-то в сторону, спросил Аполошка.

— Как положено.

— Если с нарезкой, то плашки надо.

Говорил он медленно, тягуче, словно брел по вязкой топи и с превеликим трудом выволакивал слова-ноги.

— А ты откуда это знаешь, что плашками?

Аполошка поддернул носом, и даже что-то презрительное промелькнуло в его сумрачном чумазом лице.

— А как же?

— Гм… — пожевал губами Денис Иванович. — Ладно, делай пока без нарезки.

— Простого болвана?

— Давай простого.

— Сейчас прямо? — недоверчиво спросил Аполошка.

— Сейчас и валяй.

— Дак какой надо? На три четверти, на пять восьмых или какой?

— Валяй на три четверти.

Аполошка потянул из вороха железа длинный прут и кивнул Митьке:

— Ну-ка качни.

Митька с радостной готовностью подскочил к мехам, схватил за ремешок, перехлестнутый за деревянную вагу над головой, и повис на ремешке обезьянкой, задрав кверху сапоги. Оттянув рычаг, он снова ступил на землю и ослабил ремень.

4

Внутри горна, над шлаком, что-то загудело, зашипело, и малиновое пятно остывающих углей живо брызнуло искрами и засинело огоньками. Аполошка пошурудил огонь и сунул прут в угли.

Красный летучий отсвет озарил Аполошкин подбородок, мослатые скулы, бугристый лоб, все, что было упрямого в этом нескладном подростке, оставив в тени лишь его раздумчиво-синие, широко распахнутые глаза. И от этого озарения, а может, и от чего иного, невидимого, загоревшегося в самом Аполошке, он враз как-то повзрослел, сурово построжал, будто заказанное ему дело прибавило целый десяток лет. Оно и всегда так: серьезная работа старого мастера молодит, а юнца — мужает.

Придвинулись к огню и дедок с Денисом Ивановичем, стоят, смотрят, как Аполошка клещами поправляет, нагартывает на огонь уголь. И глядели они на Аполошкины руки, на длинные в сивой окалине клещи, на гневно ревущий огонь так, будто отродясь ничего диковиннее и не зрели. То ли ночь тут смешала все понятия, то ли сам Аполошка удивлял — ведь огурец зеленый, опупок — а поди ж ты! Но, скорее всего, оттого завороженно стояли старики, что никогда не привыкнет человек смотреть с мертвым сердцем на то, как калится, краснеет металл в жарком нутре горнила, на самое изначальное ремесло свое, прошагавшее с ним всю людскую историю, начиная от бронзы, и породившее все прочие хитроумные обращения с металлом.

— А ну, примай паровоз! — крикнул Аполошка так, будто это не был Агафьин Аполошка, в огороде которой молнией разбило грушу, а сам огненный бог, свершавший свое таинство в ночи. Дедок вздрогнул и, подчиняясь спешности дела, мигом подлетел к наковальне и смахнул паровоз. Аполошка выхватил из горна бело-желтый, почти прозрачный прут, истекающий светом и жаром, припадая на хромую ногу, шагнул к наковальне, очертив в темноте ослепительную полудугу. Черная Аполошкина тень изломанно пронеслась по стенам и потолку кузницы.

— Зубило! — крикнул Аполошка, и белки его сверкнули в темных провалах глазниц.

Митька бросил мехи, подхватил зубило на длинном держаке, приставил его к пруту, спросил Аполошку только взглядом: «Здеся?» — и Аполошка, кивнув, одним взмахом молота отсек конец прута. Тут же подхватил отрубленный кусок клещами, поставил его на попа, часто, торопко затюкал по концу молотком, осаживая прут и поворачивая клещи то вправо, то влево. И при каждом повороте пускал удар вхолостую, по наковальне, вызванивая ту самую паузу, то веселое кузнецкое «дилинь», непременное для всякого порядочного мастера, во время которого он успевает мгновенно оценить сработанное, прицелиться и поправить поковку. Живой, податливый металл, рассыпая колкие звезды, послушно, стеариново осел и утолщился и, остывая, помалиновел.

Сунув опять заготовку в горн, Аполошка кивнул своему подручному, тот, бросив зубило, метнулся к ваге. И пока тяжко сопели где-то над головой мехи и гудел огонь, выплевывая из горна раскаленную угольную крошку, Аполошка снова был молчаливо-суров и строг лицом, как хирург.

— Шестигранник или четыре угла? — обернулся он погодя к Денису Ивановичу.

— Давай на шесть.

Аполошка выхватил болванку, сноровисто огранил, поправил в обжимке и швырнул в корыто с водой.

Денис Иванович выхватил еще парившую поковку и внимательно оглядел, можно сказать, даже обнюхал ее со всех сторон.

— Да, болт… — сказал он.

— Нарезать? — спросил Аполошка.

— Не надо. Верю. — И, повернувшись, протянул болт дедку.

Квадрат принял штуковину обеими руками, долго держал ее в пальцах за концы, поворачивал и все качал головой.

— Поди ж ты…

— Дядя Захар за один нагрев болт делал, — сказал Аполошка, глядя куда-то в угол. — А я два раза грел…

— Ишь ты… какой, — покосился на него Денис Иванович. — А колесо ошинуешь?

— Ошиную.

— И концы сваришь?

— Дядя Захар показывал… А так — не знаю…

— Показывал, говоришь?.. Гм… Ну а сошник?

— Культиваторный?

— Он самый.

— Можно и сошник. Только сталь хорошая требуется. Рессорная.

— Ты мне пока так, одну форму.

— Один не оттянешь. С молотобойцем надо.

— А ну, давай попробуем, — сказал Денис Иванович и, захваченный азартом живой и горячей кузнецкой работы, ее древней и дивной затягивающей силой, добавил молодцевато:

— Поищи-ка Ванюшкин молот… А ты, дед, покачай нам, а то малец умаялся.

Дедок ухватился за вагу, а спустя минуту, разойдясь, расстегнув шубейку и, по-мальчишески заблестев глазами, говорил под тяжкие, воловьи вздохи мехов:

— Вот, Денис, штука-то какая… Гляжу я, нету на русской земле, которая хлеб родит… нету ничего приветнее для души.. окромя, когда деревенская кузня гомонит молотками… вот и ракеты теперь пошли и все прочее… А все ж таки кузня — всему голова… Как хочешь…

— Ты давай качай, качай, старый! — буркнул Денис Иванович.

— Да уж стараюсь… Раздуваю… А я было думал: опосля Захария кончилась у нас династия… Ан перенялась… Поросло семя…

5

Долго еще в предпраздничной ночи долетал до Серпилок спор молотков. Стучали они то сердито и торопко, то со звонкой веселостью. Всполошенные серпилковцы никак не могли взять в толк, что происходит там, в чистом поле, какая такая открылась непонятная всенощная перед самым Октябрем. Прибежавший на деревню Митька запальчиво рассказывал:

— Ой, что делается! Сам Денис Иванович куеть... Ватник снял, в одной исподней рубахе... Перемазался — ужасть... Денис Иванович куеть, а Квадрат качаить... Денис Иванович Аполошке: «А это сделаешь?» — «Сделаю». — «А это?» — «Сделаю»... Аполошка не сдается ни в какую. Все экзамены повыдержал. Сколь всего понаковали — ужасть!

— Да ты-то куда опять? — спрашивали Митьку. — Мать вся избегалась.

— А! — махнул спущенным рукавом малец. — Скажите ей: мол, некогда... Послали за водой. И за куревом.

1965

ШУМИТ ЛУГОВАЯ ОВСЯНИЦА...

1

В середине лета по Десне закипали сенокосы. Перед тем стояла ясная недокучливая теплынь, небо высокое, емкое, и тянули по нему вразброд, не застя солнце, белые округлые облака. Раза два или три над материковым обрывистым убережьем сходились облака в плотную синеву, и оттуда, с хлебных высот, от полужских тесовых деревень неспешно наплывала на луга туча в серебряных окоемках. Вставала она высокая, величавая. В синих рушниках дождей, разгульно и благодатно рокотала и похохатывала громами и вдруг оглушительно, весело шарахала в несколько разломистых колен, и стеклянным перезвоном отзывалась Десна под теплыми струями ливня. Полоскались в веселом спором дожде притихшие лозняки, набухали сахарные пески в излучинах, пили травы, пила земля, набирала влагу про запас в кротовые норы, и, опустив голову, покорно и охотно мокла среди лугов стреноженная лошадь. А в заречье, куда сваливалась туча, уже висела над синими лесами оранжевая радуга. Оттуда тянуло грибной прелью, мхами и умытой хвоей.

Лесные запахи мешались с медовыми и чайными запахами лугов в крепкий настой, от которого становилось хмельно и необъяснимо радостно и молодо на душе.

После таких дождей вдруг выметывала в пояс луговая овсяница, укрывала собой клевера, белые кашки, желтые подмаренники, выколашивалась над пестротравьем, и луга одевались нежной фиолетовой дымкой. И как только накатывал этот чуткий дымок на луга — днями быть сенокосу.

Первыми съезжались в пойму председатели и бригадиры — местные, из полужских колхозов, и дальние, с суходолов. Суходольские тоже имели здесь свой пай. Ходили в пояс в травах, осматривали деляны, ставили тычки.

Дня через два-три начинали двигаться в луга тракторы, сенокосилки, колесные грабли. Суходольские косари спускались со знойных бугров и междуречий будто на великое переселение: в пароконках — бочки с горючим, артельные казаны, связанные по ногам бараны, кули с мукой и картошкой, пуки деревянных граблей, старых и новых, белых, только что наструганных. Ехали целыми семьями — с женами и ребятишками, ветхие старички и те увязывались, тряслись в новых рубахах, ухватясь черными сухими пальцами за грядки, будто ехали к причастию. Иные еще бодро сидели в передках, крутили концами вожжей над лошадьми, покрикивали с незлобной хрипотцой: «Но-о, окаянные! Шевелись!» — а сами все поглядывали из-под картузов на буйную травяную вольницу, и в просветленных лицах была заметна хозяйственная озабоченность и много-много раз пережитая радость предстоящей сенокосной страды, крестьянской работы — праздника.

Молодежь ехала особняком. Парни в пестрых майках, крутые угловатые плечи в каштановом загаре, девчата, как одна, в косынках шалашиком. Сидели в больших сенных телегах, свесив босые ноги в бортовые решетки. Рыкала перебиваемая колесным перестуком гармошка, кто-то голосисто выкрикивал частушки, полоскались над головами, мельтешили листвой натыканные торчком березовые ветки.

Останавливались на самом берегу, глушили тракторы, в тени лозняков распрягали лошадей с темными пропотелыми холками, засыпали им вдоволь полные телеги свежескошенной травы, по которой еще прыгали кузнечики, а сами, изголодавшись на своих хлебных увалах по вольной воде, лезли в Десну. Гулко бухались с глинистого уреза парни, выныривали, мотали головами, стирали с глаз прилипшие волосы, блаженно отфыркиваясь. Девчата визжали от ласки воды, неистово колотили ногами, выбрызгивая белые пузыристые столбы, полоумно шарахались от змеиных извивов водорослей, и растревоженная

Десна била маслянистыми зелеными волнами в берег, качала и рвала на осколки опрокинутое в реку солнце.

А на мелком, присев на край и сперва попробовав воду вытянутой ногой, перекрестясь, сползали на костлявых задах в реку старики, бледнотелые, с темными непомерно большими кистями рук и темными, будто из другой кожи, шеями. У иных на синеватой ребристой наготе багрово проступали старые солдатские отметины. Старики забредали недалеко, по коленки, и, не стыдясь сраму, в простой житейской потребности, ахая и придыхая, плескали на себя бегучую хрустальную теплынь. Потом долго намыливались, пуская шапки пены по струе, ласково разговаривая с пескарями, что доверчиво тыкались в ноги. Мылись обстоятельно, на весь год, до следующего сенокоса, если еще приведется…

Ребятишки, уже накупавшись до звона в ушах, жарились в песочных лунках, засыпали себя каленым крупитчатым сахаром, а потом, серые, шершавые от песка, который, просыхая, осыпался с приятным зудом во всем теле, бежали в лозняки, трещали кустами, визжали, обстрекаясь о крапиву, и объедались еще не успевшей покраснеть дармовой ничейной ежевикой.

На лужку, на обрыве, вытянув по траве ноги, сложив в подол между коленок ненужные руки, сидели рядышком замужние бабы, отвыкшие за многие годы семейных забот от вольной речной воды, стыдясь при таком народе, при таком солнце оголиться, снять с себя одежду. Сидели, поглядывали с виноватыми улыбками на молодых беспечных девок, на Десну в слепящем блеске. Для них в кои-то разы посидеть вот так на бережку — и то радостно. Кто-нибудь из озорников подкрадывался по воде, выхватывал из-под берега и шмякал прямо в подол линючего, облезлого рака. Бабы взвизгивали, раскатывались по траве, подбирая ноги, начинали журить шалопута и вдруг, устыдясь своей праздности, вставали и шли к телегам искать какого-нибудь дела, без коего не могла баба чувствовать себя нормальным человеком ни в праздники, ни в похороны.

Под вечер, наполоскавшись в реке, тут же на берегу выкашивали поляну под бригадное становище, плели из лозняка низкие балаганы, каждый под свою семью, закидывали их тяжелой травой, оставляя узкий пчелиный лаз, поодаль врывали казан под общий кулеш, и так по всему берегу на много верст возникали временные сенные селища с теми же, по своим деревням, названиями: Меловое, Сухой Колодец, Полыновка…

Полужане в отличие от суходольских выезжали в луга налегке, без баранов и кулей муки — за всем этим ездили на колхозное подворье по ходу дела, однако, чтобы не тратить время, тоже жили балаганами, вкапывали артельные котлы, и у них становища назывались не так сурово: Лужки, Доброводье, Поречное или какие-нибудь Лебяжьи Капустичи.

Две недели кипела в лугах жаркая неуемная работа. Начиналась она с рассвета. Все вокруг еще в призрачной дреме. Диковинными башнями громоздились на той стороне неясные лозняки ветлы. Десна — под куревом тумана, только слышно, как хрустально вызванивали капли росы, роняемые с нависших кустов в чуткую воду, да на весь плес бормотали струи вокруг затонувшей коряги. Все мокро и серо от росы: мокры задранные оглобли телег, горбатые спины бочек с соляркой, мокры и седы балаганы, и на дне остывшего казана за ночь набежало чистое озеро росы над остатками пшенной каши.

Но вот зашебуршало в одном из шалашей, рука прокопала сенную затычку в лазе. Наружу, как большой неуклюжий жук, выползал дед Тимофей. Выпрямлялся, с кряхтеньем отрывая от земли оплетенные веревками жил руки, да так и, не выпрямившись до конца, оставался стоять на полусогнутых ногах, и синяя выпущенная рубаха пусто балахонилась спереди и натянуто кургузилась сзади. Тимофей сипло откашливал вчерашнее курево, долго и зло скреб под рубахой за поясом: приходил в себя. И не ожив еще как следует, уже крутил утреннюю цигарку и приглядывался к косам, что свисали крючковатыми носами с ошкуренной слеги. И на каждом кончике косы — по росяной капле.

Тимофей осматривал косы, выбирал ту, что притупилась, присаживался с ней на козелки с наковаленкой и прицеливался перевернутым молотком.

«Ди-у, ди-у, ди-у» — чисто, ясно, певуче разносилось над лугами, над сонным становищем. И тотчас на той стороне в лозняках отзывалось еще тоньше и певуче: «Ти-у, ти-у, ти-у, ти-у…»

Шуршали сеном разбуженные балаганы, один за другим выползали багровые, заспанные, измятые, будто в тяжком похмелье, косари, вытряхали из рубах и всклокоченных волос сенную труху, крякали от сырой прохлады, разминали намаянные, не отдохнувшие за воробьиную ночь поясницы, бежали, пошатываясь, споласкиваться к реке. А Тимофей все тюкал по наковаленке, правил косы, и вот уже и ниже по течению, в суходольской бригаде, отозвались, затюкали по косе, и выше, в Меловом стане, и еще дальше… И так по всей реке, по всем ее извивам, близко и далеко, будто первые петухи, загомонили молотки и наковаленки — славили зарю.

Выбиралась из своего шалашика Анфиска, с хрустом потягивалась, заламывая за голову бронзовые руки с острыми локотками, и тоже сбегала босиком к Десне, на ходу расстегивая кофту и бросая ее на кусты. Забредала в реку и, зажав подол юбки между колен, шумно плескала дымящуюся парком воду на плечи в белых лямках ночной рубахи. Соломистая коса ее, свалившись со спины, писала концом по воде.

Косились мужики на Анфиску, цепляли озорными словами:

— Может, спину потереть?

Спугнутая Анфиска стыдливо опускала на воду юбку, выбиралась на сухое. Мужики провожали ее долгим прищуром, примечая в Анфискиной фигуре всякие соблазны, потом, и сами, смущаясь, переглядывались, без слов понимая друг друга.

Росла Анфиска в Доброводье, никто как-то не примечал в ней ничего особенного: тощеногая, лупоглазая. Жила с матерью, ходила в плюшевом жакетике да парусиновых туфлишках. В ту пору саперная рота доставала со дна реки затопленные понтоны и всякий военный утиль. В Анфискиной избе остановился на постой саперный лейтенантик. Месяца через три рота снялась. Анфиска ходила как потерянная. А под Новый год у нее народился мальчонка. Бабы провожали ее долгим молчаливым взглядом, жалели промеж собой в разговоре.

— Еще найдет себе… Молодая.

— Не больно теперь найдешь.

— Ей теперь один выход: уезжать, вербоваться куда…

Но Анфиска не уезжала, не вербовалась, а вот уже пятый год ходила в колхоз.

— Кончай курить! — по-армейски командовал бригадир и колотил обгорелой палкой по пустому гулкому казану.

Всхрапывал запущенный трактор, громко стрелял синим дымом. Мужики запрягали в косилки лошадей, разбирали косы и уходили в луга по росе до завтрака. И уже при солнце шли ворошить сено бабы и девки. Над пестрыми косынками колыхались грабли, будто оленьи рога. Плелись неспешно, с ленцой. Но, придя на место и рассыпавшись каждая по своему валку, сноровисто и легко начинали подбивать и ворошить сено граблями. Дело вроде бы немудрящее, а поди ж ты: забивали здоровых девок пожилые бабы. Откуда что бралось: держались прямоспинно, с неуловимым достоинством, грабелки в руках невесомы, знай себе мелькали обшорканными до костяного блеска зубьями. Не гнула, не старила бабу работа, а, наоборот, молодила: не дело делает — играет, кружево вяжет.

На стыке двух соседних лугов иногда останавливались побалагурить.

— Эй, бабоньки! — кричали суходольские мужики. — Приходьте вечерком под копенку, потолкуем…

— Гляди, беседчики отыскались! — хохотали полужские бабы.

Один из косарей передавал косу товарищу, обеими руками покрепче натискивал кепку и бежал к бабам, по-медвежьи раскорячась и расставив руки-лапищи. Бабы взвизгивали и ощетинивались граблями.

— Проваливай, проваливай, бобик непривязанный!

— А ну, девки, лови его, обормота. Ломай крапиву!

Бабы дружно кидались в контратаку. Косарь поворачивал и, перепрыгивая через два валка, улепетывал к своим.

Но все это так, между прочим. Сенокос же кипел своим чередом. День-деньской катал по лугу свои колеса-бублики белорус-тракторок, сновали, стрекоча, конные сенокосилки, полнились травой и взблескивали, освобождаясь, конные грабли, и лошади ошалело мотали мордами и секли оводов хвостами. А уж по всяким неровностям, по старым окопам, по кустам да бочажникам махали косами мужики. Выпростаны из штанов рубахи, чтоб обдувало, мокры и темны сатиновые и ситцевые спины, багровы лица под выгоревшими картузами и кепками, виски влажно лоснились, а косари все ступали и ступали рядами, нога в ногу, замах в замах: так спорей и легче, чем вразнобой. Ярко сверкнет сразу дюжина кос над травами, переступит сразу дюжина сапог, на одно мгновение задержатся, повиснут в воздухе косы — и тотчас снова с шелестящим певучим звоном все разом нырнут в зеленую глубину. Будто узкие белые рыбы играют, выплескиваются над волнами. И ложатся травы в ровные валки, то с подкошенным ирисом, желтой дугой промелькнувшим на пятке косы, то с малиновой свечкой иван-чая. Свежие валки истекают соком, терпко млеют от зноя, и тянет по всему поречью сладким настоем увядания.

К полудню все живое собиралось к воде, поили и купали лошадей, пили и полоскались сами, смывая сенной зуд и соль. Потом, разлегшись вокруг артельных алюминиевых полумисков, хлебали огненный бараний кулеш. Ели по старинке, блюдя очередь по кругу от старшего, подпирая донышки резных ложек ломтями хлеба, с хрустом заедая горячее хлебово зеленым луком. А насытившись, располззались по балаганам, где под темными сводами еще хранилась ночная прохлада. Но и тут, завидев, между прочим, как Анфиска на четвереньках, белея заголившимися круглыми икрами, заползала в низкий лаз своего шалашика, кто-нибудь непременно шутил:

— Фис, пусти на полчасика…

— Срамоидолы! — корили бабы. — Мальчонку бы постеснялись. Мальчонка ведь при ней. А вы брешете языками.

За первой на деревне девкой так не следят, так не приглядываются, как за молодой вдо́вой бабой. Пройдет она обыкновенно, как все, а уже кажется, что не идет, а играет бедрами. Девки купаются — ничего, а войдет она в воду — и опять-таки вроде как с умыслом. Ни пойти ей, ни прилечь без хитрого прищура со стороны, тем более что дело-то необычное: сенокос! Кругом воля вольная, и в косарях бродила хмельная удаль, как ни при какой прочей работе. И хоть и в шутку задевали Анфиску, но и в пустых словах косарей — извечный тайный намек и мужицкая надежда на лотерейный греховный билетик…

Иногда в луга наведывался доброводенский председатель Павел Чепурин. Был он еще молодой, но уже успел навоеваться, схлопотать контузию и шрам от виска до подбородка, закончить политехнический институт, очутиться в деревне в числе тридцатитысячников, собранных по предприятиям, еще раз переучиться в Тимирязевке и кроме боевых орденов нахватать кучу выговоров за своенравность и искажение спущенных сверху циркуляров. Но, несмотря на свою горячность, мужик он был толковый, по-солдатски простой, и все оживлялись, когда он появлялся в лугах на мотоцикле.

— Ну как, хлопцы, дождя не будет? — кричал он еще издали, подъезжая.

Косари обступали его, чтобы поговорить или просто покурить председательских папиросок.

— Да вроде не должно…

Чепурин соскакивал с мотоцикла, нагнувшись и захватив пук подсохшего сена, нюхал, раздергивал на былки и сорил себе на пыльные сапоги.

— Барана съели? — неожиданно спрашивал он, скосившись.

— Еще вчерась, — сознавались косари.

— Даете…

— Дак сена какие… Невпроворот…

— Центнеров по двадцать возьмем?

— И по тридцать будет... Как ни в какой год. Чай — сена!

— Чай-то чай, — почесал под кепкой один их косарей. — А не худо бы и чаюхи. За такие сена магарыч полагается.

— Будет, будет! — пообещал Чепурин, белозубо захохотал, покраснев шрамом, и прошел к трактору, прихрамывая и шмурыгая сапогами по стерне.

— С хорошим сеном вас, бабоньки! — крикнул он весело, проходя мимо ворошенных валков.

— И вас так же...

— Носы! Носы берегите! А то облупятся. Потом не забелишь.

Бабы, будто того и ждали, чтоб их задели, дружно посыпали в ответ:

— Мы и небеленые сойдем!

— Все одно в печку глядецца, с горшками целовацца...

— Ты б свою-то на солнушко вытягнул. А то грабли по ней соскучились...

— Почеревок раструсила б... Небось ночью и не охватишь.

Бабы дружно расхохотались.

Чепурин и сам засмеялся и, смеясь, жмурился, крутил головой.

— Ну и язвы, ну и язвы, бабы! Обхватывать-то некого, — сознался Чепурин. — Неделю как уехала.

— Опять небось по курортам?

— В Сочах, бабы, в Сочах...

Бабы зашикали, иные с издевкой, иные продолжая вышучивать:

— Прынцесса, скажи на милость!

— В стенгазету ее, толстомясую!

— Что ж так: нами — дак командуешь, а на свою узды нету?

— Нету, бабоньки милые, ох нету! — развел руками Чепурин. — Закатила мне домашнее бюро, села и уехала. Я, говорит, тебя все равно не вижу. Ты готов сам сесть в свинарник, в клетушку. От тебя, говорит, свинарником пахнет... Вот как!

— Знамо, — встряла в разговор Тимофеева бабка, высокая корявая старуха, говорившая басом. — Знамо: у кого грабли на плечах, а у кого задница в Сочах.

Бабы завизжали, схватились за животы. Иные, кто посмирнее на язык, конфузливо ухмылялись: уж больно солоно́ сказанула бабка! Одними только глазами усмехнулась и Анфиска, застенчиво прикрыв рот уголком косынки.

Поймав на себе ее беглый смущенный взгляд, Чепурин и сам смутился и, переходя на дружески-деловой тон, спросил:

— Ну, как, Анфиса Васильевна, работается?

— Да так… — Анфиска, почему-то густо покраснев, нагнула голову, затеребила граблями клочок сена, отпихивая и подгартывая его к себе. — Как всем…

Чепурин помолчал, уставившись на бегло перебирающие Анфискины грабельки с таким видом, будто наблюдал важную и неотложную работу. Молчал так, словно хотел еще что-то спросить у Анфиски. И она ждала, не поднимая головы. Но, так ничего и не спросив, Чепурин построжел лицом, сказал:

— Такие, значит, дела…

И, может быть, быстрее, чем хотел, заспешил к трактору.

Меж тем сено начали копнить, а на второй неделе сенокоса в каких-нибудь два-три дня все поречье на много десятков вверх и вниз по Десне дружно взбугрилось копнами, и не было такого места в лугах, куда бы можно было пройти напрямик, не натолкнувшись на копнушку. И, закругляя дело, стали сволакивать их на места повыше, посуше и там выкладывать округлые приземистые стога. Под конец, свезя к стогам сено с балаганов, поплескавшись в Десне на прощание, выпив за ранним ужином сельповской перцовки, поплясав или так просто поговорив на вольном досуге, начали сниматься и сами бригады. И вот уже и вовсе опустели берега. Остались только притоптанные поляны покинутых становищ, черные закопченные ямы из-под котлов да плетеные скелеты раскрытых балаганов. И еще остались стога… Неспешно тянулись мимо них отъезжающие обозы, и люди провожали взглядом памятники отшумевшей страды. Молча хранили стога в себе и безмятежные радости ребятишек, и чьи-то первые и не первые сердечные тайны, и хозяйственные надежды на сытый год, с молоком и хлебом, и вообще удовлетворение завершенной работой. Глядели косари на стога, на долгие вечерние тени от них, часто перечеркнувшие дорогу, и сами удивлялись: сколько наворочали!

2

Разорив свои шалаши, доброводенские косари тем же вечером, пока еще не село солнце, переправились на другой берег Десны разбирать процентовые деляны.

Левая сторона реки густо кучерявилась ивняками. Тут и там над мелколесьем высоко и дремотно поднимались старые уремные ракиты с растрескавшейся корой и темными округлыми кронами. Под ними все лето стояла сумеречная и влажная духота, гудело комарье и бушевал хмель. Местами лес разбегался, открывая большие и малые луговины. Эти-то опушковые покосы, разбросанные и затерянные в лозняковой чащобе и неудобные для бригадной уборки, Чепурин раздавал для подворной косьбы в счет заработанных сенных процентов. Луговины побольше закреплялись за двумя-тремя дворами, на малых косили в одиночку. Обычно из года в год каждый косил на своем постоянном месте.

Анфиска тоже переправилась в попутной лодке, забитой бабами и мужиками.

— Косить али только поглядеть? — поинтересовался дед Тимофей, с кормы направляющий лодку.

— Что глядеть? Смахнет за одним разом, чтоб не бегаться, — ответила за Анфиску баба.

— И то дело, — кивнул Тимофей. — Мы дак тоже, не загад, покосимся.

— Самое в пору, — отозвалась другая баба. — Ночь будет светлая.

— Витюньку бы на деревню отправила, — посоветовал Тимофей, глядя, как Анфиска, подхватив сына одной рукой поперек живота, а другой опираясь на косу, ступила за борт в мелкую воду.

— Нехай бегает: лето, — сказала баба.

— Замаялся небось мальчонка.

— А он, может, при ней охрану несет.

— Какой он охранщик? — сказал Тимофей. — Комар носом проткнет.

— Какой-никакой, а все-таки живая душа при ней. От вашего брата-шатуна… Который ему пошел-то?

— Пятый с зимы, — не оборачиваясь, досадуя на бабье сердоболье, ответила Анфиска и, осыпая комья глины, грузно выбралась с Виткой под мышкой на твердый травяной берег. Она поставила сына на ноги, вскинула на плечо косу, подхватила узелок с едой и шагнула в кусты на пробитую тропку.

— Лодка будет у поваленной ракиты! — крикнул с воды Тимофей.

— Найду!

— Стучи, стучи косой почаще, давай знать!..

— Ладно!

— Ежели раньше нас управишься — покричишь!

Анфиска прошла берегом вверх по реке и в полуверсте вышла на свою деляну, одним краем примыкавшую к Десне. Анфиска не была здесь с прошлого лета и едва узнала свой покос. Поверх нетронутых трав, пестревших багряными головками клевера, синими колокольцами, лупастыми звездами ромашек, часто пророс морковник. Он цвел крупными белыми зонтами, распустившимися на уровне Анфискиной груди, и ей казалось, будто поляна была занавешена сверху полупрозрачным тюлем.

— Вот мы и дома, — сказала Анфиска Витьке, устало и умиротворенно оглядывая покос, будто осматривала горницу, в которой так давно не была. Опушка и на самом деле походила на светлую и чисто прибранную комнату, окруженную стенами леса и с распахнутым окном на реку, в луговое раздолье. В окно это широко и спокойно лился свет низкого солнца, по-вечернему румянившего лес и поляну, тянуло теплой сыростью речных песков, запахом нагретых за день осок и свежесметанных стогов.

Витька тут же нырнул под зонты морковника, побежал под ними, раскинув руки и теребя ладонями дудки. И там, где он бежал, над его белесой, давно не стриженной головенкой вздрагивали и покачивались кружевные шапки соцветий.

— Мам, гляди какие! — кричал он.

Анфиска несколькими взмахами подкосила угол у самой реки, сгребла тяжелую, дурманно и знойно пахнущую траву, бросила поверх вороха телогрейку и позвала Витьку.

— Ну посиди тут.

— Не хочу сидеть. Побегу удочку срежу. Буду рыбу удить.

— Ну, поуди, поуди.

Она присела на краю обрыва, свесила ноги над водой, уперлась руками в траву, откинулась на них и замерла так в минутном отдыхе. Прямо против нее над высоким убережьем садилось багрово-дымное солнце. Матерый берег, до которого Десна доставала только в пору своего весеннего разгула, на самом верху, на увале, плоско и ослепительно желтел хлебами. Но скат его вместе с деревнями, садами и поперечными оврагами был уже окутан вечерней дымкой, казался пустынным, отвесным и неприступной синей стеной громоздился над плоской равниной лугов. Сами же луга еще купались в последних лучах солнца. Бесчисленные стога нежно розовели подсвеченными маковками и тянули навстречу Анфиске по багрово-зеленой отаве длинные синие тени. В лугах было безлюдно и по-вечернему настороженно и тихо. Только на самом увале высоко и густо вздымалась пыль над дорогой. Это суходольцы сразу несколькими обозами, поднявшись на урез, погнали лошадей рысью по ровному, спеша в дальние свои деревни, затерянные где-то за хлебами.

— Вот и покосы прошли, — вздохнула Анфиска, вглядываясь в клубы пыли над отъезжающими обозами. И ей стало почему-то грустно, что прошли покосы. Жаль было хорошей поры, которую она любила сызмальства. Чем больше взрослела, тем нетерпеливее бежала в луга, полнясь смутным и радостным ожиданием чего-то... Но все обернулось обычной вдовьей работой, липучим и грубым вниманием мужичья, замкнутым одиночеством, о котором она никому не смела и не могла сказать. Теперь она была даже рада, что поблизости нет никаких делян и что она наконец-то одна. И все-таки было жаль, что прошли покосы, прошло еще одно лето...

Вздохнув, она сняла платье, ночую рубаху, подстелила под себя белье и посидела так, остывая, неспешно, задумчиво оглядывая себя, смахивая с шеи и поперек перерезанных полоской загара грудей сенную труху. Мягкое тепло вечернего солнца тронуло и пригрело ее живот и колени. Из лозняка выпорхнула и закачалась перед Анфиской на торчавшей из воды камышинке желтая плиска. Перечеркивая собою красное солнце, она раскачивалась, вздрагивала узким хвостом и с птичьей откровенностью разглядывала раздетую Анфиску.

— Сарафан сняла? Сарафан сняла? — требовательно спрашивала она.

— Кыш! — махнула Анфиска и плотно сдвинула колени.

В кустах зашебуршал Витька, радостно окликнул:

— Мам, смотри, какая удочка!

— Ага... хорошая.

— Мам, а что это у тебя на руке синее?

Витька притронулся пальцем к Анфискиному предплечью.

Анфиска закрыла покосный балагурный синяк ладонью и небрежно сказала:

— Поди, Витя, побегай...

Витька сострадательно уставился на Анфискину ладонь, прикрывавшую синяк.

— Поуди, поуди, Витя... Вон какая хорошая удочка.

Витька повернулся и запрыгал по берегу, вспархивая выгорелыми волосенками при каждом поскоке.

Анфиска поглядела вслед сыну, глаза ее заплыли слезой:

— Глупый…

И, оттолкнувшись пятками о край обрыва, она сильным броском бухнулась в розовато-засмиревшую Десну.

Уже в сумерках запалили костерок, ели пожаренное на прутиках сало, крутые яйца, прикусывали перышками лука. За темными кустами долго и светло разгоралась луна. Они ели, тихо переговариваясь, слушая, как где-то в лесу, на других делянах гомонили бабы, звякали о косы оселки, а на той стороне в лугах все ржала и ржала беспокойно лошадь, глухо и тяжко стуча по земле копытами.

— Мам, чегой-то она?

— Так… спутанная…

Поиграв в засиневшем небе хворостинкой с угольком на конце, Витька угомонился, прилег на охапку травы. Анфиса прикрыла его телогрейкой.

— Спи, горюшко мое, спи, мужичок мой…

Витька пошевелился, сворачиваясь калачиком, угреваясь, и затих.

Анфиска взяла косу, подошла к краю поляны. Луна наконец выпуталась из зарослей — большая, чистая и ясная, кусты под ней заблестели влажными листьями. Деляна просияла, будто враз зажглись, засветились подвешенные над травами люстры морковника. На зонтах цветов тончайшим хрусталем заблестела роса. И сразу, как только взошла луна, где-то рядом отсырело заскрипел, забегал под серебристой и невесомой сеткой соцветий дергач, дружно брызнули окрестные кусты стрекучим гомоном камышовок.

— Светло-то как! — подивилась Анфиска.

Стоя на берегу, у края деляны, она завороженно глядела на медлительную, переспело истекающую медовым светом луну.

Потом, все еще прислушиваясь к ликующей ночи, к радостногрустному чувству в самой себе, неслышно, как бы боясь что-то потревожить, провела косой по крайним травам деляны.

3

Скоро уже, подчиняясь затягивающему азарту работы, Анфиска косила широко и жадно. Лишь изредка она распрямлялась, смахивала со лба волосы и поглядывала на скошенные валки. Неспешная луна собиралась бродить в небе до самого рассвета, и Анфиска прикидывала, что к тому времени должна управиться. Иногда, давая себе минутный роздых, она брала оселок и несколькими ударами поправляла жало косы. И тотчас на ближней деляне, за темными шапками ракит подавала голос Тимофеева коса: мол, коси, коси, девка, мы тут тоже косим. За ней откликалась другая, третья, и начинало тонко, загадочно звенеть по всему ночному лесу: ко-сим, ко-сим.

И вот уже и жаль Анфиске, что она одна, а не на артельной деляне, где теперь потрескивает костер под старой ракитой, сложена в общую кучу разная еда, закипает черный покосный чайник, набитый смородиновым листом. И нет-нет да кто-нибудь, на время остановив косу, взболтнет что-то веселое… А есть, которые вдвоем, с мужем…

Анфиска пыталась представить, как косила бы она с мужем… Костер палить было бы некогда, да и балагурить незачем… Работали бы молча. А тоже хорошо…

Прислушиваясь к перезвону на ближних и дальних делянах, она уловила ворчливый гул мотоцикла на лесной дороге. Дорога эта, по которой свозили в деревню сено, петляла, восьмерила, давала ответвление по всей уреме и где-то недалеко обегала Анфискин покос. Свое сено она переправляла сразу на тот берег, так было удобней, и на ее маленькую деляну не было пробито проезда. Мотоцикл протарахтел мимо, потом внезапно заглох, долго молчал, снова застрекотал, теперь уже возвращаясь обратно. В кустах, против ее покоса пробился раздробленный листвой свет фары.

«Рыболовы, что ли, — подумала Анфиска. — Мало им места на Десне».

Хлестая ветками кустов, мотоцикл продрался, вынырнул на поляну, полоснул светом, но тут же умолк и погасил фару.

Анфиска опустила косу, выжидая.

Из тени кустов вышел рослый человек.

По белой фуражке она узнала Чепурина. Прямо по некошеному он подошел к ней.

Анфиска замерла.

— А я слышу: кто-то косой звякает. Дай, думаю, загляну, — сказал он. — Едва проехал…

Чепурин стоял против света, и она, мельком взглядывая, не могла разглядеть его лица, но по голосу улавливала какую-то странную растерянность и возбужденность. Видно, ему и самому было неловко оттого, что он оказался на этой деляне, неловко было и объяснять, зачем он здесь.

— Испугалась?

— Думала, рыболовы... — проговорила она.

— А я в районе был... Только что оттуда, — сказал Чепурин и зачем-то снял фуражку. — Заехал поглядеть, как народ полуношничает...

— Да вот косим... — сказала Анфиска. Растерянно перекрещенными на груди руками, оставшимися прижатыми так вместе с ручкой косы с самого момента появления Чепурина, она чувствовала, как часто колотилось ее сердце.

Чепурин обвел глазами деляну:

— Твой, значит, пай... Морковки много. Серное сено будет...

— И на том спасибо, — выговорила Анфиска чужими, одеревеневшими губами.

Чепурин помолчал, повертел в руках фуражку.

— Помочь, что ли? — сказал он, помолчав.

— Я сама, — тихо воспротивилась Анфиска.

— Сама-то не успеешь.

Он взялся за ручку косы, легонько потянул к себе. Анфиска не отпустила.

— Спешить некуда, — сказала она. — Ночь еще впереди.

— Скоро темно станет.

— Луна только взошла. Вон какая!

— Погаснет луна-то твоя... Сегодня затмение будет...

— Не надо, Павел Семенович, — потупилась Анфиска. — Я сама управлюсь.

— Ну как знаешь. — Чепурин посмотрел на луну, на морковник. — Ты не подумай... Я ведь по-хорошему.

Он достал папироску, пыхнул спичкой. Анфиска стояла, выжидая. В ее как-то сразу поменьшавшей ростом фигуре было что-то неприкаянное и жалкое.

Долго и напряженно молчали. В мокрых кустах верещали камышовки. Вдруг Чепурин порывисто отбросил окурок и крупными шагами пошел в дальний угол деляны к мотоциклу. Но он не уехал, как подумала Анфиска, а, к ее удивлению, вытащил из коляски разобранную косу, сладил ее и молча принялся косить прямо от колес мотоцикла. Анфиска слышала, как заходила его коса с сердитым и протяжным шиканьем.

Анфиска растерялась. Первой ее мыслью было разбудить Витьку. Но Витька сладко посапывал, и она, поправив на нем одежку, отошла, остановилась у обрыва, смятенно уставившись на светлую гладь реки. Потом тихо, будто крадучись, прошла к незаконченному прокосу. Она начала косить, все время сбиваясь, путаясь в траве, мучительно и обостренно прислушиваясь к размашистому вжиканью в дальнем углу деляны.

Луна, уже высоко поднявшись над лесом, заметно поубавилась, уплотнилась, но все еще была диковинно велика. Анфиска косила против луны. Чепурин двигался от луны к ней навстречу. Работали молча, затаившись, как два сапера по обе стороны фронта, пробивающие проход в проволочном заграждении. Нетронутая стена трав, разделявшая их, уменьшалась и редела. Впереди, белея, покачивалась фуражка Чепурина, широко и порывисто поворачивались его плечи, и то и дело над дудником взмелькивала ручка его косы. Она видела, как, вздрогнув, широкими полукружьями рушились и исчезали перед ним хрустальные люстры морковника.

Когда между ними осталась тонкая, на два-три взмаха стенка из высоких, пронизанных светом стеблей, Анфиска остановилась. Остановился и он, шумно и прерывисто дыша.

Тяготясь этой неловкой паузой, страшась — не его, Чепурина, а самое себя, своего напряженного обессиливающего оцепенения, она, ни разу не взглянув на него, не поднимая головы, повернулась и пошла, почти побежала к берегу, к началу покоса.

— Анфис… — позвал он.

Она слышала, как он смахнул остатки травы, разделявшие их, и торопливо пошел следом.

— Что ж мы… так и будем разбегаться по углам? Глупо все как-то…

В голосе его звучала все та же неловкость и виноватость за то, что он здесь и вот так с нею.

Анфиска только еще больше нагнула голову, вышла к берегу и сразу начала новый прогон.

— Давай хоть косить рядом… — буркнул Чепурин.

Она успела уже отойти немного, когда Чепурин начал косить с левой стороны. Чувствуя за спиной мерные переступы его сапог, резкое свистящее позванивание, Анфиска, закусив губы, косила с оцепенелым упорством, как будто все дело было в том, чтобы не дать себя догнать. На каждые два его взмаха он отвечала тремя. Босые ноги горели от колючей стерни и спиртово-жгучей росы, но еще больше горело ее лицо.

«Что же это?..» — спрашивала она самое себя.

Вспомнилось, как весной он подвозил ее со станции. Она тогда, перед половодьем, накупила много хлеба, несла тяжело в двух мешках, связанных вместе. Он нагнал ее на своем «газике», узнал, остановился, забрал мешки и посадил в машину. Дорога была разбитая, с жидкой снежной кашей в глубоких колеях, с частыми лывами по низинам, машину бросало, заваливало с боку на бок. Чепурин напряженно рулил и, может быть, потому лишь изредка с ней заговаривал, отрывисто спрашивая о самом обыденном: как живет, как мать, сынишка… В шоферское зеркальце она мельком видела его худое, обветренное лицо с багровым швом во всю плохо выбритую щеку, видела напряженно-сосредоточенные жидко-зеленые глаза и, стесняясь своих чувалов, набитых городскими буханками, грязных галош на валенках, настороженно цепенея от новых его вопросов, односложно отвечала: «Живу помаленьку», «Мать ничего», «Сын уже большой».

И когда потом приходилось встречаться с Чепуриным — на колхозном дворе, на улице, — все так же терялась перед ним, и особенно почему-то в тот раз, на покосе, когда он пытался заговорить с ней.

Ни разу не оглянувшись, она косила все с тем же упорством и уже не чувствовала рук, не ощущала в онемевших пальцах косья и только упрямо, через силу водила плечами. Белые шапки морковника, взблескивая оброненной росой, казалось, сами собой гасли перед нею, будто слабые огоньки от ветра.

На середине прогона она услыхала, как Чепурин остановился. Чуть обернувшись, она увидела, что он скинул пиджак, отшвырнул на стерню и, оставшись в одной белой рубашке, азартно поплевал на руки.

Но и у нее больше сил не оставалось.

«Сейчас упаду», — задыхаясь и слепея от напряжения, думала Анфиска.

Она уже не слышала ни его, ни своей косы, не слышала цикадного стрекота камышевок, не замечала, как все бегал, все скрипел на остатке быстро таявшей луговины дергач — невольный судья этой борьбы двух людей на ночном покосе.

— Тьфу! Заморила! — сплюнул наконец Чепурин. — Анфис… Да погоди же ты…

Он постоял, глядя вслед продолжавшей косить Анфиске, и вдруг, отбросив косу, в два прыжка нагнал, обнял, больно сдавил плечи, рывком повернул к себе и, сам задыхаясь, прижал к груди.

— Вот… Чтоб знала…

Потная, горячая, не видящая ничего, с гулким стуком в висках, она затихла в крепком захвате его рук, провалившись в какое-то обжигающее небытие.

— Не сердись только… не гони, — проговорил он.

Луна, поднявшись в свой зенит, накалилась до слепящей голубизны, небо вокруг раздвинулось, нежно просветлело и проливалось теперь на лес, на поляну, на белую кипень цветов трепетно-дымным голубым светопадом. Свет падал на Анфискино лицо, казавшееся бледным и осунувшимся. Под полузапахнутыми ресницами темно и влажно взблескивали глаза.

— Устала я, — не открывая век, прошептала Анфиска, почувствовав себя вдруг окончательно надломленной и обессиленной не только от напряженной косьбы, но и от всех этих трудных и горьких лет вдовьего одиночества.

Чепурин, должно быть, понял в ней это, бережно взял в ладони ее голову, притянул и крепко и долго поцеловал в сухие, безответные губы.

Анфиска затаенно молчала, приходя в себя, прислушиваясь к сильным толчкам его сердца под влажной от пота рубашкой.

— Запалила ты меня, — сказал Чепурин.

— Я сама чуть не упала.

— Зачем же так…

— Не знаю…

— Я ведь по-хорошему…

Анфиска не ответила.

Он слегка, будто стесняясь этого движения, одними только кончиками пальцев потрогал ее волосы.

— Давай докосим? — сказал Чепурин.

Постояв еще, помедлив, она наконец молча шевельнула плечами, прося ее освободить. Чепурин разжал руки, она устало нагнулась, подняла косу.

— Ты посиди… Не надо, — сказал Чепурин.

— Нет… Я тоже…

Остаток поляны они докашивали рядом.

Чепурин, без фуражки, с закатанными рукавами белой рубахи, косил размашисто, низко пуская косу, чуть пригибая колени. Встречный свет заливал его плечи, дымился в светлых спутанных волосах. Тяжелые стебли дудника, мельтеша белыми шапками, уносились в сторону и ложились рядом с Анфиской. Валок истекал сырым травяным запахом. Время от времени Чепурин приостанавливался и, шумно отдуваясь, улыбаясь запаленно открытым ртом, подбодрял:

— Идет дело?

Анфиска молча кивала.

— Ну давай… Осталось немножко.

За согласной работой как-то сама прошла Анфискина усталость, руки окрепли, и она, поглядывая на Чепурина, на его неторопливые расчетливые движения, чувствуя, что ему нравится косить, и сама начинала полниться тихой и умиротворенной радостью.

— У тебя есть оселок? — спросил он.

— Где-то на берегу.

— Надо поправить косы. Мы их совсем загнали об эту чертову морковку. Откуда ее столько наросло?

Чепурин говорил так, будто ничего между ними и не было, будто они еще с вечера пришли сюда, как другие, как все, затем только, чтобы запасти на зиму сена.

Он нашел на обрыве оселок и стал править косы — ее и свою. И сразу за лозняками тонко звякнуло ответно. И зазвенело, затюкало справа, слева, близко и далеко — по всему лунному лесу.

— Народу-то сколько! — удивился Чепурин.

Ликующе-голубой свет заливал поляну. Была видна каждая травинка, каждый листок, и все везде что-то сверкало и блестело. Светлая гладь реки за краем обрыва кольчужно серебрилась от кругов разыгравшейся рыбы. Бледно проступили песчаные косы на той стороне, и в песках блестели и переливались голубым огнем выброшенные створки ракушек. Серебрились обрызганные росой осоки под тем берегом, легким дымом серебрилась подстриженная отава, серебрилась шиферная крыша коровника на гребне далекого уреза и призрачными шатрами проступали бесчисленные стога в луговом заречье.

Простоволосо-растрепанный, в расстегнутой на груди рубахе, Чепурин стоял с косой и оселком в руке, чуть наклонив голову, и, полный мальчишеского внимания и интереса, слушал, как перекликались косы на лесных делянах.

Еще вчера этот человек расчетливо считал свои часы и минуты, куда-то уезжал, приезжал, командовал и распоряжался, звонил по телефону каким-то далеким и высоким начальникам и сам был страшно далек от Анфиски своей исполненной какой-то значительности председательской беспокойной жизнью. Но теперь, видя его так близко, рядом с собой, за простой крестьянской работой, обыденной и понятной ей сызмальства, делавшей его тоже простым и понятным, Анфиска почувствовала себя так, будто знала его давно и работала рядом всю жизнь.

— Как названивают! — сказал он, радуясь. — Послушай только, что делается! По всей Десне.

Анфиска смотрела на Чепурина, слушала и ничего не слышала, кроме стука своего радостно-смятенного сердца.

4

Перемешанные с травой стебли морковника пружинисто топорщились, валки высоко бугрились, белели зонтиками, и вся полянка казалась прибойно-полосатой. Терпко, дурманно пахло каратиновым настоем, напитавшим росу и ночной воздух.

Они лежали на ворохе скошенной трав, влажной и теплой, нагретой их телами. Лежали на самом берегу, головой к реке, умиротворенные доверием друг к другу.

— Есть хочешь?

— Что-то не хочется.

— Я захватил с собой. В мотоцикле. Поешь.

— Не надо. Не вставай…

Чепурин лежал навзничь, подложив под голову правую руку, она пристроилась на его плече.

— Не хочется, чтобы ты уходил… — Анфиска задержала его руку на своем плече и сама подвинулась теснее. — Смотри, какая луна сегодня! Я даже чувствую ее сквозь веки. Закрой глаза… Ты правду говорил про затмение?

— По радио передавали.

— А я думала — нарочно…

Луна бесстрашно, светло и празднично шла навстречу неведомому, поджидавшему ее в какой-то точке кроткого ночного неба. Казалось, уже воздух начинал тихо и напряженно вызванивать от ее неистового сияния.

— Я хоть нагляжусь на нее сегодня… Не помню, когда я глядела так…

— Это верно, — кивнул Чепурин. — Головы поднять некогда.

Анфиска, задумавшись, долго вглядывалась в голубой диск.

— Какая она чистая… Как девушка. Я даже глаза различаю. Словно бы улыбается.

— Это горы.

— Нет, глаза.

— Кратеры всякие.

— Тебе — кратеры, а мне — глаза.

Чепурин усмехнулся Анфискиному шутливому упрямству.

— Вот песни по радио поют, — вздохнула Анфиска. — Про свиданье на луне. Глупости какие, господи! Земли, что ли, мало? Только любите по-хорошему.

Тяжелый рогатый жук низко пролетел над головами и плюхнулся в скошенную траву. Должно быть, летел из заречья. Жук завозился, рыкая крыльями в стеблях, будто запускал заглохший мотор. Наконец взлетел и, довольный, басовито загудел. На светлом небе были видны его черные вскинутые надкрылья. Анфиска проводила его взглядом, прислушалась.

— Разве есть где лучше? Птиц-то сколько! Каждый куст стрекочет.

— Да, ночь хороша! Теплынь. Самое лето.

— У нас по Десне их сверчками зовут.

— Какие они?

— Разве не видел? Серенькие с желтиной.

— Как-то не обратил внимания.

— Хвост округло подстрижен. У плиски хвост ровный, у зяблика, у чечевички — с выемкой. А у этих — будто лопаточка для мороженого. И голос: не поют, а сверчат. Потому и сверчки.

— Похоже… А вон то кто? Осторожно так…

— Не узнал? Соловей!

— Ну какой же соловей? Соловья-то я знаю.

— Соловей и есть.

— Коротко очень.

— Молоденький еще… Старые теперь уже не поют… Лето переломилось. А этот только пробует голос. Первая его песня. Будто в молодой орешек посвистывает… Слышишь? Шелкнет и сам себя слушает. Мол, ладно ли получилось? А потом надолго и замолчит: засовестится. Молоденький…

— Берендеевна! — усмехнулся Чепурин и ласково, уважительно взглянул на Анфиску.

— В детстве из лесов-лугов не вылазила. В деревне — куда еще побежишь? Вся тебе тут земля, весь мир. Каждое гнездо разглядим: и как сделано, и какие яички… С той поры всех птиц своих знаю… А вот то дергач… Послушай, как он…

— Этого скрипуна я давно приметил.

— Всю ночь так.

— Уж больно музыка у него некрасивая. Будто гребешком по сухой щепке.

— Это нам только. А ему все равно весело. Ночь-то какая! Диво! Все, как умеет, радуется… Я тоже, будь моя воля, птицею стала бы… Даже не задумалась — поменялась бы…

— Чудачка!

— Хорошо птицею. Лети куда хочешь. Воля!

— Куда же ты?

— Мало ли куда…

Раздумывая, куда бы она полетела, Анфиска вспомнила, как еще подростком несколько раз бегала на станцию. Мать завертывала в капустные листы обваренного куренка, клала на дно корзины десяток-другой яиц, свежих огурцов, и Анфиска, шлепая по прохладной утренней пыли, бежала средь хлебов к паровозным дымам на горизонте. Ничего не волновало ее так сладко и празднично, как добела накатанные рельсы и долгие, зовущие паровозные гудки.

Там, на станции, поставив у ног корзинку где-нибудь возле газетного киоска, она подолгу заглядывалась на поезда: дивилась широким, в одно сплошное стекло, вагонным окнам, белым накрахмаленным занавескам, цветам в глиняных горшках на столиках и по всему этому силилась представить, как должно быть хорошо и необыкновенно ехать в таком вагоне. Вполуслух, разлипая губы, она читала надписи «Москва — Одесса», «Москва — София» и, прочитав, с ревнивой завистью следила за бойкими проводницами в синих беретах, которые, убрав подножки и став в вагонных дверях, вот так просто, с какой-то легкой беспечностью ехали в далекие неведомые города, равнодушно посматривая на все, что оставалось здесь, на перроне, на все эти киоски, багажные тележки, на нее, Анфиску, зазевавшуюся босоногую девчонку из безвестного им села.

Анфиска забывала про свою распродажу, пока какой-нибудь дотошный пассажир, заглянув в корзинку, не обнаруживал торчащие цыплячьи лапки. Набегали другие, копались в корзине, как в своей собственной, выгребали яйца, огурцы, совали деньги. Она машинально прятала их в карман, не сосчитывая, стесняясь своего нехитрого товара, и приходила в себя, лишь когда появлялся милиционер и сонно, разморенно говорил: «Давай, давай отсюда… Не положено».

— Посмотрела бы, куда наша Десна течет… — вслух сказала Анфиска. — До самого моря слетала бы… Живешь! Вот тебе изба, печь, грабли или тяпка… Зима — лето, зима — лето…

Анфиска робко улыбнулась, будто винясь за свое такое желание — полететь птицей.

— Правда, Паша… Бабе всегда только и солнышко отпущено, что в детстве. Девчонкой прыгаешь, ничего не знаешь, думаешь: как все. А вырастешь — нажалеешься, что баба… Конечно, не у каждой так.

И опять она вспомнила поезда. Почему-то в них всегда много красивых женщин. Некоторые уже пожилые, с сединой в висках, а все равно красивые. Не лицом даже, а чем-то таким, чего Анфиска никак не могла понять. Вольностью своей, что ли? Они красиво прогуливались вдоль вагонов, красиво ели мороженое, красиво смеялись и разговаривали с мужчинами, тоже красивыми, породистыми. Платформа была единственным местом, где Анфиска прикасалась к этому шумному веселому миру, существовавшему сам по себе в неведомом далеке от ее, Анфискиной, жизни.

— Есть — на всю жизнь бабы, а есть — женщины, — сказала Анфиска, прервав свои размышления. — Кому как выпадет.

— А ты тоже красивая, — Чепурин за плечо качнул Анфиску к себе. — Смотрел я, как сено ворошила: красавица!

— Какая, Паша, красота, если по три гектара свеклы на брата… Ноги позаломились…

Небо все расцветало, все голубело в том месте, где проходила высокая и ясная луна. Оставив ее сиять одну, звезды далеко вокруг отступили, истаяли и только понизу, над самыми деревьями, где было темнее, проглядывали редко и несмело, будто боялись помешать праздничному шествию луны. Может быть. Она разгоралась бы и дальше, как раз в это время что-то притронулось к ее левому боку, чуть надавило, оставив едва заметную вмятину.

— Смотри, Паша!

— Вижу.

Они притихли, приглядываясь.

Казалось, все оставалось прежним: и мерцающая бездонность неба, и сама луна светилась все с той же беспечной ясностью; но это безмолвное, вкрадчивое чье-то прикосновение к луне сразу же было замечено и лесом и лугами.

Коростель оборвал свой скрип и насторожился. Скрипнул еще раз неуверенно, затих и не подал больше голоса. Поредел и рассыпался хор камышевок.

Наступила тревожно насторожённая тишина.

Стало слышно, как в тени обрыва, омывая камыши, дремавшие у берега взаброду, всплёскивалась вода. Казалось, Десна бежала у самого изголовья, и, чтобы достать до реки, стоило только протянуть руку.

— Давай Витьку разбудим, — сказал Чепурин, невольно переходя на шепот.

— Зачем?

— Поглядит на затмение.

— Мал еще… Что он понимает?

Чепурин покосился на часы.

— Сколько? — спросила Анфиска.

— Четверть второго.

— Тихо как стало.

— Ага… Будто отрезало…

— Луна, как откусанное яблоко… Совсем закроет?

— Говорили — совсем…

— А мне почему-то жалко ее…

— Ну что ты…

— Правда. Даже как-то не по себе.

— Это всего только тень.

— Знаю, что тень. И в школе учила — тень. А тревожно. Тебе разве нет?

— Непривычно как-то.

— Вот и птицы затаились. Тоже понимают….

Подчиняясь нахлынувшей тишине, они и сами притихли и долго лежали молча, наблюдая затмение.

На реке стукнуло весло. Высокий бабий голос позвал:

— Анфи-са!

По лесу изломанно прокатилось «И-са, и-са», и, затихая, эхо потерялось в лугах, среди стогов.

— Тебя…

— Домой кличут. У них там лодка.

— А-у, Фиска-а! Поехали-и!

В ответ в лугах заливисто заржала лошадь.

— Затмение начало-ось! — кричали с берега бабы. — Где ты там?

Кто-то постучал в косу, потом еще покричали и стихли.

Было далеко слыхать, как время от времени переправлялись лодки: стучали о борта весла, позвякивали причальные цепи, перекликaлись бабы. И еще долго потом доносились с той стороны лугов постепенно затухающие голоса.

— Уехали, — сказал Чепурин.

— Пусть... — твердо проговорила Анфиска.

Из вороха травы, примятого посередине и закрывавшегося краями лес, им было видно только небо и круг луны, на который слева все наползало и наползало что-то зловеще-неотвратимое, что принято просто называть тенью.

Чепурин и Анфиска вдруг почувствовали себя затерянными в обезлюдевшем, притихшем лесу.

— Глухо-то как...

— Боишься?

— Нет... — И, помолчав, добавила: — С тобой не страшно.

Они глядели на медленно угасающую луну, и Анфиска вспоминала, как все эти годы думала об этом человеке, в одиноких невысказанных мечтах примеряла его к своей жизни. Вспоминалось, как однажды увидела на дороге мотоцикл. Ехали незнакомые мужчина и женщина, усталые, в запыленных комбинезонах. Он — за рулем, а она — сзади: обхватила его за бока, прижалась щекой к спине — от ветра, и ехали. Долго она смотрела им вслед, пока не скрылись за горушкой, а сама все прикидывала, как бы она тоже вот так поехала... Хоть на край света... И чтоб тоже был ветер... А то раз привезли в сельпо пододеяльники. Хорошие такие, с русской мережкой по углам. Смотрела, как люди брали на приданое девкам-невестам, и завидовала... И опять прикидывала, как бы она застелила все новое... И хотя знала: ни к чему это, никогда тому не бывать, а все-таки приходили такие мысли, все примеряла его к себе... И сегодня тоже: косила, а его рядом с собой ставила... Только когда и вправду приехал — испугалась. Ждала, ждала этого часу, а самой жутко стало... И жутко и хмельно...

Вспоминая все это, украдкой разглядывая его лицо при лунном свете, Анфиска бережно провела пальцем по шраму на щеке Чепурина.

— Чем это тебя, Паша?

— Осколком.

— Будто ножом.

— Это меня напоследок в Берлине угостили гранатой с чердака.

От темного шрама, затянутого гладкой и бесчувственной кожей, Анфиска провела пальцем по светлой живой щетине на подбородке, попробовала расправить лучики морщин на виске. С тихой задумчивостью разглядывала она залитое лунным светом лицо Чепурина — суровое и грубое вблизи, с крупными сухими губами, с жесткими кустиками выгоревших бровей. Двигая кадыком, он заглатывал дым папиросы и неторопливо выпускал синий жгут, целясь им в комаров. Анфиска удивлялась, как много он набирал дыма, который долго еще потом, при каждом выдохе курился из ноздрей постепенно затухающими струйками. От лица Чепурина веяло спокойной надежностью, и, может быть, оттого оно казалось Анфиске даже красивым, а больше всего — понятным: в нем ничего не настораживало и не отпугивало.

— Смотрю я на тебя: вот и городской, а какой-то ты наш... — тихо проговорила Анфиска. — Будто в деревне вырос.

Он сузил глаза, жесткие кустики бровей обрывисто нависли над переносьем. Долго лежал так, сощурясь, остро вглядываясь в луну, а может быть, и во что-то свое, в самом себе.

— Вот вспоминаю свое мальчишество, — сказал он задумчиво. — Кажется, оно было страшно давно. Как до Рождества Христова.

— А я будто вчера девчонкой бегала, — сказала Анфиска. — Даже платья какие носила, помню.

— Тебе повезло. Все-таки цельным куском живешь. А я другой раз силюсь представить что-нибудь из тех лет, закрою глаза и вижу совсем не то... Какие-то балки огненные рушатся... Люди бегут... Черные против огня... Бегут и падают....

Анфиска зябко поежилась.

— Насмотрелся ты за войну. Оттого и так...

— Может быть... Никак я не пробьюсь сквозь все это в те свои годы... Где-то они остались по другую сторону... Как за лесным пожаром. И не связывают с теперешними.

— Сколько тебе тогда было?

— Семнадцать.

— Молоденький совсем.

— Из девятого класса пошел. Перевязал веревочкой свои физики-химии, недоделанные планеры на чердаке спрятал и — потопал... Думал, приду — доделаю... Я даже девчатам писем не писал: не успел завести. Всё планеры клеил.

Чепурин потянул из вороха травинку, пожевал, поиграл ею в губах, продолжая задумчиво и пристально вглядываться в ночное небо.

— И все это куда-то ушло... Самый лучший кусок жизни. Будто и не я тогда был на свете... Так вот и живу какой-то укороченный.

— Может, от ранения это?

— Может, и отшибло… Такое теперь ощущение, словно я впервые появился на свет не в родильном доме, как это положено, а в армейском госпитале. Вынырнул из хлороформа, будто из небытия, и, как младенец, смотрел на божий мир. Ко всему нужно было привыкать заново.

…Помню, первое, что я тогда увидел после операции, — были стенные часы. Я долго смотрел на маятник. А он не спеша так раскачивается. Как, бывало, дома… И тишина… Еще недавно все грохотало, а тут тихо… По этому маятнику и догадался, что живу… А еще помню, в палату вошла медсестра, — по губам Чепурина скользнула грустная улыбка. — Вот говорят: не бывает любви с первого взгляда… Она вошла такая белая, чистая. Я смотрел на нее, как на чудо… Подсела ко мне и говорит: «Ну вот, все в порядке. Теперь будете жить». А я даже не словам, а одному только голосу ее обрадовался.

— Это уже после Берлина?

— Берлин еще брали. На тумбочке вода в графине все время вздрагивала… Это было в Эбенсвальде, в полевом госпитале. Я лежал весь в бинтах, и голова и грудь, только ежик между бинтов торчал на макушке.

— Больно, наверное, было?

— Тогда еще нет… Она сунула мне градусник под шею. Сказала, чтобы прижал его подбородком. Я наклонил голову и увидел близко перед собой ее руку… Не знаю, что на меня тогда нашло. Я дотянулся до ее пальцев губами и поцеловал… Они были прохладные, чистые… И душистым мылом пахли… Она не отдернула руку, а только потрепала мой ежик. Я никогда не был такой счастливый, веришь?

— Понимаю, Паша, — кивнула Анфиска.

— Может быть, потому, что для меня уже кончилась. А тут еще весна за окном: солнце, небо синее, деревья зазеленели… А может, и оттого, что из детства вынырнул прямо взрослым парнем. Минуя юность. Она была для меня каким-то открытием. Во мне впервые проснулось что-то радостное, благодарное к этой белой девушке.

— Жалко, что не я была это, — прошептала Анфиска. — Я так бы и сидела около тебя… Ты правда ее любил?

— В тот день она раза три ко мне подходила… А на другое утро меня эвакуировали.

— Так сразу? А она?

— А что она? Для нее я был просто раненый. Сотый или тысячный. Я даже имени ее не знал. Да это было и не важно. Я радовался одному тому, что она есть кроме огня, трупов, вонючих портянок…

На поляну неслышно выметнулась летучая мышь, стремительно, изломанно заметалась над валками. Несколько раз она совсем близко пронеслась над Чепуриным. Потом так же неслышно пропала — загадочное существо, своим появлением всегда странно и неприятно упрекающее человека в бренности его страстей. Анфиска поискала мышь в лунном небе, но не нашла и тихо спросила:

— А что потом было? Расскажи, Паша. Я ведь только и знаю про тебя, что ты наш председатель.

— Потом? — Чепурин потянулся к пачке «Беломора», лежавшей рядом с ним на траве, раскурил папиросу и выпустил дымный бублик, целясь им в луну. — Потом валялся в госпитале. В Рязани. Война давно кончилась. На дворе июль, отцвели госпитальные липы. Многие раненые разъезжались по домам. Долеживали самые бедолаги — обгорелые, ампутированные. В палатах пусто, нудно… Я тоже стал проситься на выписку. Правда, раны еще не затянулись, но меня не стали задерживать: госпиталь тоже спешил сворачиваться. Направили меня лечиться по месту жительства. Есть такой городишко, Борисоглебск, может, слыхала?

— Нет…

— За Воронежем… Пришкондыбал домой. Костыли, рука на перевязи. Мать что-то стирала. Постарела, будто прошло десять лет. Кинулась ко мне красными распаренными руками. Обступили сестренки — друг друга не узнаем: вытянулись. Набежали родственники: одни бабы. То смеялись, то плакали, то опять смеялись… Знаешь, как это бывает, когда одни бабы. Все ведь остались вдовые.

— Знаю, родной… — вздохнула Анфиска. — Я тогда еще маленькой была, а помню: как почтарка пройдет — то в одном дворе плач, то в другом. Да и теперь еще ревут… Когда праздники…

— По всей России было так… Переполовиненные города и деревни. От отца тоже одна увеличенная карточка на стенке осталась… Из нашей семьи девятеро ушло. Сначала батя с дядьями. А следом и мы, пацаны. И все там… От самой Польши до Москвы могилы Чепуриных тянутся. А потом еще и в обратном порядке.

Чепурин несколькими затяжками жарко раскурил папиросу, морщась, заговорил пополам с дымом:

— В общем, вернулся я в свой Борисоглебск. Начислили мне сто восемьдесят три рубля пенсии. А стоптанные башмаки на барахолке тысячу рублей стоили. Пачка папирос — четвертная… Думал-думал, решил пойти в школу доучиваться. Поступил прямо в дневную. Все к лешему перезабыл, все эти синусы-косинусы. Ночами сидел догонял. Утром в школу иду — ветром шаталло...

— Я бы так не смогла.

— Что было делать? Правда, в школе меня уважали. Бывало, иду по коридору, костыль скрипит, медали звякают, малышня жмется к стеночке и тихо так: «Здрасьте...», «Здрасьте...» А директор говорил: «Если надо покурить, заходи в мой кабинет, вместе покурим. Только не при детях, пожалуйста...» В общем, всякое было... — Чепурин махнул рукой и замолчал.

— Говори, Паша, — попросила Анфиска. — Мне все интересно про тебя.

— Ну что еще рассказать? В тот год я все-таки десятилетку не закончил. Весной открылась рана на плече. Положили в госпиталь. Опять что-то резали. Сдал экзамены только на другую весну. Потом уехал в Харьков... Вон опять мышь появилась... — Чепурин кивнул подбородком. — Смотри! Совсем не боится. Даже ветер по лицу.

— Это она около твоей рубашки. Они белое любят... А в Харькове зачем, Паша?

— В Харькове? Надо было как-то выкарабкиваться... Поехал поступать в институт. С условием, что из дому не будут высылать ни копейки. — Чепурин рассмеялся. — Вот тоже была веселая жизнь. Бывало, разживемся гуашью и рисуем друг другу носки — прямо на голой ноге. Кому в клеточку, кому в полосочку. Красивые носки получались. Если краски покруче на казеине замешать — износу нет. От бани до бани... Вот так, Анфисушка, я стал инженером железнодорожного транспорта. Ну что еще? Направили меня в Смоленск. Года не поработал, как меня сюда, к вам, на укрепление эмтээс... На этом вся моя городская жизнь и закончилась. Успел только жениться, перед самым отъездом.

— У нас бы и женился, — робко усмехнулась Анфиска.

— А я откуда знал, что поеду? Знал бы — повременил. Тебя бы взял. Пошла бы?

— Пошла...

— Ты тогда еще в школу бегала.

— Четырнадцать было.

— Стручок зеленый.

— Все равно через три годочка выскочила.

— Да, как бежит время! — шумно выдохнул Чепурин. — Вот уже и двенадцать лет, как я здесь... Помню, прихожу из обкома домой, месяца три как поженились. Так и так… Едем в деревню!.. В какую такую, говорит, деревню? Посылают как молодого специалиста. Какой, говорит, ты специалист? Там же трактора, а ты паровозник. Пойди и объясни им… А что им, говорю, объяснять? Они и сами знают, что паровозник. Так и знай, говорит, никуда я не поеду! Я замуж выходила не за твою эмтээс… В общем, собрал я чемоданчик и поехал.

— Без нее?

— Один… Я тогда уже коммунистом был. Не пойдешь же говорить: мол, жена, не хочет… У всех жены не хотели… Тогда только в ваш район человек тринадцать послали. Были и добровольцы, но в основном рекруты. Помню, ходят кислые по обкому. Иные разными справками запасались. Так и хочется сказать: да не тяните вы их, все равно удерут… Так и не прижились они в деревне. Потихоньку разбежались. Кто сразу, кто еще года два-три проволынил.

Чепурин опять потянулся за папиросой.

— Ну, вот… Приехал я в МТС, только малость огляделся, меня через пару лет — в колхоз, в Погожее. Он тогда отделен от вас был. Снова на укрепление.

— Досталось тебе, Паша, — вздохнула Анфиска.

— А, да ладно… Ну их к ляду, все эти воспоминания, — засмеялся Чепурин. — Начали про луну, а съехали черт знает куда… Смотри, как уже накрыло, сердешную. А все равно светит, не сдается… Был я недавно в своем Борисоглебске… Поглядел… У нас тут лучше… Красота!

— Отвык, поди…

— Да и отвык… Что это вон там под кустом блестит?

— Где?

— Да вон… Смотри на ту ветку. Видишь? Ну и сразу под ней.

— Теперь вижу… — Анфиска присмотрелась. — Это паутина, Паша. Росой ее обдало, а паук ползает и раскачивает… Она и взблескивает.

— Все-то ты знаешь! — радостно удивился Чепурин. Он погладил ее волосы, и она, вся встрепенувшись от этой его ласки, поднялась на локте и, стараясь заглянуть ему в глаза, взволнованно спросила:

— Тебе хорошо со мной?

Чепурин кивнул.

— Правда? — с каким-то счастливым испугом переспросила Анфиска.

— Правда.

Она порывисто обняла Чепурина, припала щекой к его груди, жарко, обрадованно зашептала:

— Мне тоже… Мне так хорошо, что хочется пойти с тобой куда-нибудь… И сама не знаю куда…

— Сейчас в поле хорошо, — сказал Чепурин, перебирая пальцами Анфискину косу. — Хлеба подходят… Светлые стоят…

— И молодым зерном пахнут, — кивнула Анфиска. — В эту пору мы ребятишками всегда в поле бегали… Наберем снопиков, а потом на костре печем. Не пробовал?

— Нет.

— Зерно молоденькое, быстро печется. Как усики обгорят, так и готово.

— И как же потом?

— А очень просто. Нашелушим в ладошку и — в рот.

— Никогда не пробовал.

— Вкусно! Свежей булкой пахнет. Как только что из печки. Особенно, если посолить маленько… Я поле люблю… Всякое люблю… И когда снег только сойдет… Кругом еще сыро, а оно уже зеленое. Видно, как по нему ветер бежит… И облако пройдет — видно… А то когда еще дождь в мае… — задумчиво шептала Анфиска. — Теплый, с громом… Гром ворчит, как дедушка… И дождь тоже добрый, веселый… Земля так и поднимается под ним… И хлеба на глазах рослеют… Утром стояли чуть выше щиколотки, а к вечеру уже и до колен… А в лесу кукушка без устали… Дождь, а она будто и не замечает…

Обняв Чепурина, она говорила все это, закрыв глаза, счастливо млея от своих видений. И хотелось ей, чтобы не она одна это видела, а чтобы вместе… Так бы вот идти и идти вдвоем…

— А на заре летом, — продолжала шептать Анфиска, — когда идешь полем — тепло в хлебах. Лугом идешь — зябко, а свернешь в хлеба — сразу согреешься… Так теплом и повеет… Берегут теплоту от самого дня…

— Тебе б стихи писать.

— Не умею я стихов.

— А вот так, как говоришь.

— Что вижу, Паша, то и говорю.

— Хорошие у тебя глаза… Ворожея ты моя! Вот бы, правда, птицами нам с тобой заделаться?

— Перепелками… — подсказала Анфиска.

— Давай перепелками… Ты впереди, а я за тобой: «Дай догнать! Дай догнать!» Так они, кажется?

— И никуда б я от тебя не полетела! — тихо, радостно засмеялась Анфиска.

— Почему?

— До первой кочки только…

— Да почему до первой кочки-то? — не понял Чепурин. — Сама говорила — до моря.

— Это если б одна…

— А со мной — до кочки? Непонятно…

— Что ж тут понимать. Сразу бы яичко тебе снесла.

— А-а! — рассмеялся Чепурин.

— Соскучилась я без гнезда…

— Нет, сначала полетали бы, — сказал он, рассматривая, как путалась луна в легком подсвеченном дыме Анфискиных волос. — Хлеба посмотреть надо… Я хоть и перепелом летал бы, а все-таки душа у меня председательская… Косить, голубушка, скоро… На днях ездил во вторую бригаду. Ничего пшеничка…

— Хорошая?

— С хлебом нынче будем.

— Каждый год так говоришь.

— Теперь точно будем.

— Не сердись, Паша. Люди видят: стараешься ты…

Он приподнял ее голову со своей груди и поцеловал.

— И не полетим мы с тобой никуда, — обнимая Чепурина, прошептала Анфиска. — Никакими перепелками. Нам и тут хорошо… Что нам еще нужно. Правда?

— Правда.

— Мой ты сейчас, и всё… Пусть до света… Пусть одна трава только постелью… А все-таки не сон, а правда… Я только во сне вот так с тобой была… С того самого раза, как подвез ты меня на машине… Помнишь?

— Помню…

— И не сказал ты мне тогда ничего такого, а как-то запало… Заболела тобой душа…

— Потому и не сказал, что сам растерялся.

— А я после того случая даже встречаться с тобой боялась… Только на собрании на тебя и погляжу, когда в президиуме сидишь… Да так когда, украдкой… Думала, заметишь что во мне… Не хотела, чтоб ты знал…

— Что ж меня бояться?

— Думала, зачем тебе это… Работа у тебя такая, на виду у всех, а я тут со своим…

— Вот дуреха!

— Когда покосили, когда было все… думала: ни за что не признаюсь, что люблю… Было, ну и было… Считал бы, что тоже у нас с тобой, как у этой луны, затмение вышло…

— Ну зачем же ты на себя так…

— Не знаю… А теперь будто век с тобой прожила… Вот ты говоришь — в поле бы сейчас… Я б с тобой хоть на край света… А только лучше бы по улице… Открыто… Чтоб народ был и чтоб все видели…

Анфискины глаза влажно заблестели.

— А плакать-то зачем?

— Это я от жадности… Первый раз со мною такое… Вот и замуж ходила, а такого не было, чтоб как пьяная… Я ведь молоденькая за него пошла. Покатал на лодке, духов в коробке подарил, никогда таких не видела… Ну, я и думала, что это и есть любовь… Что я понимала? Мы ведь все дуры-девки так выскакиваем.

Анфиска говорила порывисто: скажет — и помолчит, будто теперь только начинала осмысливать прожитое.

— Он все говорил: я из тебя конфетку сделаю. Давай, говорит, шляпу купим. И косу, говорит, теперь не носят… как-то поехал в город, смотрю, правда, привозит шляпу… А я никак не могла шляпу-то эту… Всю жизнь в платках… Другой раз думаю: уважить все-таки надо… Все уйдут из дому, а я — примерять перед зеркалом. Примеряю и в зеркало себя не вижу: так стыдно!.. Думаю, ладно, не сразу. Может, и к шляпкам привыкну… Жизнь еще вся впереди. Вот переедем с ним в город, там, может, надену… А на этом все кончилось… Пожила три месяца, а потом часть ихняя снялась, и он уехал… Говорил, что, как приедет на место, вызовет телеграммою. И по сей день… Поплакала я, поплакала, да и ждать перестала. Маленький родился… Вот и вся моя любовь, Паша… Даже к замужеству не успела привыкнуть… Будто в тяжелой болезни побывала.

— Тебе холодно? — спросил Чепурин. — Ты вся дрожишь.

— Это я когда наговорюсь. Про свою жизнь. Меня и колотит… Смотри, как уже закрыло луну-то.

— Ага.

— И звезды высыпали.

— Это потому, что небо потемнело.

— Я когда маленькая была, думал: звезды — это просо рассыпано.

Чепурин усмехнулся.

— А месяц — петушок.

— Выдумщица!

— Правда… Мне тогда везде сказки чудились. Бывало, найду битое стеклышко, зеленое или красное, приложу к глазу, да так бы все и смотрела: сказка!

Анфиска задумчиво посмотрела на обломок луны.

— Давеча иду лугом: лошадь с жеребеночком. Сама спутанная по ногам, а над сбитой холкой мухи вертятся. А жеребенок знай себе вынашивается. Щипнет раз-другой не главное. А самое важное — вот так по траве розовыми копытцами помельтешить. И наверное, все ему сказкой кажется… А мать, гляжу, ест, ест эту самую траву, жадно так, словно бы работу выполняет: надо. А сама все глазом косит на жеребенка. Увидит, что далеко забежал, поднимет голову и тревожно так позовет… Поглядела я на них и по этому жеребенку да по лошади себя узнала: какая была и какая есть теперь… Я ведь в детстве как считала? Хлеб — это так, между прочим… Даже и голодно было, и то… Главное — в стеклышко поглядеть. А теперь все наоборот, как у той лошади…

— Сама ты стеклышко битое, — рассмеялся Чепурин и растроганно привлек к себе Анфиску. — Так бы и глядел через тебя!

— Что ты через меня увидишь?

— А вот вижу… Как-то чисто, хорошо… А насчет лошади — это ты на себя наговариваешь. Человеку никогда не перестанут чудиться сказки. На то он и человек. И у тебя она есть.

— Разве ты только, — вздохнула Анфиска. — Вот едешь мимо дома, а я так и подскочу к окошку. Будто магнитом притянет. Отодвину занавеску и высматриваю в дырочку. Как раньше в детстве через это самое битое стеклышко. И, кроме тебя, никого и не замечала. Гляжу, а у самой так и кольнет сердце: может, зайдешь в избу-то… Видеть вижу, а не достану. Как тот мой золотой петушок в небе.

— А вот и достала…

— Минутное это все, Паша… До свету… А хочется, чтобы всегда было так…

5

Кто-то невидимый выел сочную мякоть луны, оставив от нее только тоненькую дынную корочку с правого края. В тусклом призрачном свете глухо темнел лес. Чуть приметно брезжили белые валки покоса.

Было слышно, как с кустов падала роса. Отяжелевшие капли срывались и, падая, разбивались о встречные листья. Кусты неумолчно шуршали и перешептывались.

— Какую ночь мы себе выбрали, — затаенно прошептала Анфиска.

— Не будь затмения, я б и не решился приехать, — сказал Чепурин.

— Почему, Паша?

— Ну как это? Ни с того ни с сего... А то думаю: затмение, дай помогу. Вроде как причина. Наверно, сразу все и поняла?

— Я думала, ты выпивши...

— Да нет... Не было такого...

— Вижу, говоришь, как-то не так... Думала, выпил.

— Это я от страху, должно быть, — засмеялся Чепурин. — Еще в дороге: стал у паромщика косу просить, а он посмотрел на меня хитрым бесом и говорит: «Покосись, покосись, председатель... Дело твое молодое... Только косу не утеряй... Завези утречком-то». А до того на станции: зашел в буфет кое-чего, а буфетчица с усмешкой: «"Кара-Кумчиков" возьмите, пригодятся...» Вот язва! А ну их всех! Давай-ка мы лучше перекусим. С утра ничего не ел...

— Поешь, родной.

— И ты тоже... Я сейчас принесу.

Чепурин поднялся, пошел к мотоциклу.

Анфиске было жалко, что он ушел, и она протянула и положила руку на примятую рядом с нею траву, будто хотела укрыть и сберечь в траве оставшееся после Чепурина тепло. Дожидаясь, она прислушивалась, как он копался в мотоцикле, и ей было непонятно, как она все это время жила без него... И как будет жить завтра, когда из-за этого вот леса взойдет солнце и наступит день... И послезавтра... И страшась и не желая думать об этом, она нетерпеливо позвала:

— Паша!

— Иду! — откликнулся он издали, смутно белея рубашкой.

Возвратясь, он сел на краю, свесил ноги с обрыва, зашуршал бумагой, разворачивая сверток.

— Давай сюда, на бережок... — сказал он оживленно. — Черт, луна совсем спряталась... Костер, что ли, разложить?

— Не надо... Не возись...

— Ну фару давай засветим.

— Ну ее...

— Я тут бутылку прихватил, — смущенно сказал он. — Выпьешь маленько? А то прохладно все-таки... Озябла, поди?

— Глоточек выпью…

— Белая только.

— Ничего…

— Жалко, стаканчик не догадался захватить. У тебя нет?

— Кружка есть. В узелке возле Витюшки.

— Пойду возьму.

— Не ходи, Паша. Жалко ведь…

— Чего жалко?

— Минутки наши бегут… Дай, я так выпью.

Анфиска отпила один глоток, потом, расхрабрившись, глотнула еще и еще, но, почувствовав, как перехватило дыхание и навернулись слезы, отняла бутылку от губ, невидяще протянула ее в сторону Чепурина и шумно задышала в ладошку.

— С ума сошла, столько выпить! — ужаснулась она. — Пьяная буду. До стыда.

— Ничего, — подбодрил Чепурин. — Согреешься. Бери поешь. Тут вот сыр… Пирожки какие-то… Колбаса… Сейчас порежу. — Чепурин щелкнул складником. Под ножом вкусно запахло чесноком. — Ешь давай. Еще вот яблоки моченые.

Анфиска жевала, поглядывала на реку. В темной воде светились редкие звезды. Река старалась унести их с собой, качала и дробила на невидимых струях, но звезды, будто позолоченные поплавки, снова возвращались на прежнее место. Заречного берега не было видно, но временами с той стороны легким дыханием ветерка доносило запах спелых стогов.

В деревнях на убережье перекликались ранние петухи.

— Сеном как пахнет! — глубоко вздохнула Анфиска, радуясь еде, выпитым глоткам водки, реке, запаху сена и всей этой вольнице.

— Ехал я сегодня лугами, — говорил Чепурин, шурша в темноте газетой. — От самого райцентра по всей пойме стога и стога. В глазах рябит. Тысячи!

— Ключевские тоже убрались?

— Все! До последней былки.

— А в Капустичах?

— Докашивают, копны свозят. Поглядел — народу в лугах! Ни в какие годы столько не было. Праздник!

— На хорошее — народ дружно.

— Подъехал я к одному дедку. Сухой, как стручок, штаны пустые, но косишкой рьяно так шмурыгает. Ну как, говорю, отец? Идут

112

дела? Остановился, смеется красными деснами: что ж им не пойтить... Одна, говорит, осталася нам работка, где вот так-то все миром: сенокос. Отстранили вы нас, стариков, от поля. Обезлюдела жатва, разве што со стороны поглядишь с дороги. А што справа от той дороги и што слева, — вроде как и не мое теперича... ты, говорит, только не записывай... Это мы промеж собою, сынок. По душам... Хоть ты и не нашенский председатель, а соседский, однако тебе тоже сказать надо. — Смотрю, а у дедка уж и руки трясутся. Крутит цигарку, а табак в разные стороны. — И еще скажу: с народом ладь, сынок. Не шушукайся от него по кабинетам.

Чепурин откинулся на спину, положил голову Анфиске на колени и лежал так недвижно, лицом к потухающей луне. Она истаивала безропотно, в настороженно больной тишине, объявшей землю и небо. Слабый свет узкого серпа терялся где-то в вышине, не достигая земли, и все здесь, внизу, было погружено в тревожное затаенное ожидание. Было только слышно, как бежала река да невидимые деревья и травы роняли невидимые капли росы.

— Надо пораньше в «Сельхозтехнику» смотаться. Кое-что к комбайнам выколотить... Хуже нет любить председателя!

— Да почему же, родной?

— Разговорами про гектары да центнеры замучает.

— Этим и живем, Паша...

— Да и поговорить не с кем... Так вот, чтобы начистоту. Все в себе носишь... Разве что жене сказал бы... Так ей наплевать на все это... Вот поехала загорать. А потом какие-то однопляжники письма шлют... — Чепурин вздохнул. — Один я, Анфиса...

— Верю, родной, верю...

— Последнее время уставать начал. Старею, что ли? Такое ощущение. Будто с самого фронта не демобилизовывался. Кажется, что и сапоги те же... Где-то люди в театры по субботам ходят, в выходной с книжкой на диване валяются... Лет пять, как ни одной книжки не прочитал.

Тень земли скрыла последние остатки лунного диска.

Откуда-то набежавшие тучи, разрозненные и сонные, глухо серея, медленно подкрадывались к луне. В разводьях между ними синело небо, слабо подсвеченное звездами. И на этой синеве отчетливо вырисовывался черный круг, окантованный по краям блеклым отсветом. Казалось, в небе висела луна с мертвым, незрячим ликом. В темноте, перебирая его волосы, Анфиска чувствовала на коленях приятную тяжесть головы Чепурина, улавливала запах вина и папирос в его дыхании, и все это пробуждало в ней счастливое чувство близости и родства к Чепурину.

Чепурин поднял руку и в темноте ответно провел ладонью по ее щеке.

— У тебя хорошие руки, Паша.

— Чем они хорошие?

— Добрые… И травой пахнут… По рукам можно узнать, любит человек или не любит.

— Как это?

— Не знаю… Не могу тебе объяснить… Просто чувствую… Человек может сказать неправду, а руки — нет…

— Добрая ты душа, Анфиска. Вот живу я со своей… Приеду вечером домой, только и скажет: обед на плите. Или: сапоги оскреби… И весь разговор…

— Почему так, Паша?

— Теперь и не разобрать, кто виноват. Может, и сам… Завез в деревню, по полям мотаюсь. Ни выходного, ни отпуска. Все откладывал с отпуском. Да и когда было? Что ни год — то суматоха… Она ведь от меня уже уезжала. Два года не жили… Говорит, что у матери была, а там кто ее знает… В общем, застарелая болезнь у нас с нею… Никакому теперь уже лечению не поддается… Вот настояла сынишку отправить к бабке.

— К твоей матери?

— Ну что ты! В Смоленск! У них там пианино и все такое… Мол, тебе один колхоз на уме, а мальчику расти надо… А я, правда, его и не вижу. Без меня вырос.

— Сколько ему?

— Да уже одиннадцатый… Теперь и вовсе пусто в избе без него… Вчера вечером заехал домой — никого! Даже ходики стоят, гирька до полу…

— Все я понимаю, — вздохнула Анфиска. — Не бесчувственная.

— Вот узнает начальство, что я тут с тобой на бережку… лунное затмение наблюдаю… Персональное дело заведут… На днях заехал я в райком, усадил меня первый в кресло, про колхоз стал расспрашивать. Раньше никогда не спрашивал, сам все знал. Потом и говорит: давай, Чепурин, пиши заявление, пересмотрим твои выговоры. Сколько их у тебя накопилось? Три, кажется? Полный кавалер!.. Смеется: ну ничего, снимем… Будем, Чепурин, дальше двигать историю.

Смотри, какой нам простор теперь дали… А да леший с ними, с выговорами! — Чепурин приподнялся с Анфискиных колен. — Мне бы еще пяток лет поработать. Охота посмотреть, как оно пойдет.

— Ты еще молодой, Паша. Вон как мы давеча поляну-то уложили.

— Это я перед тобой только… Петухом… Вот раны начали донимать. На пятый десяток уже перевалило… По годам считать — много, а если разобраться, то по-человечески еще и не жил. Ни в городе, ни в деревне…

Невидимая и сильная река бежала где-то под ними, в темной глубине русла. Десна полнилась множеством то тихих, едва уловимых, то вдруг шумных напряженных выплесков и, как живая, дышала в своей неутомимой работе терпкой речной испариной. По этим всплескам угадывалась ночная жизнь реки, можно было представить, как у глинистых твердолобо-упорных мысов струи закручивались тугими пружинами, то устремляясь в глубину сосущими воронками, то выбрасываясь наверх донной, гневно кипящей водой. И как потом усталая река отдыхала на чистых пологих песках, сама становясь чистой и спокойной, и как мирно перешептывалась она с дремавшими камышами и осоками.

Сквозь речную сырость с другого берега от стогов прорывался слабый предутренний ветерок, и тогда дурманно и хмельно пахло переломившимся летом.

— А мне ты все равно молодой… — прошептала Анфиска. — Не смотри ты на эту луну… Ну ее!..

Она рывком обняла Чепурина и страстно, голодно стала целовать, закрыв его лицо рассыпавшимися волосами…

6

На востоке робко, бескровно посветлело.

Поступили обвисшие под тяжестью росы, похожие на косматых старух древние уремные ракиты. Наплывшие под утро мышино-серые тучи уплотнились, закрыли луну, так и не успевшую осветлиться, и все, что теперь с ней делалось, происходило в незримом таинстве. Все вокруг было наполнено сосредоточенным раздумьем, будто природа, только что пережившая таинственную операцию над луной, теперь притихшая, томимая неизвестностью, ждала окончательного исхода. Даже камышевки не решались поднимать обычный утренний гам и, сторожко перепархивая в кустах, односложно посвистывали вполголоса.

Деляна, еще вчера полнившаяся пестрой кипенью цветов, неузнаваемо опустела и попросторнела, будто комната, из которой за ночь вынесли все. Скошенные травы к утру обессилели. Приникли к земле и теперь в сером полусвете утра однообразно маячили туманно-сизыми валами.

— Пора нам… — сказала Анфиска.

Чепурин кивнул, но продолжал лежать.

Анфиска приподнялась и, охватив колени и положив на них голову, уставилась на одинокую былку морковника, случайно уцелевшую на середине поляны. Потом стала переплетать растрепавшуюся косу.

— Да… — что-то подытожил Чепурин и рывком встал на ноги.

Он молча сгреб копнушку, раструсил ее между валками, разобрал косы и отнес их к мотоциклу.

— Бери Витюшку, поедем, — сказал он, развернув и вытолкнув из травы мотоцикл.

— Нет, Паша, — потупилась Анфиска. — Поезжай один.

— А ты как же?

— Я сама.

— Ну что ты! Все лодки на той стороне.

— Тебе на паром надо…

— Ерунда… Старик болтать не станет.

— Нет-нет… не проси.

— Ну как же… Были, были и — я в одну сторону, ты — в другую.

— Такая наша доля…

— Ну, не надо так… — нахмурился Чепурин. — Не могу я тебя бросить.

— Это, Паша, не бросанье… Вот если разлюбишь…

Анфиска потянулась к нему руками, обняла, прижалась всем теплым устало-ласковым телом и, откинув голову, заглянула в его глаза — доверчиво и открыто…

— Поезжай…

— Не поеду я один. — Чепурин нагнулся, поддел под Анфискины колени, поднял ее на руках.

— Не надо, Паша, — попросила Анфиска. — Послушайся. Не надо, чтоб нас с тобой видели. Понимаешь?

Чепурин поставил Анфиску на землю.

— Давай хоть Витюшку отвезу. Намучился парнишка…

Витька спал на охапке травы. Под накинутой на него телогрейкой он казался незаметной кочкой. Из-под насыревшей полы торчала только босая, искусанная комарами ножонка, покрасневшая от крепкой утренней свежести.

Анфиска и Чепурин присели перед ним на корточках.

— Крепко спит, косарь! — потеплел лицом Чепурин.

— Витя, сынок... — Анфиска потормошила его, приподняла сонного.

Растрепанный, с отпечатавшимися травинками на заспанно-округлой щеке, Витька, не открывая глаз, подгибал ноги и расслабленно опять оседал на траву.

— Вить, домой поедем...

— Как разоспался парень!

— С дядей Пашей. Знаешь дядю Пашу? Наш председатель.

Витька потер кулаками глаза, расклеивая пухлые губы:

— Зна-а-аю...

— Ну вот, — обрадовалась Анфиска. — С дядей Пашей и поедешь. На мотоцикле.

— Ла-адно...

Чепурин надел на него свой пиджак, плотно обернул полами, подпоясал ремнем и отнес в коляску. Анфиска глядела на то, как Чепурин возился с Витькой, и у нее радостно и влажно блестели глаза.

— Мам, а ты? — забеспокоился Витька.

— Я тут останусь...

— Почему, мам? Садись! Еще есть место...

Анфиска нагнулась, поцеловала Витьку в растрепанные вихры.

— Глупый ты мой... Скажи бабушке, я скоро...

Чепурин, медля, завел мотоцикл и уже за рулем, взглянув на Анфиску, поймал ее взгляд, закрыл глаза и посидел так, с закрытыми глазами. Потом крутнул ручку газа, машина дернулась, нырнула под мокрые лозняки.

Анфиска постояла, послушала, как хрустели под колесами ветки, потом повернулась и пошла к берегу, машинально обломив по пути одиноко торчавшую былку морковника.

Внизу рассветно и холодно клубилась туманом Десна.

Анфиска в какой-то бесчувственной отрешенности спустилась с обрыва, разделась, завязала в узелок белье и неслышно погрузилась в воду.

Она плыла на боку, толчками порозовевшего плеча рассекая и буруня сумеречную гладь реки. Коса, соскочившая с приколок, змеисто извивалась на воде. Туман стлался над самой Анфискиной головой, задевая поднятый в руке узелок с платьем, он был плотен и непроницаем, как низко нависший потолок. Десна под ним казалась бездонной и отливала тусклой зеленоватой чернью. Анфиска плыла под туманом, не видя берегов, по одному течению угадывая путь. Но реки она не боялась, не думала ни о ее ширине, ни о темных глубинах.

Она плыла, стараясь не плескаться, прислушиваясь. Под нависшим сводом туманного курева стояла глухая мертвая тишина. Было только слышно, как бежала мимо нее, чуть позванивая, сонная вода и как низко, с шелковым шорохом пролетала какая-то птица.

И вдруг где-то на середине туман розово вспыхнул, и светло и радостно просияла вода. Анфиска догадалась: взошло солнце. Она даже остановилась, перестала грести. Ее сносило вниз по течению, но она все ждала, настороженно вслушиваясь, стараясь за всплесками воды разобрать еще что-то такое, что ей так хотелось.

Сквозь ожививший под солнцем туман, откуда-то из-за облачной дали, пробился едва уловимый гул мотоцикла.

Сердце ее толкнулось, забилось часто, настойчиво. И она поплыла, полнясь тихой нежностью и надеждой.

1965

ДОМОЙ, ЗА МАТЕРЬЮ

1

Когда поезд пришел в Москву, Васюкеев все еще богатырски храпел в пустом купе мягкого вагона. В новом касторовом пиджаке, нейлоновой сорочке и рыжих собачьих унтах он лежал навзничь, сцепив на животе толстопалые руки в синих крапинках подкожного угля. Его светло-русые кудри рассыпались по стопке нераспечатанного постельного белья, запихнутого под голову.

Проводник долго дергал его за рукав. Васюкеев поводил бровями, жевал, издавая крепкими зубами морозный скрип, наконец, разлепил глаза и мутно, непонимающе вгляделся в проводника.

— Подъем! Прибыли!

— Куда?

— Москва, браток. Белокаменная.

Васюкеев поворотился на бок, отдернул занавеску. За окном было голубо и солнечно, перрон многолюдно бурлил народом, пестрели цветы и яркие весенние шляпки.

— Вот это махнули! — зевнул Васюкеев, удивляясь тому, как поезд быстро домчал его до столицы, и припоминая, как еще совсем недавно он залезал в вагон, набело заляпанный косой заполярной пургой, и как вот этот старикан-проводник, пряча фонарь за полу казенной шинельки, горбился от снега в три погибели, разглядывая его, Васюкеева, билет в мягком вагоне.

Он садился в Воркуте и был озабоченно-деловит перед лицом провожавшей беременной жены Кати, которая все твердила, чтобы зря не пил и не сорил деньгами. Прощаясь с женой, Васюкеев стоял на подножке вагона, заслонив проход медвежьей шубой. С багровым и мокрым от колючего снега лицом смотрел он вниз, на Катю, на ее вздернутый живот и кричал в пургу, в ветер:

— Ты, Кать, крепись тут… Я скоро…

Ехал он в отпуск на Орловщину, но не просто прогуляться, отдохнуть от шахты, а по неотложному делу. Через три месяца ожидали они с женой прибавления и, обсудив по-семейному, как им быть дальше (Катя тоже работала в шахтоуправлении и не хотела терять место), порешили, что он поедет и заберет свою мать, которая жила в деревне под Кромами.

Хватит, потопила печи, потаскала чугуны, — жалел он мать дорогой, сидя в пустом купе и поглядывая на зимнюю тайгу, убегавшую беспредельно в обе стороны.

Летящие вдоль насыпи завьюженные километры, мягкое постукивание колес, строгая чистота, никель и зеркала купе и толстый бумажник, давивший грудь сквозь нейлоновую рубашку, будили в нем спокойное, горделивое чувство своей собственной значимости, хозяина жизни и всех этих диких промерзлых пространств. Здесь он был нужным, почитаемым человеком.

Ему припоминалась послевоенная голодная безотцовщина, вросшая в землю сумеречно-дымная хата, рвань телогреек и косяковых ватных одеял, в которую они, четверо голопятых, вечно не стриженных Васюкеевых, кутались, вповалку укладываясь спать на полу; вспомнилась клокотавшая выварка, ее кислая бражная вонь и то, как мать, плоская, безгрудая, иконоликая от худобы и глубоко провалившихся глаз, всю ночь топталась возле выварки, а под утро разливала по бутылкам мутный и теплый самогон, который она, занавесив мешками окна, тайком гнала на хлеб и одежду… Один за другим Васюкеевы, недоучившиеся, кое-как проходив по пять-шесть зим в школу, подрастая, покидали деревню и по вербовкам разлетались кто куда. Лишь младший Алешка дотерпел до десятого класса и по всем правилам поступил в Московский университет. Учился он уже по третьему году, и уже три года мать жила в деревне одна.

«Сколько же ей теперь?» — думал Васюкеев, напрягаясь подсчитать материны годы. Но с горечью и укоризной закусил губу, поймав себя на том, что даже не знает, когда она, в каком году, в каком дне-месяце появилась на свет. Растравив себя воспоминаниями, нахлынувшими сыновними чувствами и не вынеся одиночества, Васюкеев отправился на люди, очутился в вагоне-ресторане и больше не выходил оттуда, по-родственному зазывая за свой обильный стол разную подорожную публику.

— Давай, братва, подсаживайся, — делал он широкий замах рукой, пьяно мигая отяжелевшими веками. — В отпуск еду… За матерью… Мать у меня, понимаешь… Ты знаешь, какая у меня мать? Во-о! Понял? — Васюкеев отставлял от кулака большой палец и показывал его всему застолью. — Душу за нее натварь выну, понял?..

Когда проводник растолкал его в Москве, поезд был уже пуст и состав собирался отвести на запасные пути. Васюкеев натянул порыжелую медвежью шубу и оглядел заваленный закусками столик. Среди снеди стояла початая бутылка коньяку, про которую он даже и не помнил, когда и как она появилась в купе. Васюкеев налил коньяку в ладонь, плеснул себе в заспанное лицо и вытерся подкладкой шапки.

— Закуси тут за меня, — сказал он проводнику, стащил с полки чемодан и выскочил на перрон.

2

Через полчаса Васюкеев был уже на Курском вокзале. Он сдал вещи на хранение и тут же на площади узнал в справочной будке, как ему разыскать брата Алексея. В Москве Васюкеев бывал не впервой, но уверенно чувствовал себя только на вокзалах и в дорожных ресторанах, да еще в метро, которое напоминало ему родную шахту, — ценил в нем хорошую вентиляцию и строгий график на рельсах. Безо всякой путаницы Васюкеев добрался в метро до университета и сразу, выйдя на поверхность, увидел его соборно-строгую громаду.

«Куда затесался!» — подумал он о брате, чувствуя, как трудно ему задирать свинцовую после попойки голову, чтобы разглядеть вознесенный в небо золоченый шпиль.

Он не сразу разыскал вход в здание, долго обмерял его то справа, то слева, широко мельтеша унтами, наконец, робея перед строгостью мрамора и тяжелых дверей храма науки, вошел вслед за какими-то черномазыми девками в просторный вестибюль. Черномазые девки в длинных до пола цыганских юбках, поводя синими белками, заинтересованно косились на его меховую одежду-обужу, и он, польщенный вниманием, подошел к ним, спросил озабоченно:

— Извиняюсь… Брат у меня тут. Алексей Васюкеев.

Девки широко, толстогубо заулыбались, блестя крупными фасолинами зубов, и одна из них, кивая, переспросила:

— Алекс?

— Ага! — обрадовался Васюкеев. — Алексей Ильич.

— Алекс? Басюкееф?

— Да-да-да! Брат я ему… Родственник.

— О, карашо! Один момэнт, товарищч.

Девки заулыбались, вошли в лифт, и та, что разговаривала с Васюкеевым, закрывая за собой полированную дверцу кабины, еще раз сказала ему «карашо» и поводила в воздухе узенькой синей ладошкой.

Ожидая результата, Васюкеев топтался у поминутно хлопающих выходных дверей, испытывая неловкость от своего здесь присутствия и нечаянной встречи с заморскими девчатами, в то же время мысленно примеряя их на свой вкус. Он не чувствовал к ним никакого мужского интереса, а только удивлялся как непонятной и неизвестно для чего существующей диковине.

«Черные, а тоже бедовые, — думал он снисходительно. — Шныряют по лифтам, как дома».

Брата он не видел лет пять, еще с тех пор, как наведывался домой в отпуск, помнил его маломерком, по-домашнему, обыденно, в ватнике и резиновых сапогах и никак не мог представить его здесь, среди этого мрамора, но, когда из лифта вышел рослый плечистый парень в куцем волохато-зеленом пальто, без шапки, Васюкеев сразу же радостно встрепенулся. Алексей, еще издали расплываясь знакомой васюкеевской редкозубой улыбкой, закраснев чистым широким лицом, твердо прошел через вестибюль, протягивая руку, и совсем просто сказал:

— Привет. Откуда ты?

— Да вот зашел… Домой еду… — Васюкеев переступил унтами.

— В отпуск?

— Ага… Дай, думаю, съезжу… Значит, тут ты…

— Как видишь.

— Солидно.

— Да ничего. Жить можно.

Братья еще раз оглядели друг друга и улыбнулись. Алексей дружески толкнул Васюкеева в плечо. Васюкеев засмеялся и полез в карман за папиросами.

— Пойдем, покажу тебе мои апартаменты, — предложил Алексей.

— Да не…

— Пошли! На самый верх свожу. Вся Москва видна, как с самолета.

— Эта самая… с тобой, что ли, учится? — попытался перевести разговор Васюкеев.

— Сембел? Со мной. В одной группе. Из Камеруна она.

— Слыхал такой… — Васюкеев мял пальцами папироску, не решаясь ее зажечь.

— Так поднимемся?

— Да не… Как-нибудь в другой раз…

— Чудак-медведь! — усмехнулся Алексей.

— Пошли, проводишь. Мне вечером на поезд.

Солнце по-весеннему яростно сияло меж грудастых белых облаков, небо, подпираемое шпилем университета, казалось особенно высоким. Асфальт на проездах ослепительно блестел вешней бегучей водой. С карниза, откуда-то с огромной высоты, сорвалась сосулька, раскатисто, со стеклянным звоном жахнулась о дымящийся просыхающий тротуар.

— Куда потопаем? — Алексей зажмурился от солнца. — Хочешь, покажу Третьяковку?

— Погоди… — Шалый ветер, который не чувствовался там, внизу, в старой Москве, не давал Васюкееву прикурить, и он торопливо жег спички. — Погоди… Поговорить надо… — И, увидев такси, замахал шапкой.

Они поехали в центр.

— Где у вас тут хороший ресторан? — спрашивал Васюкеев, поглядывая на сутолоку столичных улиц.

— А тебе какой надо? С музыкой?

— Ну… Чтоб посидеть… Поговорить, как брат с братом.

— Этого добра хватает.

— Ну давай, Леха, вези... Посидим, потолкуем.

Выбрали «Берлин». Ресторан Васюкееву понравился: бархатные диваны, фонтан в зале, лепные девицы под потолком. Заказали обед, а для начала — бутылку коньяку, икры, осетрины, каких-то салатов, свежих огурцов, которые Васюкеев попросил не резать, а подать целиком. Старый чинный официант вскинул косматую бровь на Васюкеева, на его заветренное до глянцевого блеска лицо, понимающе кивнул седым стриженым ершиком: «Сделаем». И пока официант подавал на стол, Васюкеев покряхтывал, будто у него ломило поясницу. Лицо его было страдальчески-озабоченно.

— Ну, давай, Леха... — Он отодвинул рюмки и разлил коньяк по пивным фужерам. — Давай по лампадику...

Чокнулись. Васюкеев с дрожью старательно выцедил весь фужер, Алексей отпил половину.

— Ты чего? — озабоченно, понизив голос, спросил Васюкеев.

— Я с двух раз...

— А-а... Ну ладно... Ты давай рубай. — Он захрустел огурцом... — А помнишь, как мы с тобой просвирник за амбаром лопали?

— Было, — кивнул Алексей, намазывая икру на булочный ломтик.

— Проснемся, а в хате хрен ночевал, все порушил: ни хлеба, ни... А то еще бздюку рубали.

— Паслён по-научному, — усмехнулся Алексей.

— Не знаю, как там по-научному. Помню, за ушами потом скребло... — Васюкеев разлил остатки коньяка. — Брехня! Теперь выкарабкались! Иван с Илюхой пишут: тоже хорошо живут. Иван «Волгу» купил.

— Слыхал.

— Тебе еще долго?

— Два года осталось.

— Сколько платят? Полста дают?

— Хватил! — Алексей усмехнулся.

— Ну ты давай рубай. — Васюкеев с сочувствием посмотрел на брата. — Харчишки, поди, неважные?

— Жив, как видишь.

— Зря ты по этой ботанике пошел.

— Почему?

— Пшик один.

— У нас геоботаника. Разведка ископаемых.

— Ну ладно... Тебе виднее. Вот только с матерью надо что-то делать. Ты бываешь в деревне, как она там?

— Да как. Крышу ей перекрыли. Иван в колхоз написал, чтоб помогли. Садочек развела. Копается помаленьку.

Васюкеев помолчал, поводил вилкой по скатерти.

— Хочу, понимаешь, ее к себе забрать. Хватит ей там сидеть. Как думаешь?

— Не знаю… Как она…

— А что она? Хату продам натварь… Деньги ей на книжку положу. Пусть свои у нее водятся. Квартира у меня хорошая: ванна, все такое… Печку не топить, воду не таскать. Гастроном прямо подо мною. Вот Катюха скоро родит. Пусть с внуком копается, стариковское дело…

— Ее Илья к себе зовет… У них двойня родилась.

— Илья обойдется. У него жена не работает.

— Съезди поговори.

— А что говорить? Заберу, и все.

Подали клецки по-немецки с копченостями и по курице. Васюкеев попросил еще бутылку коньяку.

— Ты чего? — поднял брови Алексей.

— А чего? — засмеялся Васюкеев. — Посидим, поговорим…

— Я больше не буду.

— Эх ты, интеллигенция! — Васюкеев, рисуясь, долгим засосом, как ситро, вытянул двухсотграммовый фужер и понюхал огурец. Вторую бутылку он выпил один, покраснел до багровости, на бровях заблестела испарина — захмелел. Он курил одну за другой папиросы и стряхивал пепел на нетронутую курицу.

— Ты давай тоже ешь, — посоветовал Алексей. — Да будем выбираться, в Третьяковку поедем.

— Брось, Леха, — поморщился Васюкеев. — Что ты мне со своей Третьяковкой? Я, может, поговорить с тобой хочу… Понял?

— Понял, — усмехнулся Алексей.

— А Иван — трепло. Расхвастался. Подумаешь, машину купил! Да я хоть завтра могу…

— Чего же ты не купишь?

— Дура ты, Леха. Куда я на ней? Это тебе не Иванов Донбасс… Кочки да болота… Вот поеду мать заберу натварь… Не знаешь ты, Леха, какая у нас мать с тобой… Ни черта ты не знаешь…

— Почему — не знаю?

— Сопляк ты еще, понял? Просвирник.

— Ладно тебе. — Алексей отвернулся и принялся смотреть в зал.

— Да ты не козюлься. А Илюшка зря мылится. Он матери ни рубля не послал. Во — ему мать, понял? — Васюкеев свернул кукиш. — У него цаца дома сидит, женю мнет… Пока он соберется из своего Братска, а я уже еду.

— Смотри, а то еще передеретесь… Васюкеевы, — усмехнулся Алексей. — И матери достанется.

— А что? И морду набью. Илюшке? Жмоту этому? Набью! И Ваньке набью… Крышу перекрыл! Осчастливил… Да я за мать душу хоть кому натварь выну. Понял?

Васюкеев поднялся и, косолапо шаркая унтами по красной ковровой дорожке, пошел искать туалет.

Возвращаясь, он остановился возле фонтана. Там, в кругу любопытных какой-то шкет с усиками пытался сачком изловить живых карпов, сновавших в мелкой воде. Под хохот и визг девиц шкет, все больше конфузясь и зверея, шлепал по воде сачком, норовя накрыть рыбу. Но карпы успевали вышмыгнуть.

— А ну дай я. — Васюкеев взялся за сачок. Парень с усиками было закочевряжился, но подвыпившие мужчины поддержали Васюкеева.

— Дай ему… Пусть сибирячок попробует.

Васюкеев, спрятав за спину сачок, не спеша пошел по кругу, давая карпам успокоиться и собраться в стадо.

— Ты давай лови, — презрительно усмехнулся шкет.

— Тихо! — Васюкеев поднял руку в его сторону. — Тихо, понял? — И в тот же миг сделал выпад, воткнул сачок ребром в дно фонтана. Вода закипела. Васюкеев выхватил сачок, провисший под тяжестью двух рыбин. Откуда-то появившийся оркестр заиграл туш. В толпе и за столиками захлопали. Васюкеев поднял сачок высоко над головой и приложил руку к сердцу. Карпы трепыхались в сетке, обдавая всех водяными брызгами.

— Прикажете зажарить? — спросил подскочивший официант.

— Зажарь, папаша.

— Одного? Двух?

— Давай обоих.

Вскоре за сдвинутыми столиками Васюкеев угощал жареными карпами и коньяками почитателей своего охотничьего таланта. Карпы, окрапленные зеленым крошевом лука, были поданы на метровом подносе в окружении румяно зажаренной картошки. Время от времени Васюкеев передавал бутылку коньяку в оркестр и заказывал играть, что взбредет в голову.

— Домой, понимаешь, еду, — говорил он капельмейстеру. — Мать у меня там… Знаешь, какая у меня мать? У-у… — Васюкеев мотал головой и скрипел зубами. — А ну давай сыграй… «Вечера» давай, «Вечера».

Заказав через швейцара такси, Алексей наконец выдворил Васюкеева на улицу и усадил в машину.

— К ГУМу давай, — сказал Васюкеев шоферу.

Поехали к ГУМу.

Васюкеев влетел в универмаг перед самым закрытием. Купив с ходу рюкзак, он в распахнутой шубе, взопревший, метался по этажам и, наваливаясь на прилавок, манил к себе пальцем молоденьких продавщиц…

— Подай, люба, вон ту шалку, с махрами которая…

Он разворачивал шаль, таращился, тяжело двигая веками, и коротко бросал:

— Где касса?

Потом под звонки и предупредительное мигание гумовских люстр купил сапожки на меху, плащ-болонью, хотел еще что-то прихватить, но секции начали закрываться, и его попросили вниз. В гастрономическом отделе он успел купить яблок и банок с конфитюрами и, ссыпав все это в рюкзак, помахал на себя полами шубы.

— Уф!.. Давай, Леха, поехали!

3

Послав Алексея забрать чемодан и закомпостировать билет, Васюкеев надумал бриться и из-за этого чуть было не опоздал на поезд. Едва только успели запихнуть вещи на площадку первого попавшегося вагона, как поезд тронулся.

— Ну, Леха, ты тут давай… шуруй! — крикнул с подножки Васюкеев, оставляя на перроне конфетный запах одеколона. — Пока!

Замельтешили красные и фиолетовые путевые фонари, потом над Яузой промелькнула древняя церквушка, слабо озаренная отсветом городских огней, и потянулась скучная неразбериха складов, автобаз и серых пригородных домишек. Васюкеев докурил папироску, стрельнул окурком за дверь под колеса и пошел искать свой вагон.

Ему надо было в головные вагоны, но он пошел не в ту сторону и долго открывал и закрывал за собой тамбуры, шел, толкаясь и задевая рюкзаком за боковые дверные ручки купе, по пустым коридорам ночного южного поезда, не встречая ни единой живой души. Лишь в самом конце он наткнулся в тамбуре на молодых солдат. Солдаты, без поясов, в расстегнутых гимнастерках, дымили папиросками.

— Какой вагон, служивые? — спросил Васюкеев, протискиваясь в задымленный до синевы тамбур.

— Надцатый! А тебе какой?

Васюкеев махнул рукой и полез дальше.

Этот самый «надцатый» был заселен довольно густо. Ехал всякий тульский, орловский, курский и прочий этого направления неказистый люд, экономивший на сидячем билете. В полутьме отсеков на охряных лавках рядком сидели постнолицые, закутанные платками бабенки и меднокожие небритые мужики. На верхних багажных полках теснились мешки, чувалы, перевязанные веревками и ремнями самодельные сундучки, вздутые чемоданы или же торчали ноги сморенного дорожной суетолокой ездока, решившего растянуться вопреки билету, на дурнинку. Крепко шибало неистребимым духом сидячих вагонов — сырыми ватниками, взопревшими сапогами, кислым кизячным дымом цигарок, которые смолят тут же, в «рукав», несмотря на сварливые запреты проводниц.

Ради этих одного-двух хвостовых третьеклассных вагонов и мчался в ночи южный, мотаясь на путях длинным и пустым телом с пустыми, безлюдными окнами купе, до которых не дошла курортная лихорадка.

Васюкеев не стал возвращаться в свое спальное купе, ехать было ему теперь недолго, не более пяти часов, и он, отыскав свободную лавку, сбросил на нее рюкзак и стащил душную шубу.

Наверху, выставив кверху острые обтянутые коленки, спал голенастый солдат, похожий на зеленого кузнечика. Васюкеев, обвыкаясь, некоторое время наблюдал, как дрожали от качки вагона солдатские коленки, потом перевел взгляд вниз, где в полутьме нижней полки ехала какая-то маленькая старушка, крест-накрест спеленатая под мышками толстой шерстяной шалью. Старушка сидела в терпеливой неподвижности, сложив клубочком маленькие темные руки в подол длинной ватной одежки. На ногах у нее были черные валенки, которые, не доставая до пола, торчали, как у куклы, чуть вперед, обнажая подшитые побелевшей дратвой подошевки, на одной из которых прилепилась блескучая обертка вокзального эскимо. Нависшая шаль скрывала ее лицо, торчал только сухой морщинистый подбородок, но и по нему Васюкеев догадался, что старушка была ветхая. Древняя, чуть живая. Он подумал было, что она спит, но, приглядевшись, приметил, как под шалью, в темной глубине шалашика, взмелькивала какая-то живинка: старуха наблюдала за Васюкеевым.

— Жива, ай нет? — спросил он, наклоняясь и заглядывая под шаль. В нем еще бродило хмельное желание задеть кого-нибудь, побалагурить.

— Жива покудова, — отозвалась каким-то далеким голоском старушка.

— Чего не спишь? Добро бережешь?

— Какое у меня добро? Шило да мыло…

— Тогда давай спи. Лавка порожняя.

— Опрокинусь, да и просплю станцею-то.

— А какая твоя станция?

— До Орла мне, сынок. Да там еще до Ливен.

— Землячка, выходит, — оживился Васюкеев. — Я тоже орловский. Давай ложись, а я покараулю.

— Да кто ж тебя знает…

— Боишься, обкраду? — Васюкеев засмеялся.

— Выпимши ты… Самого укачает.

— Это верно, выпил, — кивнул растрепанным чубом Васюкеев. — Домой, понимаешь, еду. Мать у меня там… Вроде тебя… Помоложе, конечно, а тоже уже старенькая. Одна живет… Вот хочу забрать ее к себе.

— Далече забирать-то?

— На Севере я… Живу — во! От души, понимаешь? Ну а она в деревне… Чугунки-горшки всякие… Зачем, когда у меня полный ажур…

— Детки есть?

— У меня? Об чем разговор! Во какой Гагарин растет!

— Один маленький?

— К маю еще космонавт будет. За нами не заржавеет… Можно и третьего настругать. Не в это все упирается… Вот поеду, хату продам, мать заберу, тогда полный ажур будет. Мы с Катюхой — вкалывать на молочишко, а бабка с внуками, как водится… А то бабка без пользы теперь… Садочек завела — кому это нужно? Верно ай нет?

Васюкеев, довольный своей рассудительностью, посмотрел в темноту, под полку, ожидая, что она скажет, но старушка не отозвалась, а только послышался ее глубокий вздох. Приняв ее вздох на свой счет, Васюкеев расчувствовался, полез в рюкзак и выбрал большое румяное яблоко.

— На, погрызи маленько, — протянул он.

— Нечем мне кусать, сынок... Напоказ нетути...

— Сколько годов-то?

— Да зажилась, — спокойно ответила старушка. — По пачпорту девяносто первого году я. А так Господь знает кодышняя...

— А у тебя и паспорт есть?

— Да мне он без надобности, да в городе без него жить не дают.

— В городе, стало быть, прописана?

— В Кизеле. Может, слыхал: на Урале Кизел-то... Сын у меня там, Петя... На заводе мастером.

— С Урала едешь?

— Да нет... Зачем с Урала... С Череповца еду, за Москвой который...

— А говоришь, в Кизеле прописана?

— Прописана-то в Кизеле... А жила у Степана, в Череповцу... Дак я и в Череповцу допреж была прописанная. Это до того, как в Кизеле. А опосля Череповца еще и в Туймазах жила, у дочки, у Надеи... Глянуть, дак у меня весь пачпорт в печатках... А самая последняя печатка в Кизеле поставленная... А еду-то я, чтоб тебе понять, не из Кизела, а с Череповцу, от Степана, стало быть...

— И сама небось запуталась, — зарегатал Васюкеев.

— Да чего путать... Я тые дороги зажмурючись сыщу... По нескольку разов проезжала... Детки у меня там... Петр, который мастером-то... Тот в Кизеле... А в Череповцу Степа, меньшенький. Инженером он по литейному... А в Туймазах дочка Надея... Та по нефти... Лаборантка... Теперь ее там нетути, в Туймазах-то... Выехала... Далеко она теперь. А то еще Николай, сын. У того, правда, не жила... Тот тоже далече, за границею аж... В Египту... Это которые живые, а которые побитые, так то Митрий и Алексей, самые первые от рождения-то...

— Катаешься, значит.

— Да ужо укаталась... — вздохнула старушка.

— А у меня тоже браты к себе мамашу зовут. Да только я к себе ее заберу. — Васюкеев подтянул чемодан, достал семужный балык и бутылку пятидесятидвухградусной «Северной водки». — Давай, мать, позанимаемся, раз мы земляки с тобой. Я тоже свою покатаю, покажу свет белый... А то сидит там...

Он ополоснул водкой кем-то забытый на столике стакан, налил с палец и протянул старушке.

— Маленько, а?

Старушка, не расцепляя рук, даже не пошевелившись, сказала из-под шали:

— Что ж так-то пьешь, мать не повидамши? Спрятал бы ты баловство это...

— Нельзя! Домой еду, душа горит — просит. Волнуюсь, стало быть.

— Встретит пьяного-то — не обрадуется.

— Обрадуется! Пять лет не виделись. — Васюкеев трудно, содрогаясь, выпил и, щелкнув складником, принялся кромсать балык на газетке. — А тебя, стало быть, тоже сыны нарасхват?

— Дак что ж поделаешь... Всем надо было... У всех детки... Теперь ить семьями не живут, чтоб все вместе. Теперь вроде утиные выводки пошли: едва наклюнулся, втемяже и бежать от матери: то в ФЗО, то на курсы, то по вербовке... Бывало, полна хата народу, положить некуда, а то одна осталась... Петя на Урал махнул, Степан себе укатил, Николай себе... Надея на ноги поднялась — тоже полетела... Это поначалу-то, сразу опосля войны, — сказала старушка, помедлив. — А потом Петя объявился... В Кизеле который... Пристал: поедем да поедем. Вроде тебя... Ничего с собой, говорит, не бери, все есть, только поедем... Что ж, думаю, одна сидеть буду? Хатку скоренько продали, коровку продали, поросеночка было завела, закололи, опалили в дорогу... Перину, подушки, всякий чебур-хабур по свояченицам да по соседям пораздавала... Все порушила, весь свой корень извела начисто, поехали. В Кизел-то... Ну, Петя сразу пачпорт на меня схлопотал, прописали. Квартира, правда, хорошая, заводская... Двое деток у Пети, жинка тоже работает. Обстирываю, обшиваю, живу. Хлоп — Степа письмо прислал. Зовет-молит, чтобы приезжала, стало быть... Петя ему телеграммою: не поедет, дескать, заболела, все такое... Опять Степан шлет письмо: получает новую квартиру, да мало дают площади. А ежели я приехала бы, то на меня лишнюю комнату и дали бы... Что ж, думаю, такой походящий случай будет из-за меня упускать. Говорю Пете: поеду. Он ни в какую, не пущает меня, и все тут: дети малые, жене придется работу бросать... И Петю жалко, и Степу жалко — квартеру, боюсь, упустит. Кое-как уговорила Петю, пообещала вернуться вскорости, да и поехала в Череповец... Ну, схлопотали ему квартеру, хорошую, на три комнаты. А он возьми да и пропиши меня, чтоб, стало быть, к Пете-то не верталась. Живи, говорит, у меня, и все тут... Вот, говори, тебе отдельная комнатка, хозяйствуй. Ну, живу, деток обхаживаю, года три так-то прожила... Вот тебе Надея пишет: поздравь, мама, замуж вышла.

В Туймазах-то этих… Зовет письмом к себе. Раз зовет, другой раз зовет, а то и обижаться стала. Мол, почему у братьев живу, а единственную дочку позабыла… Да как забыть — помнила я. А только Степа не отпущает, самое детки в такой поре, глаз нужен, дескать, чего тебе не хватает — поедешь к Надее… А Надея возьми да и сама прикати, в Череповец-то… Поссорились они со Степкой из-за меня, война поднялась, никуда я, говорит, без матери не поеду. Надоело, говорит, мне аборты делать… Пришлось мне поехать, раз такое неотложное дело. Да и застряла у нее было, пока Надя с мужем не разошлась. Запил так-то, загулял, драться начал… Ну, Надя возьми да и махни от него на Дальний Восток-то. А меня опять Петя к себе забрал… А опосля к Степану переехала. Да так вот и ездила туда-сюда.

Васюкеев, опершись о столик рукой, начал было задремывать от качки, но все же уловил, когда старушка замолчала. Спросил вяло:

— А теперь куда едешь?

— А теперь на свою прежнюю родину еду… Руки отказываться стали… Ни постирать, ни по кухне чего сделать… Степина-то жена говорит: «Чтой-то ты, мамаша, заскучала? Съездила бы ты к Петру, может, говорит, тебе там получше будет». А откудова мне теперь лучшему-то быть, совсем укаталась, за столом, за чашкою-то среди бела дня стала задремывать… Поехала я прошлым годом в Кизел, к Пете… Побыла там маленько. Ну а что быть без толку? Я и чулочка детского теперь натянуть не могу, силушки моей не осталося. Да и какие чулочки? Детки все повыросли, повыучились, женихаться по лестницам, как кутята, стали. Старшенький, Витька, дак тот и жинку уже с положением в дом привел… Время подошло, куда от него денешься-то… Петя мне и говорит: мы, мам, коечку тебе в кухне поставим. А в комнате твоей пусть молодые поживут. Пока своей площадью обзаведутся. А там мы тебя опять на прежнее место водворим… А то, ежели хочешь, у Степана покамест побудь… Пожила я на кухоньке, вижу, одна помеха людям. Они допоздна сидят, телевизор смотрят, чай пьют, а я тут с раскладушкой на кухне расшапериваюсь, к плите не подойти… Собралась я и опять к Степану. А Степа меня и прописывать даже не стал, дескать, раз в Кизеле прописана, дак зачем же еще у него в Череповце прописывать-то. Правда, сам Степа ничего насчет этого не говорил, молчал, а она, невестка, ему об этом говорила… А и правда, жить у них тесновато стало. Гарнитур новый купили, каждому чтоб по отдельной кровати — ей и Степе… Ну, поколготилась я у них зиму, а недавно она, невестка-то, меня и спрашивает: «Как там Надя живет, что пишет? Не съездила бы, говорит, к ней? Денег, — говорит, — на дорогу дадим…» А куда я к

Надее-то? Близок свет — на островах где-то живет, на консервных... А делать нечего, собралась я к Надее... Думаю, как-нибудь доберусь. В последний раз съезжу, да там у нее и останусь, на островах на тех-то... Дали мне денег на дорогу, телеграмму отбили... Ну, раскланялись мы по-хорошему, Степа всплакнул даже, дескать, может, в последний раз видимся... Поехала я. До Москвы доехала, чтоб, стало быть, самолетом-то лететь, да так заскучала я, так замутилась душа, смерть, что ли, почуялась? Да домой сюда поворотила, на прежнее свое жительство...

Старушка говорила спокойно, рассудительно, все так же сидя неподвижно, говорила одним только сморщенным подбородком, выступавшим из-под шали. Васюкеев, запустив пятерню в кудри, давно уже дремал за столиком под монотонное жужжание ее голоса. Ему даже приснилось, будто он залез на свою хату и отдирает новую, недавно покрытую солому. Ветер подхватывает пуки и далеко рассеивает по огороду. Он рвет кровлю, а мать хватает его за руки и смеется. Не хватай меня за руки, тоже смеется Васюкеев, ты лучше трубу ломай...

— Куда ж мне теперь... — говорила свое старушка, не замечая, что Васюкеев спит. — Пока у людей побуду до часу своего... Кладбище у нас хорошее. Сирень кругом... Вот зацветет скоро...

Наверху заворочался солдат, приподнялся на локте, сонно посмотрел вниз. Васюкеев крякнул, прогоняя дремоту, налил стакан водки и протянул солдату.

— На-ка, служивый, ополоснись.

Солдат, долго не раздумывая, заспанно выпил и полез в тесное галифе за куревом.

— Где едем? — хрипло спросил он.

— Да где... — Васюкеев отдернул занавеску и хмельно вызрелся в окно. Над пустынными пашнями взошла обкусанная с одного бока луна и летела за поездом, ударяясь о встречные деревья и путевые будки. В призрачной синеве мартовских снегов, подернутых глянцевым настом, маячили, будто наколотые иглой, точки далеких деревенских огней.

— Все по России едем... Где ж еще... — сказал Васюкеев.

4

В Орел поезд пришел около двух часов ночи.

Васюкеев, выгрузившись, побежал в буфет подкупить еще каких-нибудь гостинцев. Потом, озаботясь, испытывая сладко-щемящее чувство от близости родной земли, направился к выходу.

Заглянув в помещение пригородных касс, он увидел свою недавнюю попутчицу. Она пристроилась в пустом зале на жестком эмпеэсовском диване, напротив заставленного фанеркой кассового окошечка. Сидела, как и в поезде, сложив в подол руки и выставив вперед подшитые валенки. Блескучая фольга от эскимо все еще держалась на подошве. Видно, она приготовилась сидеть так до утра, ожидая поезд на Ливны. Зал начали убирать, полы наполовину мокро блестели. Васюкеев постоял в дверях, поглядел, как бабы, мелькая из-под халатов рейтузами, мыли тряпками пол, и, махнув рукой, пошел к городскому выходу искать такси на Кромы.

1967

КРАСНОЕ ВИНО ПОБЕДЫ

Весна сорок пятого застала нас в подмосковном городке Серпухове.

Наш эшелон, собранный из товарных теплушек, проплутав около недели по заснеженным пространствам России, наконец февральской вьюжной ночью нашел себе пристанище в серпуховском тупике. В последний раз вдоль состава пробежал морозный звон буферов, будто в поезде везли битую стеклянную посуду, эшелон замер, и стало слышно, как в дощатую стенку вагона сечет сухой снежной крупой. Вслед за нетерпеливым озябшим путейским свистком сразу же началась разгрузка. Нас выносили прямо в нижнем белье, накрыв сверху одеялами, складывали в грузовики, гулко хлопавшие на ветру промерзлым брезентом, и увозили куда-то по темным ночным улицам.

После сырых блиндажей, где от каждого вздрога земли сквозь накаты сыпался песок, хрустевший на зубах и в винтовочных затворах, после землисто-серого белья, которое мы, если выпадало затишье, проваривали в бочках из-под солярки, после слякотных дорог наступления и липкой хляби в непросыхающих сапогах,— после всего, что там было, эта госпитальная белизна и тишина показались нам чем-то неправдоподобным. Мы заново приучались есть из тарелок, держать в руках вилки, удивлялись забытому вкусу белого хлеба, привыкали к простыням и райской мягкости панцирных кроватей. Несмотря на раны, первое время мы испытывали какую-то разнеженную, умиротворенную невесомость.

Но шли дни, мы обвыклись, и постепенно вся эта лазаретная белизна и наша недвижность начали угнетать, а под конец сделались невыносимыми. Два окна второго этажа, из которых нам, лежачим,

133

были видны одни только макушки голых деревьев да временами белое мельтешение снега; двенадцать белых коек и шесть белых тумбочек; белые гипсы; белые бинты, белые халаты сестер и врачей, и этот белый, постоянно висевший над головой потолок, изученный до последней трещинки... Белое, белое, белое... Какое-то изнуряющее, цинготное состояние одолевало от этой белизны. И так изо дня в день: конец февраля, март, апрель...

Впрочем, гипсы, в которые мы были закованы всяк на свой манер, уже давно утратили свою белизну. Они замызгались, залоснились от долгой лежки, насквозь промокли от тлеющих под ними ран. Воздух в палате стоял густ и тяжек, и чтобы хоть как-то его уснастить, мы поливали гипсы одеколоном.

Медленно заживающие раны зудели, и это было нестерпимой пыткой, не дававшей покоя ни днем, ни ночью. Вопреки строгим запретам врачей, мы просверливали в гипсах дыры вокруг ран, чтобы добраться до тела карандашом или прутиком от веника. Когда ж в городе зацвела черемуха и серпуховские ткачи и школьники начали приносить в палату обрызганные росой благоухающие букеты, они не знали, что по ночам мы безжалостно раздергиваем их цветы, чтобы выломать себе палочки, которые каждый запасал и тайно хранил под матрасом как драгоценный инструмент.

— Опять букет располовинили, — журила умывавшая нас по утрам старая госпитальная нянька тетя Зина.— Все мои веники потрепали, а теперь за цветы взялись. Ох ты, горюшко мое!

От этих каменных панцирей нельзя было избавиться до срока, и надо было терпеть и дожидаться своего часа, своей судьбы. Двоих из двенадцати унесли еще в марте...

С тех пор койки их пустовали.

В том, что на освободившиеся места не клали новеньких, чувствовалась близость конца войны. Конечно, там, на западе, кто-то и теперь еще падал, подкошенный пулей или осколком, и в глубь страны по-прежнему мчались лазаретные теплушки, но в наш госпиталь раненых больше не поступало. Их не привозили к нам, наверно, потому, что здание надо было привести в порядок и к сентябрю вернуть школьникам. Мы были здесь последней волной, последним эшелоном перед ликвидацией госпиталя. И, может быть, потому это была самая томительная военная весна. Томительная именно тем, что все — и медперсонал, и мы, раненые,— со дня на день, с часу на час ожидали близкой победы.

После того как пал Будапешт и была взята Вена, палатное радио не выключалось даже ночью.

Было видно, что теперь все кончится без нас.

В госпиталь мы попали сразу же после январского прорыва восточнопрусских укреплений. Нас подобрали в Мазурских болотах, промозглых от сырых ветров и едких туманов близкой Балтики. То была уже земля врага. Мы прошли по ней совсем немного, по этой чужой, унылой местности с зарослями чахлого вереска на песчаных холмах. Нам не встретилось даже мало-мальского городишка. Между тем ходили слухи, будто на нашем направлении, среди этих мрачных болот, Гитлер устроил свою главную ставку — подземное бетонное логово. Это придавало особую значимость нашему наступлению и возбуждало боевой азарт. Но для меня, как, впрочем, и для всех лежащих в нашей палате, собранных из разных полков и дивизий, это наступление закончилось неожиданно и весьма прозаически: через какую-то неделю меня уже тащили в тыл на носилках...

Оперировали меня в сосновой рощице, куда долетала канонада близкого фронта. Роща была начинена повозками и грузовиками, беспрерывно подвозившими раненых. Наспех забинтованные солдаты — обросшие, осунувшиеся, в заляпанных распутицей шинелях и гимнастерках — ожидали под соснами врачебного осмотра и перевязок. В первую очередь пропускали тяжелораненых, сложенных у медсанбата на подстилках из соснового лапника.

Под пологом просторной палатки, с окнами и жестяной трубой над брезентовой крышей, стояли сдвинутые в один ряд столы, накрытые клеенками. Раздетые до нижнего белья раненые лежали поперек столов с интервалом железнодорожных шпал. Это была внутренняя очередь — непосредственно к хирургическому ножу. Сам же хирург — сухой, сутулый, с желтым морщинистым лицом и закатанными выше костлявых локтей рукавами халата — в окружении сестер орудовал за отдельным столом.

Я лежал на этом конвейере следом за каким-то солдатом, повернутым ко мне спиной. Подштанники спустили с него до колен, и мне виделся его кострец, обвязанный солдатским вафельным полотенцем, на котором с каждой минутой увеличивалось и расплывалось темное пятно.

Очередного раненого переносили на отдельный стол, лицо его накрывали толсто сложенной марлей, чем-то брызгали на нее, и по палате расползался незнакомый вкрадчивый запах. Стол обступали сестры, что-то там придерживали, оттягивали, прижимали, подавали шприцы и инструменты. Среди толпы сестер горбилась высокая фигура хирурга, начинали мелькать его оголенные острые локти, слышались отрывисто-резкие слова каких-то его команд, которые нельзя было разобрать за шумом примуса, непрестанно кипятившего воду. Время от времени раздавался звонкий металлический шлепок: это хирург выбрасывал в цинковый тазик извлеченный осколок или пулю к подножию стола. А где-то за лазаретной рощей, прорываясь сквозь ватную глухоту сосновой хвои, грохотали разрывы, и стены палатки вздрагивали туго натянутым брезентом.

Наконец хирург выпрямился и, как-то мученически, неприязненно, красноватыми от бессонницы глазами взглянув на остальных, дожидавшихся своей очереди, отходил в угол мыть руки. Он шлепал соском рукомойника, и я видел, как острилась его узкая спина с завязками на халате и как устало обвисали плечи.

Пока он приводил руки в порядок, одна из сестер подхватывала и уносила таз, где среди красной каши из мокрых бинтов и ваты иногда пронзительно-восково, по-куриному желтела чья-то кисть, чья-то стопа... Мы видели все это, с нами не играли в прятки, да и некогда было, и не было условий, чтобы щадить нас милосердием.

Обработанный солдат какие-то минуты еще остается в одиночестве на своем столе, но вот уже сестра подходит к нему, начинает тормошить, приговаривая:

— Солдат, а солдат... Солдат, а солдат...

Она произносила это с механической однотонностью, как, наверное, уже сотни раз прежде и как будет скоро говорить мне, а после меня — тем, что длинной вереницей лежат за палаткой на сосновых лапах. И тем, которых еще только везут сюда, и многим другим, которые в этот час находятся к западу от сосновой рощи, еще целы и невредимы, но падут вечером или ночью, завтра, через неделю...

— Солдат, а солдат...

Оперированный не подает признаков жизни, и тогда сестра принимается шлепать ладонью по его небритым, запавшим щекам, чтобы он поскорее пришел в себя и уступил место другому. Если нет тяжелого шока, солдат постепенно очухивается, начинает крутить головой, и тотчас раздается нетерпеливый приказ хирурга:

— Унести!

Раненого подхватывают на носилки и уносят. Сестра поливает стол горячей водой из голубого домашнего чайника, другая вытирает тряпкой, тогда как старшая хирургическая сворачивает марлю для очередной наркозной маски.

— Следующий! — выкрикивает хирург и воздевает кверху обтертые спиртом длиннопалые ладони...

Тогда же в маленьком польском городке Млава, лежащем на пути в Данциг, нас погрузили в товарный порожняк, доставлявший к фронту то ли боеприпасы, то ли продовольствие. Состав был спешно переоборудован в санитарный поезд с тройными ярусами нар в каждом вагоне, железной печкой посредине и снарядным ящиком у захлопнутой левой двери, где хранились колотые дрова для растопки, а также миски на тридцать человек, пакеты бинтов и кое-какие медикаменты.

Медицинская прислуга ехала где-то отдельно, вагоны между собой не сообщались, и когда поезд трогался и часами тащился от станции к станции по временным одноколейным путям, только что уложенным на живую нитку вместо взорванных, мы, уже одетые в гипсовые вериги, оставались в теплушках одни, как говорят теперь,— на полном самообслуживании. Еду нам приносили на остановках, и те, кто мог передвигаться, начинали делить похлебку и кашу. Они же поочередно топили печку, поили лежачих и подавали на нары консервную жестянку, служившую вместо лазаретной утки.

В Россию въехали со стороны Орши, и хотя в узкие продолговатые оконца могли смотреть только те, кому достались верхние нары, мы, нижние и средние, и без того догадывались, что едем по России: исчезала едкая сырость Балтики, в щелястый пол начало подбивать сухим снежком, морозно, остро пахло близким зимним лесом, а на безвестных станциях вдоль эшелона хрустели торопливые шаги, и было щемяще-радостно узнавать родную сторону по бабьим и детским голосам, по их просительным выкрикам: «Картошка! Картошка! Кому вареной картошки?!», «Есть горячие шти! Шти горячие!», «Покурим, покурим! — И, пытаясь пошутить, весело повести торговлю, должно быть, вдовая молодуха прибавляла нараспев: — Самосадик я садила, сама вышла прода-а-ва-ать...»

Но все это было еще в январе.

Теперь же шла весна, и мы находились в глубоком тылу, вдалеке от войны.

— Интересно, где теперь наши? — спрашивал, ни к кому не обращаясь, лежавший в дальнем углу Саша Селиванов, смуглый волгарь с татарской раскосиной. В голосе его чувствовалась тоска и зависть.

Войска восточнопрусского направления шли уже где-то по полям Померании, и мы, вслушиваясь в сводки Совинформбюро, пытались напасть на след своих подразделений. Но по радио не назывались номера дивизий и полков, все они были энскими частями, и никто не знал, где теперь топают ребята, фронтовые дружки-товарищи. Иногда в палате разгорался спор о том, как считать: повезло ли нам, что хотя и такой ценой, но мы уже как-то определились, или не повезло...

— На войне, как в шахматах, — сказал Саша. — Е-два — е-четыре, бац! — и нету пешки. Валяйся теперь за доской без надобности.

Сашина толсто загипсованная нога торчала над щитком кровати наподобие пушки, за что Сашу в палате прозвали Самоходкой.

К ноге с помощью кронштейна и блока был подвязан мешочек с песком, отчего Саша вынужден был все время лежать на спине, а если и садился, то в неудобной позе, с высоко задранной ногой.

— Теперь мат будут ставить без нас, — задумчиво продолжал он.

— Нешто не навоевался? — басил мой правый сосед, Бородухов.

— Да как-то ни то ни се... Шел-шел и никуда не дошел... Охота посмотреть, как Берлин будут колошматить.

— Зато дома наверняка будешь. А то мог бы еще два аршина схлопотать... Под самый конец.

Бородухов заметно напирал на «о», отчего речь его звучала весомо и основательно. Был он из мезенских мужиков-лесовиков, уже в летах, кряжист и матер телом, под которым тугая панцирная сетка провисала как веревочный гамак.

Минные осколки угодили ему в тазовую кость, но лежал он легко, ни разу не закряхтев, не поморщившись. С начала войны это четвертое его ранение, и потому, должно быть, Бородухов отлеживал свой очередной лазарет как-то по-домашнему, с несуетной обстоятельностью, словно пребывал в доме отдыха по профсоюзной путевке.

Я слушал разговоры в палате, потихоньку температурил, задремывал, снова открывал глаза и подолгу глядел в весеннее небо. Мой нагрудный гипсовый жилет походил на рачью скорлупу с одной клешней. Под скорлупой тупо мозжила раздробленная лопатка, внутри клешни безвольно пролегала плеть правой руки, перебитой в предплечье и заклиненной в локтевом суставе. Я все еще не мог привыкнуть к моему новому состоянию, к тому, что в меня тоже вонзилось железо, что-то там разворотило, перебило, нарушило и что я мог быть убит этими слепыми и равнодушными кусками металла, сваренного в крупповских печах, может быть, еще в то время, когда я бегал в коротких штанишках и отдавал свои медяки в школьную кассу МОПРа. Неотвратимая, исподволь обусловленная связь обстоятельств... От ран моих попахивало собственным тленным духом, и это жестоко и неумолимо убеждало меня в моей обыкновенности, серийности, в том, что я тоже смертен, хотя понять и допустить собственную смерть я по-прежнему отказывался. Сам факт моего ранения я пытался приспособить к моей наивной теории бессмертия: ведь я только ранен, а не убит! А раны — это всего лишь испытание... Мне шел тогда двадцать первый, и я, вернее не я, а что-то помимо меня, тот неуправляемый эгоцентризм, столь необходимый всему живому в пору расцвета, не допускал понимания, что я тоже могу превратиться в нечто непостижимое... Пули врага долгое время облетали меня, и я думал, верил, что это так и должно быть. За несколько минут до того, как меня изрешетило осколками, мы прямой наводкой расстреливали выскочивших из горящего танка троих немцев. В своих черных коротеньких френчах, похожие на тараканов, немцы, быстро перебирая руками и ногами, карабкались на четвереньках по крутому склону приозерной дюны. Песок осыпался, они беспомощно съезжали вниз и начинали снова карабкаться в своем насекомьем безумии. Мы били по ним болванками с трехсот метров, и снаряды без следа исчезали в толще песка. В общем-то, для удиравших немцев это была не слишком опасная пальба, но страху нагоняло изрядно, и одно это доставляло нам мстительное удовольствие, хотя проще было срезать их автоматной очередью. Вгорячах мы отчаянно мазали, беззлобно переругивались и, упиваясь паническим бегством врага, хохотали. Откуда-то взявшийся на гребне дюны «фердинанд» первым же выстрелом сшиб нашу пушку. Он разделал нас каким-то городошным ударом, выметя из огневой позиции весь наш расчет. Мне кажется, что в момент, когда снаряд разорвался под колесами орудия, во мне еще все ликовало, быть может, в это самое мгновение я все еще хохотал над удиравшими танкистами — и закусил свой смех судорожно сжавшимися челюстями...

— А ты не балуй на войне, — резонил по этому поводу Бородухов, когда я рассказал, как попал в госпиталь. — Баловство — оно, парень, не дело.

Слева от меня лежал солдат Копешкин. У Копешкина были перебиты обе руки, повреждены шейные позвонки, имелись и еще какие-то увечья. Его замуровали в сплошной нагрудный гипс, а голову прибинтовали к лубку, подведенному под затылок. Копешкин лежал только навзничь, и обе его руки, согнутые в локтях навстречу друг другу, торчали над грудью, тоже загипсованные до самых пальцев. Эта конструкция со всеми ее подпорками и расчалками на обиходном госпитальном языке именовалась «самолетом».

Копешкин, как нам удалось у него дознаться, числился в извозе, справляя и на войне свою нехитрую крестьянскую работу: запрягал, распрягал, кормил-поил обозных лошадей, если позволяли фронтовые условия — гонял их в ночное, чинил сбрую, возил за батальоном всякую солдатскую поклажу: мешки с сухарями, концентраты, каптерское имущество, патронные цинки.

— Медалей много навоевал? — интересовался Самоходка.

— Дак какие медали... — слабым, сдавленным голосом отзывался из своего склепа Копешкин. — За езду рази дают...

— Ты, поди, и немца-то до дела не видел?

— Как не видел. За четыре-то года... Повида-а-ал...

— Стрелять-то хоть доводилось?

— Дак и стрелял... А то как же. В окруженье однова попали... Вот как насел немец-то, вот как обложил... Дак и стрелял, куда денешься.

— Убил кого?

— А шут его разберет. Нетто там поймешь... Темень, пальба отовсюдова...

— Небось перепугался?

— Дак и страшно... А то как же.

— Это где ж тебя так разделало?

— Заблудился с обозом. Я говорю — туда надо ехать, а старшой — не туда. Поехали за старшим... Да и прямо на ихнюю батарею. Куда колеса, куда что... Обеих лошадей моих прибило. От самого Сталинграда берег: и бомбили, и чего только не было... А тут вот и получилось нескладно...

В последние дни Копешкину стало худо. Говорил он все реже, да и то безголосо, одними только губами, и надо было напрягаться, чтобы что-то разобрать в его невнятном шепоте. Несколько раз ему вливали свежую кровь, но все равно что-то ломало его, жгло под гипсовым скафандром. Он и вовсе усох лицом, резко проступили заросшие ржавой щетиной скулы, обрить которые мешали бинты. Иной раз было трудно сказать, жив ли он еще в своей скорлупе или уже затих навечно. Лишь когда дежурная сестра Таня подсаживалась к нему и начинала кормить с ложки, было видно, что в нем еще теплится какая-то живинка.

— Ты давай ешь, — наставлял его Бородухов. — Перемогайся, парень. Вон скоро и война кончится. Пошто уж теперь зазря гинуть-то.

Копешкин, будто внемля совету, чуть приоткрывал сухие губы, но зубов не разнимал, крепко держал ими свою боль, сестра цедила с ложки супную жижу сквозь желтые прокуренные резцы.

— Ему бы клюквы надавить, — говорил Бородухов, поглядывая на терпеливо сидевшую возле Копешкина сестру с тарелкой на коленях. — Дак где ж ее взять... Нежели посылку из дому затребовать. У нас ее сколь хошь. Вот как добро жар утушает, клюква-то.

Как-то раз на имя Копешкина пришло письмо — голубенький косячок из тетрадной обертки. Сестра поднесла конверт к его глазам, показала адрес.

— Из дому? — спросил Бородухов.

Подернутые температурным нагаром губы Копешкина в ответ разошлись в тихой медленной улыбке.

— Вот и хорошо, вот и ладно. Пацаны-то есть?

Копешкин с трудом пригнул два непослушных желто-сизых пальца с приставшими крупинками гипса на волосках, показывая остальные три.

— Трое, выходит? Тогда держись, держись, парень. Теперь домой недалеко.

Сестра Таня предложила прочитать ему письмо вслух, но он беспокойно шевельнул кистью.

— Сам хочет, сам, — догадался Самоходка.

— Ежели может, дак пусть сам, — сказал Бородухов. — Своими-то глазами лучше.

Косячок развернули и вставили ему в руки.

Весь остаток дня листок проторчал в недвижных руках Копешника, будто вложенный в станок. С ним он и спал ночью. А может быть, и не спал... Лишь на следующее утро попросил перевернуть другой стороной и долго разглядывал обратный адрес, где крупными неловкими буквами, написанными послюнявленным чернильным карандашом, было выведено: «Пензенская область, Ломовский район, деревня Сухой Житень».

Перед маем из нашей палаты ушли сразу трое. Им выдали новенькие костыли, довольствие на дорогу и отправили по домам. Это тоже означало конец войны. Раньше их направили бы в так называемый выздоравливающий батальон, на какие-нибудь работы: пилить дрова, сапожничать, заготавливать в колхозах фураж, с тем чтобы потом, еще раз пропустив через жесткое сито комиссии, выкроить из этих хромоногих и косоруких одного-другого лишнего солдата для фронтовых тылов. Но теперь такие и там были не нужны.

Те, кто остался, кто мог переползать по палате, перебрались на опустевшие койки у окон. Приоконные места были привилегированными: оттуда можно хотя бы смотреть на улицу. Эти койки обычно захватывали выздоравливающие.

Ушел к окну сапер Михай, родом из-под загадочного бессарабского городка Фалешты. Я представлял себе молдаван непременно черноволосыми, кареглазыми, поджарыми и проворными, а этот был молчаливо-медлительный увалень с широченной спиной и с детским выражением округлого лица, на котором примечательны были и удивительно ясные, какие-то по-утреннему свежие, чистые, ко всему доверчивые голубые глаза, и маленький нос пипочкой. К тому же Михай, даже коротко остриженный под машинку, был золотисто-рыж, будто облитый медом. Этот большой тихий тридцатилетний ребенок вызывал у нас молчаливое сострадание. Он единственный в палате не носил гипсов: обе его руки были ампутированы выше локтей, и пустые рукава исподней рубахи ему подвязывали узлами.

Тетя Зина вспоминала, как она однажды, еще зимой, убирая в туалете, застала там беспомощно стоявшего Михая.

— Гляжу, — рассказывала нянька, — а у него слезы по щекам. До того, стало быть, расстроился. Ты что ж это, сынок, стоишь, говорю ему, давай, милай, помогу. Так-таки не дал пуговицу отстегнуть, застеснялся... Все, бывало, стоит, ждет, пока какой-нибудь раненый заглянет.

Мы и сами видели, как переживал Михай утрату рук. Часами лежал он, уткнувшись лицом в подушку, иногда беззвучно трясясь широкой спиной. Но потом успокоился. Случалось даже, что, сидя у окна, он тихо напевал что-то на своем языке, раскачивая могучее тело в такт песне. И все глядел куда-то поверх домов, будто высматривал за горизонтом далекую Молдову.

В один из вечеров, когда Михай вот так же сидел на подоконнике и его огненная голова полыхала от закатного солнца, Копешкин зашевелил пальцами, прося о чем-то.

— Чего ему? — поднял голову Бородухов.

Мы прислушались к слабому голосу Копешкина.

— Спрашивает у Михая, что видно за окном, — разобрал я, поскольку моя койка стояла ближе всех к его кровати.

— Солнце вижу... Поле вижу... — не оборачиваясь, ответил Михай.

— Далеко, спрашивает, — переводил я шепот Копешкина.

— Поле? А там... За рекой.

— Какое оно? — говорит. — Что посеяно?

— Зеленое. Хлеб будет.

Копешкин вздохнул, закрыл глаза и больше не спрашивал. На какое-то время в палате наступило молчание. Даже по одному только небу, которое виделось нам, лежащим у дальней стены, — очистившемуся, синему, высокому — чувствовалось, как там теперь привольно.

— А на улице что? — помолчав, спросил Саша Самоходка.

— Дома́, люди...

— Девчата ходят?

— Ходят.

— Красивые? — допытывался Самоходка.

Михай промолчал. Голова его монотонно качалась в раме окна.

— Тебе чего, трудно сказать? Красивые девки-то?

— А! — Михай досадливо отмахнулся узлом рукава.

— Ему теперь не до девок, — сказал Бородухов.

— Эх, братья-славяне! — с горькой веселостью воскликнул Самоходка. — Мне бы девчоночку! Доскандыбаю до своей матушки-Волги — такие страдания разведу, елки-шишки посыпятся!

Но шутить у нас было некому. Двое наших шутников, двое счастливчиков — Саенко и Бугаев почти не обитали в палате. В отличие от нас, белокальсонников, они щеголяли в полосатых госпитальных халатах, которые позволяли им разгуливать по двору. Чуть только дождавшись обхода, они забирали курево, домино и, выставив вперед по гипсовому сапогу — Саенко правую ногу, Бугаев левую, — упрыгивали из палаты. Остальные поглядывали на них с завистью.

Возвращались они только к обеду. От них вкусно, опьяняюще пахло солнцем, ветряной свежестью воли, а иногда и винцом. Оба уже успели загореть, согнать с лица палатную желтизну.

А за окном было действительно невообразимо хорошо. Уже курились зеленым дымком верхушки госпитальных тополей, и когда Саенко, уходя, открывал для нас окно, которое, в общем-то, открывать не разрешалось, мы пьянели от пряной тополевой горечи ворвавшегося воздуха. А тут еще повадился под окно зяблик. Каждый вечер на закате он садился на самую последнюю ветку, выше которой уже ничего не было, и начинал выворачивать нам души своей развеселой цыганистой трелью, заставляя надолго всех присмиреть и задуматься.

Сестра Таня, приходившая в шестом часу ставить термометры, в строгом негодовании первым делом шла к окну, чтобы захлопнуть створки, но Михай вставал в проходе между коек и преграждал ей дорогу:

— Нэ надо... Что тебе стоит?

— Схватите пневмонию. Разве вам мало форточки?

— А! — морщился молдаванин. — Ты послушай, послушай... Птица поет. — Михай культей обнимал Таню за плечо и подводил к подоконнику. — Слышишь, как поет? А ты говоришь — форточка!

Таня молча слушала и не снимала с плеча Михаеву обрубленную руку.

Рухнул, капитулировал наконец и сам Берлин! Но этому как-то даже не верилось.

Мы жадно разглядывали газетные фотографии, на которых были отсняты бои на улицах фашистской столицы. Мрачные руины, разверстые утробы подвалов, толпы оборванных, чумазых, перепуганных гитлеровцев с задранными руками, белые флаги и простыни на балконах и в окнах домов... Но все-таки не верилось, что это и есть конец.

И действительно, война все еще продолжалась. Она продолжалась и третьего мая, и пятого, и седьмого... Сколько же еще?! Это ежеминутное ожидание конца взвинчивало всех до крайности. Даже раны в последние дни почему-то особенно донимали, будто на изломе погоды.

От нечего делать я учился малевать левой рукой, рисовал всяких зверюшек, но все во мне было настороженно — и слух, и нервы. Саенко и Бугаев отсиживались в палате, деловито и скучно шуршали газетами. Бородухов, наладив иглу, принялся чинить распоровшийся бумажник, Саша Самоходка тоже молчал, курил пайковый «Дюбек», пускал дым себе под простыню, чтобы не заметила дежурная сестра. Валялся на койке Михай, разбросав по подушке культи, разглядывал потолок. На каждый скрип двери все настороженно поворачивали головы. Мы ждали.

Так прошел восьмой день мая и томительно тихий вечер.

А ночью, отчего-то вдруг пробудившись, я увидел, как в лунных столбах света, цепляясь за спинки кроватей, промелькнул в исподнем белье Саенко, подсел к Бородухову.

— Спишь?

— Да нет...

— Кажется, Дед приехал.

— Похоже — он.

— Чего бы ему ночью...

По госпитальному коридору хрустко хрумкали сапоги. В гулкой коридорной пустоте все отчетливей слышался сдержанный голос начальника госпиталя полковника Туранцева, или Деда, как называли его за узкую ассирийскую лопаточку бороды. Туранцева все побаивались, но и уважали: он был строг и даже суров, но считался хорошим хирургом и в тяжелых случаях нередко сам брался за скальпель. Как-то раз в четвертой палате один кавалерийский старшина, носивший Золотую Звезду и благодаря этому получавший всяческие поблажки — лежал в отдельной палате, не позволял стричь вихрастый казачий чуб и прочее, — поднял шум из-за того, что ему досталась заштопанная пижама. Он накричал на кастеляншу, скомкал белье и швырнул ей в лицо. Мы, в общем-то, догадывались, почему этот казак поднял тарарам: он похаживал в общежитие к ткачихам и не хотел появляться перед серпуховскими девчатами в заплатанной пижаме. Кастелянша расплакалась, выбежала в коридор и в самый раз наскочила на проходившего мимо Туранцева. Дед, выслушав в чем дело, повернул в палату. Кастелянша потом рассказывала, как он отбрил кавалериста. «Чтобы носить эту Звезду, — сказал он ему, — одной богатырской груди недостаточно. Надо лечиться от хамства, пока еще не поздно. Война скоро кончится, и вам придется жить среди людей. Попрошу запомнить это». Он вышел, приказав, однако, выдать старшине новую пижамную пару.

И вот этот самый Дед шел по ночному госпитальному коридору. Мы слышали, как он вполголоса разговаривал со своим заместителем по хозяйственной части Звонарчуком. Его жесткий, сухой бас, казалось, просверливал стены.

— ...выдать все чистое — постель, белье.

— Мы ж тильки змэнилы.

— Все равно сменить, сменить.

— Слухаюсь, Анатоль Сергеич.

— Заколите кабана. Сделайте к обеду что-нибудь поинтереснее. Не жмитесь, не жалейте продуктов.

— Та я ж, Анатоль Сергеич, зо всий душою. Всэ, що трэба...

— Потом вот что... Хорошо бы к обеду вина. Как думаете?

— Цэ можно. У мэни рэктификату йе трохы.

— Нет, спирт не то. Крепковато. Да и буднично как-то... День! День-то какой, голубчик вы мой!

— Та яснэ ж дило...

Шаги и голоса отдалились. «Бу-бу-бу-бу...»

Минуту-другую мы прислушивались к невнятному разговору. Потом все стихло. Но мы все еще оцепенело прислушивались к самой тишине. В ординаторской тягуче, будто в раздумье, часы отсчитали три удара. Три часа ночи... Я вдруг остро ощутил, что госпитальные часы отбили какое-то иное, новое время... Что-то враз обожгло меня изнутри, гулкими толчками забухала в подушку напрягшаяся жила на виске.

Внезапно Саенко вскинул руки, потряс в пучке лунного света синими от татуировки кулаками.

— Все! Конец! Конец, ребята! — завопил он. — Это, братцы, конец! — И, не находя больше слов, круто, яростно, счастливо выматерился на всю палату.

Михай свесил ноги с кровати, пытаясь прийти в себя, как о сук, потерся глазами о правый обрубок руки.

— Михай, победа! — ликовал Саенко.

Спрыгнул с койки Бугаев, схватил подушку, запустил ею в угол, где спал Саша Самоходка. Саша заворочался, забормотал что-то, отвернул голову к стене.

— Сашка, проснись!

Бугаев запрыгал к Сашиной койке и сдернул с него одеяло. Очнувшийся Самоходка успел сцапать Бугаева за рубаху, повалил к себе на постель. Бугаев, тиская Самоходку, хохотал и приговаривал:

— Дубина ты бесчувственная. Победа, а ты дрыхнешь! Ты мне руки не заламывай. Это уж дудки! Не на того нарвался. Мы, брат, полковая разведка. Не таких вязали, понял?

— Это у меня... нога привязана... — сопел Самоходка. — Я бы тебе... вставил, куда надо...

— Бросьте вы, дьяволы! — окликнул Бородухов. — Гипсы поломаете.

— А, хрен с ними! — тряхнул головой Саенко. Он дурашливо заплясал в проходе между койками, нарочно притопывая гипсовой ногой-колотушкой по паркету:

> Эх, милка моя,
> Юбка лыковая...

Бугаев, бросив Самоходку, принялся подыгрывать, тряся, будто бубном, шахматной доской с громыхающими внутри фигурами.

> У меня теперь нога
> Тоже липовая...

За окном в светлой лунной ночи сочно расцвела малиновая ракета, переспело рассыпалась гроздьями. С ней скрестилась зеленая.

Где-то резко рыкнула автоматная очередь. Потом слаженно забасили гудки: должно быть, трубили буксиры на недалекой Оке.

— Братцы! — Саенко застучал кулаком в стену соседней палаты. — Эй, ребята! Слышите!

Там тоже не спали и в ответ забухали чем-то глухим и тяжелым, скорее всего, резиновым набалдашником костыля.

Прибежала сестра Таня, щелкнула на стене выключателем.

— Это что еще такое? Сейчас же по местам!

Но губы ее никак не складывались в обычную строгость. Наша милая, терпеливая, измученная бессонницами сестренка! Тоненькая, чуть ли не дважды обернутая полами халата, перехваченная пояском, она все еще держала руку на выключателе, вглядываясь, что мы натворили.

— Куда это годится, все перевернули вверх дном. Взрослые люди, а как дети... Бугаев! Поднимите подушку. Саенко! Сейчас же ложиться! Здесь Анатолий Сергеевич, зайдет — посмотрит...

Таня подсела к Копешкину и озабоченно потрогала его пальцы.

— Спите, спите, Копешкин. Я вам сейчас атропинчик сделаю. И всем немедленно спать!

Но никто, казалось, не в силах был утихомирить пчелино загудевшие этажи. Где-то кричали, топали ногами, выстукивали морзянку на батарее, Анатолий Сергеевич не вмешивался: наверно, понимал, что сегодня и он не властен.

Меж тем за окном все чаще, все гуще взлетали в небо пестрые ликующие ракеты, и от них по стенам и лицам ходили цветные всполохи и причудливые тени деревьев.

Город тоже не спал.

Часу в пятом под хлопки ракет во дворе пронзительно заверещал и сразу же умолк госпитальный поросенок...

Едва только дождались рассвета, все, кто был способен хоть как-то передвигаться, кто сумел раздобыть более или менее нестыдную одежку — пижамные штаны или какой-нибудь халатишко, а то и просто в одном исподнем белье, — повалили на улицу. Саенко и Бугаев, распахнув для нас оба окна, тоже поскакали из палаты. Коридор гудел от стука и скрипа костылей. Нам было слышно, как госпитальный садик наполнялся бурливым гомоном людей, высыпавших из соседних домов и переулков.

— Что там, Михай?

— А-ай-ай... — качал головой молдаванин.

— Что?

— Цветы несут... Обнимаются, вижу... Целуются, вижу...

Люди не могли наедине, в своих домах, переживать эту радость и потому, должно быть, устремились сюда, к госпиталю, к тем, кто имел отношение к войне и победе. Кто-то снизу заметил высунувшегося Михая, послышался девичий возглас: «Держите!» — и в квадрате окна мелькнул подброшенный букет. Михай, позабыв, что у него нет рук, протянул к цветам куцые предплечья, но не достал и лишь взмахнул и воздухе пустыми рукавами.

— Да миленькие ж вы мои-и-и! — навзрыд запричитала какая-то женщина, разглядевшая Михая. — Ох да страдальцы горемычныи-и-и! Сколько кровушки вашей пролита-а-а...

— Мам, не надо... — долетел взволнованно-тревожный детский голос.

— Ой да сиротинушки вы мои беспонятныи-и-и! — продолжала вскрикивать женщина. — Да как же я теперь с вами буду! Что наделала война распроклятая, что натворила! Нету нашего родимова-а-а...

— Ну, не плачь, мам... Мамочка!

— Брось, Насть. Глядишь, еще объявится, — уговаривал старческий мужской голос. — Мало ли что...

— Ой да не вернется ж он теперь во веки вечныи-и-и...

И вдруг грянул неизвестно откуда взявшийся оркестр:

Вставай, страна огромная,
Вставай на смертный бой...

Ухавший барабан будто отсчитывал чью-то тяжелую поступь:

Пусть ярость благородная
Вскипает, как волна...

Но вот сквозь четкий выговор труб пробились отдельные людские голоса, потом мелодию подхватили другие, сначала неуверенно и нестройно, но постепенно приладились и, будто обрадовавшись, что песня настроилась, пошла, запели дружно, мощно, истово, выплескивая еще оставшиеся запасы ярости и гнева. Высокий женский голос, где-то на грани крика и плача, как острие, пронизывал хор:

Идет война народна-йя-яя...

От этой песни всегда что-то закипало в груди, а сейчас, когда нервы у всех были на пределе, она хватала за горло, и я видел, как стоявший перед окном Михай судорожно двигал челюстями и вытирал рукавом глаза. Саша Самоходка первый не выдержал. Он запел, ударяя кулаком по щитку кровати, сотрясая и койку, и самого себя. Запел, раскачиваясь туловищем, молдаванин. Небритым кадыком задвигал Бородухов. Вслед за ним песню подхватили в соседней палате, потом наверху, на третьем этаже. Это была песня-гимн, песня-клятва. Мы понимали, что прощаемся с ней — отслужившей, демобилизованной, уходящей в запас...

Оркестр смолк, и сразу же, без роздыха, лихо, весело трубы ударили «яблочко». Дробно застучали каблуки.

> Эх, Гитлер-фашист,
> Куда топаешь?!
> До Москвы не дойдешь —
> Пулю слопаешь!

Частушка была явно устаревшая, времен обороны Москвы, но в это утро она звучала особенно злободневно, как исполнившееся народное пророчество.

И уж совсем разудало, с бедовым бабьим ойканьем, с прихлопыванием в ладоши:

> Я по карточкам жила
> Четыре годочка —
> Ненаглядного ждала
> Своего дружочка!
> Э-ой-ой-ой, йи-и-и-их...

Между тем начался митинг. Было слышно, как что-то выкрикивал наш замполит. Голос его, и без того не шибко речистый, простудно-сиплый, теперь дрожал и поминутно рвался.

Когда он неожиданно замолкал, мучительно подбирая нужные слова, неловкую паузу заполняли дружные всплески аплодисментов. Да и не особенно было важно, что он сейчас говорил.

Часу в девятом в нашу дверь несмело постучали.

— Давай, кто там?! — отозвался Саша Самоходка.

— Разрешите?..

В палату вошел ветхий старичок с фанерным баулом и с каким-то зачехленным предметом под мышкой. На старичке поверх черного сюртука был наброшен госпитальный халат, волочившийся по полу.

— С праздником вас, товарищи воины! — Старичок снял суконную зимнюю кепку, показал в поклоне восковую плешь. — Кто желает иметь фотографию в День Победы? Есть желающие?

— Какие тебе, батя, фотографии, — сказал Саша Самоходка. — На нас одни подштанники.

— Это ничего, друзья мои. Уверяю вас... Доверьтесь старому мастеру.

Старичок присел перед баулом на корточки, извлек новую шерстяную гимнастерку, встряхнул ею, как фокусник, перекинул через плечо, после чего достал черную кубанку с золоченым перекрестьем по красному верху.

— Это все в наших руках. Пара пустяков... Итак, кто, друзья мои, желает первым? — Старичок оглядел палату поверх жестяных очков, низко сидевших на сухом хрящевом носу. — Позвольте начать с вас, молодой человек.

Старичок подошел к Михаю и проворно, будто на малое дитя, натянул на безрукого молдаванина гимнастерку.

— Все будет в лучшем виде, — приговаривал фотограф, застегивая на растерявшемся Михае сверкающие пуговицы. — Никто ничего не заметит, даю вам мое честное слово. Теперь извольте кубаночку... Прекрасно! Можете удостовериться. — Старичок достал из внутреннего кармана сюртука овальное зеркальце с алюминиевой ручкой и дал Михаю посмотреть на себя. — Герой, не правда ли? Позвольте узнать, какого будете чину?

— Как — «чину»? — не понял Михай.

— Сержант? Старшина?

— Нэ-э... — замотал головой Михай.

— Он у нас рядовой, — подсказал Саша.

— Это ничего... Если правильно рассудить — дело не в чине.

Старичок порылся в бауле, откопал там новенькие, с чистым полем пехотные погоны и, привстав на цыпочки, пришпилил их к широким плечам Михая.

— Желаете с орденами?

— У него при себе нету, — ответил за Михая Самоходка. — Сданы на хранение.

— Это ничего. У меня найдутся. Какие прикажете?

— Нэ надо... — покраснел Михай, у которого, как мы знали, имелась одна-единственная медаль «За боевые заслуги». — Чужих нэ надо.

— Какая разница? Если у вас есть свои, то какая разница? — приговаривал старичок, нацеливаясь в Михая деревянным аппаратом на треноге. — Я вам могу подобрать точно такие же.

— Нет, нэ хочу.

— Скромность тоже украшает. Так... Одну секундочку. Смотреть прошу сюда... Смотреть героем! Не так хмуро, не так хмуро. Ах, какой день! Какой день!

После Михая фотограф прямо в койке обмундировал в ту же гимнастерку Сашу Самоходку. Саша, хохоча, пожелал сняться с орденами.

— «Отечественная», папаша, найдется? — спросил он, подмигивая Бородухову.

— Пожалуйста, пожалуйста.

— И «Славу» повесь.

— Можно и «Славу». Можно и полного кавалера, — нимало не смутившись, предложил старичок, видимо, поняв, что Саша все обращает в шутку.

— А ты, папаша, в курсе всех регалий! Тогда валяй полного! Дома увидят — ахнут. Только не пойму, — изумленно хохотал Самоходка, — как же меня с такой ногой? Койка будет видна.

— Все сделаем честь по форме. Была бы голова на плечах — будет и фотография. Так я говорю? — тоже шутил старичок, морщась в улыбке. — Зачем нам кровать? Кровать солдату не нужна. Все будет, как в боевой обстановке.

Фотограф выудил из баульчика полотнище с намалеванным горящим немецким танком.

— Подойдет? Если хотите, имеется и самолет.

— Давай танк, папаша! — покатывался со смеху Самоходка. — А гранату не дашь? Противотанковую?

— Этого не держим, — улыбнулся старичок.

На карточке должно было получиться так, будто Саша находился не на госпитальной койке в нижнем белье, а на поле сражения.

Он якобы только что разделался с немецким «тигром» и теперь, сдвинув набекрень кубанку, посмеивается и устраивает перекур.

— Ну и дает старикан! — реготал Самоходка.

— В каждом деле, молодой человек, имеется свое искусство.

— Понимаю: не обманешь — не проживешь, так что ли?

— Это вы напрасно! К вашему сведению, я даже генералов снимал и имею благодарности.

— Тоже «в боевой обстановке»?

— Веселый вы человек! — жиденько засмеялся старичок и погрозил Самоходке коричневым от проявителя пальцем.

На меня гимнастерка не налезла: помешала загипсованная оттопыренная рука.

— Хотите манишку? — вышел из положения старичок, который, видимо, уже давно специализировался на съемках калек и предусмотрел все возможные варианты увечья. — Не беспокойтесь, я уже таких, как вы, фотографировал. Уверяю вас: все будет хорошо.

Но манишки, а попросту говоря — нагрудника с пуговицами, я устыдился и не стал сниматься. Отказался и Бородухов, проворчавший сердито:

— Обойдусь. Скоро сам домой приеду.

— Тогда давайте вы. — Старичок цепким взглядом окинул Копешкина, должно быть прикидывая, какие можно к нему применить декорацию и реквизит, чтобы и этому недвижному солдату придать бравый вид.

— К нему, дед, не лезь, — сказал строго Бородухов.

— Но, может быть, он желает?

— Ничего он не желает. Не видишь, что ли?

— Понимаю, понимаю, — старичок приложил палец к губам и на цыпочках отошел от койки. — Хотя можно было и его... Что-нибудь придумали б... У меня, знаете, были очень трудные случаи...

— Давай кончай...

— Тогда счастливо выздоравливать. Фотографии только через десять дней. Много работы. Тула... Владимир... Это все моя зона. Что поделаешь. Нету хороших мастеров, нету... Ах, такой день, такой день! Слава богу, дожили наконец...

Он зачехлил аппарат, сложил в баул все свои бебехи, галантно раскланялся, доставая кепкой до пола, и неслышно вышмыгнул за дверь.

— Трупоед... — сплюнул Бородухов.

Госпитальный садик все еще гудел народом. Играла музыка — все больше вальсы, от которых щемило сердце.

Саенко и Бугаев вернулись в палату с красными бантами на пижамах и с охапками черемухи.

Перед обедом нам сменили белье, побрили, потом, зареванная по случаю праздника, с распухшим носом, тетя Зина разносила янтарно-желтый суп из кабана.

— Кушайте, сыночки, кушайте, родненькие, — концом косынки она утирала мокрые морщинистые щеки. — Суп-то нынче добрый...

Ох ты, господи! А я как услышала, так и села. Сколько по этим-то итажам выбегала, сколь носилок перетаскала и — ничего. А тут хочу, хочу встать, а ноги как не мои... Да неужто, думаю, все уже кончилося? Аж не верится. Какого супостата одолели, какую юдолю вытерпели. Как вспомню, как вспомню...

Слезы опять выступили на ее глазах, она торопливо утерлась и тут же улыбнулась, просветлела лицом.

— Кушайте, кушайте, а я пойду котлеток принесу. Поправляйтесь на здоровье, уж теперь недолго осталося...

Дверь распахнулась от толчка сапогом, в палату грузно протиснулся начхоз Звонарчук с неузнаваемо обвисшими усами на широком потном лице.

— Погодьте, погодьте исты!

На вытянутых руках он нес медный самоварный поднос с несколькими темно-красными стаканами.

— З победою вас, товаришчи! — поздравил он усталым, по-детски тонким голоском. — Скильки вас у палати?

— Семеро осталось.

— Ага, точно... Тут вам вид имени администрации... Саенко, распорядысь.

— Есть распорядиться! — Саенко с готовностью подпрыгал к подносу и составил стаканы на Михаеву тумбочку. — Давайте с нами, товарищ начхоз. За Победу.

— Ни, хлопци. Нема часу. — Он вытер рукавом халата потный лоб. — У мэни ще сто двадцать душ. Ух ты, чертяка, запалывси як...

Начхоз еще раз поглядел на стаканы: то ли пересчитывал в уме для отчетности, то ли просто так — как на произведение собственной расторопности. Видно, это вино досталось ему нелегко.

— Так вы давайте... А то суп охолонет.

— Спасибо.

— Було б за що.

Он ушел.

Саенко осторожно, чтобы не пролить, не прыгая, как всегда, а волоча раненую ногу по полу, при полном молчании всех присутствующих, разнес стаканы по тумбочкам. Лицо его при этом было озабоченным и строгим, а нижняя губа аскетически поджата, словно у ксендза при свершении исповеди.

Да и правда, эти рубиново-красные, наполненные до краев стаканы воспринимались в нашей бесцветно-белой палате как нечто небывало-торжественное, обещали какое-то таинство.

Минуту-другую каждый молча созерцал свой стакан.

— Ну что, солдаты... Что задумались? Давайте колыхнем, что ли... — предложил Саенко.

— Да давайте.

— Пусть сперва Михай, — сказал Бородухов.

— Верно, пусть он сперва. А то как же ему...

— Это само собой. — Бугаев взял Михаев стакан. — Ты давай присядь, а то не дотянусь.

Михай послушно сел на край койки, запрокинул голову.

— Ну, браток... за Победу!

— Ага.

— Жаль, нельзя с тобой чокнуться...

По лицу Михая скользнула виноватая улыбка.

— Ну ничего... поехали.

Мы посмотрели, как Бугаев, наклоняя стакан, вылил вино в птенцово раскрытый рот молдаванина.

— Во, парень, — удовлетворенно сказал Бугаев. — Это дело. Ничего, наловчишься... — Он вытер пижамным рукавом Михаев подбородок, по которому скользнула алая струйка, и, зачерпнув из супа картофелину, дал ему закусить. — Я одного такого знал, как ты, так он приспособился: зубами брал стакан за край и высасывал все до донышка!..

— Вино пить можно. А как его теперь дэлать будешь? — Михай тряхнул узлами рукавов. — Вину руки нужны.

— Ничего, браток! Не падай духом. Жинка поможет.

— А-ай-ай... — Михай покачал головой.

— Ну, будет, будет про это... — прервал Бородухов и степенно провозгласил: — Давайте, робяты, за дальнейшую нашу жисть выпьем... Как она дальше пойдет... Что было — то было, будь оно неладно! Живым жить, живое загадывать.

Мы выпили.

Прибежала Таня, поздравила с праздником, поставила на нашу с Копешкиным тумбочку букет подснежников, принялась кормить его с ложки.

Копешкин, глотая жижу, морщился, пускал пузыри.

— Ты ему винца вплесни, — посоветовал Саенко.

— Вы что, смеетесь?

— А что? Пусть солдат разговеется.

— Ему же нельзя.

— Дай, дай ему. Отпусти ты его душу на волю. Вот увидишь, полегчает с вина-то.

— Не говорите глупостей.

— Ох уж эти лекари! Хуже жандармов. Может, ему только и осталось, что посошок выпить. Сердца у вас нету.

— Все, славяне! Завтра буду проситься на выписку, — решительным тоном сказал Саша Самоходка.

Таня посмотрела в его сторону, укоризненно покачала головой.

— Не выпишут — убегу. Тань, поехали со мной, а? На Волгу. Красота!

— По дороге потеряешь, — засмеялась Таня.

— Честное гвардейское! Я ведь к тебе, можно сказать, привык. Осталось только расписаться. — Саша заметно охмелел, да и все тоже порозовели, заблестели глазами. — Ребята, поехали? Нашими дружками будете. Такую свадьбу сварганим... Эх, и хорошо у нас, братцы! Деревня высоко-высоко, а внизу Волга... Всю видать, на пятнадцать верст туда и сюда. Пароходы идут, гудки, бакены по вечерам... Михай, поехали?

— Нэ-э, я домой.

— Что у тебя там? Успеешь.

— Как что? — Михай вскинул рыжие брови. — Как что? Не был — не говори!

— Нет, брат. — Самоходка мечтательно уставился в потолок. — Где Волга не течет, там не жизнь.

— Зачем зря говоришь? Зачем? А виноград у вас есть? А вино наше пил? Нэ пил.

— Квас, знаю.

— Что понимаешь? — горячился Михай. — Давай спорить! Квас, да? Налью тебе кружку, вот такую большую, — он сдвинул культи, показывая, какую кружку нальет Самоходке. — Пей, пожалуйста! Выпьешь — под бочку упадешь. Как мертвый будешь. Э-э, что говоришь — нету жизни. Поедем — увидишь. Что Волга? Что Волга? Мы воду нэ пьем, мы вино пьем. Молдова, понял?

— Что ж вы не едите? — качала головой Таня, насильно вливая Копешкину бульон. — Ну съешьте еще хоть ложечку. Горе мне с вами...

— А у нас на Мезени пиво теперь варят. — Бородухов, только что побритый, в свежей рубахе, чинно прихлебывал наваристый суп, всякий раз подпирая донышко ложки куском хлеба.

— Сегодня везде празднуют, — сказал Саенко.

— Празднуют, да не так. У нас, на Мезени-то, бабы старинное надевают. Хороводы водят, песни поют. А потом сядут в лодки да по Мезени... А пиво я люблю, чтоб с брусникою. — Бородухов выразительно покрякал, провел ладонью по рту, будто обтер пивную пену. — Благо! Давно не пивал. — И добавил задумчиво: — Оно, поди, теперь не из чего варить...

Таня кое-как покормила Копешкина и, сама больше намучившись, ушла.

Ей надо было смениться еще в девять утра, но она осталась помогать по случаю праздника. И было жаль, что еще не посидела с нами. Самоходка прав: мы привыкли к ней и — чего уж темнить! — почти все были тихо влюблены в нее...

Вино разбередило, ребята зашумели, заспорили, где жить лучше. Вмешались Саенко с Бугаевым, стали рассказывать о Сибири.

Оба были родом из-за Урала, только Саенко происходил из степных алтайских хохлов, а Бугаев — коренной енисейский чалдон.

«Сколько разных мест на земле», — думал я, слушая разговоры.

Лежали раненые и в других палатах, и у них тоже были где-то свои единственные родные города и деревни. Были они и у тех, кто уже никогда не вернется домой... Каждый воевал, думая о своем обжитом уголке, привычном с детства, и выходило, что всякая пядь земли имела своего защитника.

Потому и похоронные так широко разлетались, так густо усеяли русскую землю...

— Тише, ребята... — Бородухов первый заметил, как Копешкин зашевелил пальцами. — Чего тебе, браток?

Мы насторожились.

— Пить?

Копешкин отрицательно пошевелил кистью руки.

— Утку?

Копешкин поморщился.

Припрыгал Саенко, наклонился над ним.

— Ты чего, друг?

Копешкин что-то шепелявил сухими ломкими губами.

— Так, так... Ага, понял... — Саенко закивал и перевел нам: — Говорит, у них тоже хорошо жить. Давай, давай, Копешкин, расшевеливайся! Вот молодец! Ну-ка, расскажи, как там у вас... Это где ж такое? А-а, ясно... Пензяк ты. Ну и что там у вас?

— Хорошо тоже... — разобрал я слабый, будто из-под земли, голос Копешкина.

— Заладил: хорошо да хорошо... А что хорошего-то? Лес есть или речка какая?

Копешкин пытался еще что-то сказать о своих местах, но не смог, обессилел и только облизал непослушные губы.

Мы помолчали, ожидая, что он отдышится, но Копешкин так больше и не заговорил.

В палате воцарилась тишина.

Я пытался представить себе родину Копешкина. Оказалось, никто из нас ничего не знал об этой самой пензенской земле. Ни какие там реки, ни какие вообще места: лесистые ли, открытые... И даже где они находятся, как туда добираться. Знал я только, что Пенза где-то не то возле мордвы, не то по соседству с чувашами. Где-то там, в неведомом краю, стоит и копешкинская деревенька с загадочным названием — Сухой Житень, вполне реальная, зримая, и для самого Копешкина она — центр мироздания.

Должно быть, полощутся белесые ракиты перед избами, по волнистым холмушкам за околицей — майская свежесть хлебов. Вечером побредет с лугов стадо, запахнет сухой пылью, скотиной, ранний соловей негромко щелкнет у ручья, прорежется молодой месяц, закачается в темной воде...

Я уже вторую неделю тренировал левую руку и, размышляя о копешкинской земле, машинально чиркал карандашом по клочку бумаги. Нарисовалась бревенчатая изба с тремя оконцами по фасаду, косматое дерево у калитки, похожее на перевернутый веник. Ничего больше не придумав, я потянулся и вложил эту неказистую картинку в руки Копешкина. Тот, почувствовав прикосновение к пальцам, разлепил веки и долго с вниманием разглядывал рисунок.

Потом прошептал:

— Домок прибавь... У меня домок тут... На дереве...

Я понял, забрал листок, пририсовал над деревом скворечник и вернул картинку.

Копешников, одобряя, еле заметно закивал заострившимся носом.

Ребята снова о чем-то заспорили, потом, пристроив стул между Сашиной и Бородуховой койками, шумно рубились в домино, заставляя проигравшего кукарекать. Во всем степенный Бородухов кукарекать отказывался, и этот штраф ему заменяли щелчками по роскошной лысине, что тут же исполнялось Бугаевым с особым пристрастием под дружный хохот. Михай в домино не играл и, уединившись у окна, опять пел в закатном отсвете солнца, как всегда глядя куда-то за петлявшую под горой речку Нару, за дальние вечереющие холмы. Пел он сегодня как-то особенно грустно и тревожно, тяжко вздыхал между песнями и надолго задумывался.

Прислоненная к рукам Копешкина, до самых сумерек простояла моя картинка, и я про себя радовался, что угодил ему, нарисовал нечто похожее на его родную избу. Мне казалось, что Копешкин тихо разглядывал рисунок, вспоминая все, что было одному ему дорого в том далеком и неизвестном для остальных Сухом Житне.

Но Копешкина уже не было...

Ушел он незаметно, одиноко, должно быть, в тот час, когда садилось солнце и мы слушали негромкие Михаевы песни.

А может быть, и раньше, когда ребята стучали костяшками домино. Этого никто не знал.

В сущности, человек всегда умирает в одиночестве, даже если его изголовье участливо окружают друзья: отключает слух, чтобы не слушать ненужные сожаления, гасит зрение, как гасят свет, уходя из квартиры, и, какое-то время оставшись наедине сам с собой, в немой тишине и мраке, последним усилием отталкивает челн от этих берегов...

Пришли санитары, с трудом подняли с кровати тяжелую, промокшую гипсовую скорлупу, из которой торчали, уже одеревенев, иссохшие ноги Копешкина, уложили в носилки, накрыли простыней и унесли.

Вскоре неслышно вошла тетя Зина со строгим, отрешенным лицом, заново застелила койку и, сменив наволочку, еще свежую, накрахмаленную, выданную сегодня перед обедом, принялась взбивать подушку.

Я онемело смотрел на взбитую подушку, на ее равнодушную, праздную белизну, и вдруг с пронзительной очевидностью понял, что подушка эта уже ничья, потому что ее хозяин уже ничто... Его не просто вынесли из палаты — его нет вовсе. Нет!.. Можно было догнать носилки, найти Копешкина где-то внизу, во дворе, в полутемном каменном сарае. Но это будет уже не он, а то самое непостижимое нечто, именуемое прахом. И это все? — спрашивал я себя, покрываясь холодной испариной. — Больше для него ничего не будет? Тогда зачем же он был? Для чего столь долго ожидал своей очереди родиться на земле? Эта возможность его появления сберегалась тысячелетиями, предки пронесли ее через всю историю — от первобытных пещер до современных небоскребов. Пришло время, сошлись, совпали какие-то шифры таинства, и он наконец родился...

Но его срезало осколками, и он снова исчез в небытие... Завтра снимут с него теперь уже ненужную гипсовую оболочку, высвободят тело, вскроют, установят причину смерти и составят акт.

— Ох ты, — проговорила нянька, подняла с пола оброненную санитарами картинку с копешкинской избой и прислонила ее к нетронутому стакану с вином.

Картинка была моей вольной фантазией, но теперь нарисованная изба обратилась в единственную реальность, оставшуюся после Копешкина. Я теперь и сам верил, что такая вот — серая, бревенчатая, с тремя окнами по фасаду, с деревом и скворечником перед калиткой, — такая и стоит она где-то там, на пензенской земле. В это самое время, в час сумерек, когда санитары укладывают Копешкина в госпитальном морге, в окнах его избы, должно быть, уже затеплился жидкий огонек керосиновой лампы, завиднелись головенки ребятишек, обступивших стол с вечерней похлебкой. Топчется у стола жена Копешкина (какая она? как зовут?), что-то подкладывает, подливает... Она теперь тоже знает о Победе, и все в доме — в молчаливом ожидании хозяина, который не убит, а только ранен, и, даст бог, все обойдется...

Странно и грустно представлять себе людей, которых никогда не видел и наверняка никогда не увидишь, которые для тебя как бы не существуют, как не существуешь и ты для них...

Тишину нарушил Саенко. Он встал, допрыгал до нашей с Копешкиным тумбочки и взял стакан.

— Зря-таки солдат не выпил напоследок, — сказал он раздумчиво, разглядывая стакан против сумеречного света в окне. — Что ж... Давайте помянем. Не повезло парню... Как хоть его звали?

— Иваном, — сказал Саша.

— Ну... прости-прощай, брат Иван. — Саенко плеснул немного из стакана на изголовье, на котором еще только что лежал Копешкин. Вино густо окрасило белую крахмальную наволочку. — Вечная тебе память...

Оставшееся в стакане вино он разнес по койкам, и мы выпили по глотку. Теперь оно показалось таинственно-темным, как кровь.

В вечернем небе снова вспыхивали праздничные ракеты.

1969

ШОПЕН, СОНАТА НОМЕР ДВА

После первых осенних дождей серый пыльный большак почернел, умягчился упруго и был до глянца накатан автомобильными колесами. Сахарозаводской грузовик бежал по нему ходко, почти не гремя бортами, будто по асфальту. В шоферскую кабину никто не стал подсаживаться, всем оркестром в двенадцать человек ехали в кузове на клубных откидных стульях. Здесь, на вольном ветерке, можно было курить, слушать, как Ромка, валторнист, травит свои бесконечные анекдоты, и перешучиваться со студентами, присланными убирать сахарную свеклу. Машина, сверкавшая никелем труб, привлекала девчат, что работали по всей дороге, они отрывались от бурачных куч и с любопытством глядели из-под ладоней, выпачканных землей, на разнаряженных музыкантов.

— Эй, завлекалки! — задевали их ребята. — Сыграть вам па-де-де? Чтоб веселее работалось?

Ромка хватал с колен валторну и, пузырясь на ветру плащом-болоньей, рвал студеный осенний воздух рублеными пронзительными звуками «Лебединого озера»: «Лата-та-та-та-а-тара-та-а-а...»

В ответ летели бураки, грохали по машине, парни, с хохотом пригибаясь, прятали головы за высокие планчатые борта, а Пашка, схватив тарелки, ловко, по-теннисному, со звоном отбивал ими свеклу.

— Полегче, полегче там! — кричал он с азартом, поправляя сбитую кепку. — Чего урожай расходуете!

— Взяли б да помогли! — кричали девчата. — Ишь вырядились! Тунеядцы!

Машина проносилась мимо, а по сторонам, зажигаясь шутливой перебранкой, уже бежали к дороге, к грузовику, новые стайки девчат и дружно бомбили кузов бураками.

— Эх, соскочу! — хохотал Пашка. — Ой, поймаю курносую! — Под градом бураков он уже не отбивался, а лишь закрывал лицо тарелками, тогда как Ромка, высунув за борт один только раструб, продолжал неистово дудеть, подзадоривать студенток: «Ти-та-та-та-та-а-а...»

Шофер неожиданно тормознул, в решетке заднего окна показалось его злое лицо.

— Вы что, чокнутые? Стекла побьют!

Дядя Саша, старший в оркестре, от самого завода ехавший стоя, облокотись о кабину, и тоже во время налета девчат вынужденный пригибать голову, обернулся и осадил парней:

— Хватит вам! Павел, ты как с инструментом обращаешься?

— А что ему сделается? — Пашка с недоумением повертел никелированными дисками.

Дядя Саша нахмурился.

— Положи тарелки. Нашел игрушки! И вы тоже — угомонитесь.

— Все, старшой, все!

Ребята нехотя рассаживались по стульям. А дядя Саша ворчал:

— Разбаловались, понимаешь... Не на свадьбу едем. Понимать надо.

— Ну все, отбой. Мир-дружба!

Серенькая, в мелком крапе кепка старшого была надвинута до самых бровей. От встречного ветра фиолетово синели впалые щеки, выбритые перед самым отъездом. Из кармана жесткого шевиотового плаща воронкой кверху торчала его сольная труба в черном сатиновом чехольчике. По давней привычке он всегда держал ее при себе.

Ромка снова принялся за свои байки, ребята обступили его, висли на плечах друг у друга, гоготали вовсю. А дядя Саша, расстегнув плащ, из-под которого сверкнула на пиджаке красная орденская звездочка, достал из бокового кармана сигарету и, раскурив ее в затишке, за кабиной, продолжал отрешенно глядеть на бегущую встречь дорогу.

Мимо с глухим ревом и чадными выхлопами прошел КрАЗ. В кузове, нарощенном грубыми неоструганными досками, и в двух его прицепах дядя Саша успел разглядеть серые вороха еще не просохшей свеклы. Следом промчались два голубых близнеца-самосвала — тоже со свеклой, и у обоих на дверцах по белому знаку автотранса. Колхозы спешили, пока позволяла погода, управиться с самой докучливой культурой.

Великая русская равнина в этих местах постепенно начинала холмиться, подпирать небо косогорами, отметки высот уже уходили, пожалуй, за двести метров и выше. В глубокой древности эту гряду холмов так и не смог одолеть ледник, надвинувшийся из Скандинавии. Он разделился на два языка и пополз дальше, на юг, обтекая гряду слева и справа.

И может быть, неслучайно на этих высотах, не одоленных ледником, без малого тридцать лет назад разгорелась небывалая битва, от которой, как думалось дяде Саше, спасенные народы могли бы начать новое летосчисление. Враг, грозивший России новым оледенением, был остановлен сначала в междуречье Днепра и Дона, а потом разбит и сброщен с водораздельных высот. В августе сорок третьего, будучи молодым лейтенантом, тогда еще просто Сашей, он заскочил на несколько дней домой и успел захватить следы этого побоища на южном фасе. К маленькой станции Прохоровке, куда был нацелен один из клещевых вражеских ударов, саперы свозили с окрестных полей изувеченные танки — свои и чужие. Мертво набычась, смердя перегоревшей соляркой, зияя рваными пробоинами, стояли рядом «фердинанды», «тигры», «пантеры», наши самоходки и «тридцатьчетверки», союзные «Черчилли», «шерманы», громоздкие многобашенные «виктории». Они образовали гигантское кладбище из многих сотен машин. Среди них можно было и заблудиться.

Дядя Саша курил на ветру, оглядывая высоты, ныне дремлющие под мирными нивами, а сзади него ребята шумно обсуждали какую-то поселковую новость.

— Зойка приехала? — слышался возбужденный Пашкин голос. — Заливаешь?

— Сам видел, — рассказывал Роман. — Юбка — во! До пят. С каким-то флотским.

— Хахадь небось.

— Да похоже — муж. В универмаге ковер смотрели. Я подхожу: привет, Зоя. А она черными очками зырк-зырк: «Это вы, Рома? Я вас и не узнала. Богатым будете».

— Про меня не спросила? — с неловкостью хохотнул Пашка.

— Нужен ты ей больно!..

Тогда, в Прохоровке, дожидаясь попутной машины домой, на сахарный завод, дядя Саша долго ходил среди танковых завалов. Знойный августовский ветер подвывал в поникших пушечных стволах, органно и скорбно гудел в стальных раскаленных солнцем утробах. Но и мертвые, с пустыми глазницами триплексов, танки, казалось, по-прежнему ненавидели друг друга. Дядя Саша разглядывал пробоины, старался распознать, кто и как обрел свой конец, пока не натолкнулся в одном месте на тошнотворно-сладкую вонь, исходившую от «тигра» с оторванной пушкой. Видно, наши саперы, перед тем как оттащить танк с поля боя, по небрежности не обнаружили внутри, проглядели труп немецкого танкиста. А может, в тот момент он еще и не был трупом...

— Спорим, уведу! — все кричал, горячился Пашка за спиной дяди Саши. — Нет, спорим?!

— Кого, Зойку? От этого морячка? Сядь, не рыпайся.

— Давай на бутылку коньяку. Жорик, будь свидетелем!

— Брось, дело дохлое, — успокаивал Ромка. — Морячок — что надо. Бумажник достал за ковер платить — одни красненькие.

— Плевал я на красненькие. Только пальцем поману. Я ж с ней первый гулял.

— Ты первый? Ну, трепач!..

Теперь этого танкового кладбища нет. Оно распахано и засеяно, а железный лом войны давно поглотили мартены. Заровняли и сгладили оспяные рытвины от мин и фугасов, и только по холмам остались братские могилы.

Дядя Саша, иногда наведываясь в поля с ружьецом, замечал, как трактористы стороной обводят плуги, оставляют нетронутыми рыжие плешины среди пашни. И как пастухи, выгоняя гурты на жнивье, не дают скотине топтать куртинки могильной травы. Лишь иногда просеменит меж хлебов к такому месту старушка из окрестной деревни, постоит склоненно в немом раздумье и, одолев скорбь, примется выпалывать с едва приметного взгорка жесткое чернобылье, оставляя травку поласковей, понежнее: белый вьюнок, ромашку, синие цветы цикория, а уходя — перекрестит эту траву иссохшей щепотью. Случалось, дядя Саша и сам нечаянно набредал на такой островок, где в жухлой осенней траве среди пашни охотно ютились перепелки, и подолгу задерживался перед ржавой каской, венчавшей могильное изголовье. Иногда сидел здесь, усталый, до самой вечерней зари, наедине со своими мыслями, смотрел, как печально сочатся закаты над этими холмами, и казалось ему, будто зарытые в землю кости все прорастают то тут, то там белыми обелисками и будто сам он, лишь чудом не полегший тогда во рву, прорастает одним из них...

— Дядь Саш! — не сразу услыхал старшой. — А дядь Саш!

Он обернулся и увидел граненый буфетный стакан, протянутый Севой-барабанщиком. Круглое лицо Севы с выступающей из-под берета ровной челочкой было деловито озабоченно. От хода грузовика водка всплескивалась, подмачивая половинку соленого огурца, которую он придерживал большим пальцем поверх стакана.

— С нами за компанию, — поддержал Иван, по прозвищу «Бейный», высокий нескладный парень с белесым козьим пушком на скулах, игравший в оркестре на бейном басе.

Дядя Саша чуть было не сорвался, чуть не крикнул на Севу: «Ах ты паршивец! Ты ж еще в девятый класс ходишь, еще молоко на губах не обсохло! Выгоню к чертовой матери из оркестра!» Но не выдержал его мальчишески-ясного, доброго, терпеливого взгляда, смягчился и только сказал:

— Я не буду. Спасибо.

— Дядь Саш! Ну, дядь Саш! — наперебой загомонили ребята: и Ромка, и альтовик Сохин, и второй тенор Белибин.

Дядя Саша недовольно молчал.

— Ладно тебе, шеф! — с обидой сказал Пашка. — Холодно ведь. До костей продуло. — Он зябко потер ладони. — А ты не будешь, так и мы не будем.

— Нет, ребята, — твердо сказал дядя Саша. — Вы как хотите, а я не могу дышать водкой в мундштук. Мне Гимн сегодня играть, — и отвернулся.

— Так и нам играть! — почему-то обрадовались ребята. — Что ж теперь, выливать за борт?

— Да заткнитесь вы! — оборвал Ромка.

— Севка! — обиженно крикнул барабанщику Пашка. — Дай сюда стакан! Дай, говорю, — и, досадливо кривясь, целясь из стакана в горло бутылки, зажатой меж колен, обрызгивая брюки, стал переливать водку. — Ну и черт с вами! — ворчал он громко неизвестно на кого. — Все такие идейные стали. Еще попросите, а я не дам.

Въехали в знакомую Тихую Ворожбу. Наново отстроенное село больше не угрюмилось соломенными кровлями. Перед домами за весело раскрашенными штакетниками багряно кучерявилась вишенная молодь. На еще зеленой уличной траве мальчишки, отметив кирпичами футбольные ворота, азартно гоняли красно-синий мяч с западающими боками. Увидев грузовик с оркестром, они всей ватагой помчались следом, свистя и горланя. И долго еще гналась вслед рыжая собачонка, с хриплым лаем подкатываясь под заднее колесо. Сева, перевесившись через борт, поддразнивал ее, замахиваясь барабанной колотушкой.

— Ну, честное слово, как маленькие, — досадливо обернулся дядя Саша.

Ему почти не верилось, что на этой тихой улочке, по ее мураве, некогда тянулись глинистые, гнойно-желтые рубцы окопных брустверов, звякали под ногами стреляные гильзы и сухой ветер рассеивал золу с горячих еще пепелищ.

Громыхнул под колесами расшатанный мостик, внизу холодно блеснула осенняя вода, усыпанная палым листом, и сразу же на той стороне, на взгорке, завиднелись избы, но уже другого села, Заполья, тоже восставшего из праха.

Свернув с большака, проехали еще какие-то деревни и раза два пересекли похожие друг на друга речушки. Они во множестве начинались здесь, среди этих водораздельных высот, и разбегались на все стороны света: одни — на запад, к Днестру, другие — к Дону, иные же, сливаясь с притоками, несли свою ключевую свежесть далекой Волге.

За последней деревней, за сырым кочковатым лугом, выпер очередной увал. Сквозь редкие ольхи чернел он осенней пахотой, был крут и наг, как все здешние высоты, на которых из-за ветров и безводья не принято было устраивать жилья, а лишь ставились в прежние времена ветряные мельницы, сгинувшие бесследно в огне последней войны. Мельниц там больше не возводили, а только под осень выметывали соломенные стога, у которых потом, уже по снегу, мышковали голодные лисы. Отсюда, снизу, казалось, что нахолодавшие облака сизым брюхом задевали неприютную хребтину, и там, на ветряном юру, вдруг стала видна на черной перепаханной земле большая пестрая толпа. Люди вдали безмолвно по-мурашиному копошились, перемешивались на одном и том же пятачке, и оттого порой пронзительно вспыхивало под низким солнцем стекло стоявшей там автомашины. Глядя на этих людей, на их молчаливое топтание в пустынном поле, уже прибранном под зиму, на котором не могло быть никакой работы, никакой причины собираться гуртом, парни в кузове невольно присмирели, поняв, что это и есть то самое место, куда их вез старшой.

Молча въехали проселком на крутую гору, по свежим колеям свернули на тряскую пахоту. Чуть поодаль от толпы, за соломенной скирдой, стояли мотоциклы, грузовые машины, прямо на земле лежали велосипеды. У брошенной сеялки белела «Волга». Люди толклись на лоскуте нетронутой желтой стерни, вокруг покрытого брезентом невысокого конуса. Тут же, у подножия, валялись оставшиеся от кладки битые кирпичи, доски опалубки, заляпанные цементом. Школьники в ярких галстуках и белых одинаковых пилоточках старательно собирали весь этот мусор.

К машине с оркестром тотчас подошло несколько человек, и дядя Саша сразу узнал бывших фронтовиков из здешних деревень, с которыми не раз встречался в райбольнице, на втэковских комиссиях. Прямо через борт он обрадованно пожал руку Степану Холодову из Долгушей, Тихону Аляпину с железнодорожного разъезда, однополчанину Федору Бабкину, еще двум-трем незнакомым мужикам и деду Василию, который, не глядя на хромоту, шустро суетился вокруг грузовика.

— Давай, ребята, струмент сюда, — хлопотливо распоряжался дед Василий, ладонью отбивая крючья заднего борта. На нем была артиллерийская фуражка тех лет, еще свежая, незаношенная, должно быть, он берег и надевал ее только по торжественным случаям, а на груди совсем не по уставу, прямо на новенькой синей телогрейке, покачивались белые и желтые медали. — На травку струмент. Несите, на травку.

Он принял через борт самую большую слепящую никелем трубу и бережно понес ее перед собой, как горячий самовар. Тихон и однорукий Степан потащили за растяжки барабан. Вслед понесли, ближе к обелиску, все остальные дудки и трубы. Тут же, на стерне, уже были разложены рядком еловые венки с яркими бумажными цветами.

— На траве оно мягче, — уважительно приговаривал дед Василий. — Струмент все-таки. Вещь ценная.

По всему было видно, что кроме оркестра ждали еще кого-то. Под скирдой в затишке сидели женщины. Возле них гомонили дети, затеяли беготню в салочки вокруг соломы. Тут и там прохаживались принаряженные парни с девчатами. Пашка, а за ним и остальные заводские, словно бы невзначай, подошли к местным. После церемонных рукопожатий парни сразу закурили, и вот уже Роман под одобрительные смешки принялся травить свои байки.

Несколько мужчин, должно быть, председатели колхозов, все в коротких плащах и шляпах, обособленно держались возле светлой «Волги». На загорелых шеях белели негнущиеся воротнички нейлоновых сорочек. Они тоже покуривали без нужды и были несколько скованы непривычной торжественностью своей одежды и ожиданием предстоящего. Фронтовики постояли возле сложенных труб, разглядывая хитросплетения блестящих колен и клапанов, потом, как всегда при встречах, принялись вспоминать, кто и где воевал, докуда дошел, где застала победа.

— У тебя, Федор, помнится, вроде бы «Слава» была? — спросил дядя Саша.

Федор махнул рукой сокрушенно:

— Да не нашел. Кинулся в сундук — вот эти лежат, а «Славы» нету. Небось внук, демоненок, баловался и задевал куда-то. Приставал, помню: дай поносить, дай поносить. Ну, на, говорю, померяй, побудь в героях. А он, вишь, и забельшил невесть куда.

— А то, глядишь, променял дружкам на какую свистульку, — дед Василий смеялся беззубым ртом. — Понятия никакого нету, чем за это плачено.

— Дак, они, медали-то, вроде как уж и без надобности были, — сказал незнакомый дяде Саше мужик в литых резиновых сапогах. — Победу и ту однова забыли спраздновать. Самый для орденов подходящий день. Многие поотвыкли, вроде и совестно выряжаться. Это вот теперь опять надевать начали.

Старые солдаты, смущаясь, исподволь разглядывали друг на друге боевые награды — у кого сколько и какие.

— Медали пришпилить — куда ни шло, — сказал Степан Холодов, взглянув на новую телогрейку деда Василия. — От них на одежке никаких следов не остается. А ежели, к примеру, Красную Звезду, дак эвон какая дырка! К маю купил новый костюм, и сразу задача: надевать орден ай нет? И надеть охота, и костюм дырявить жалко.

— Оно ежели б как раньше: навинтил, да и носи без съему, — поддакнул фронтовик в резиновых сапогах.

— Ну да, ну да, — кивнул Холодов. — Не станешь же потом всякому пояснять, что дырка-то не простая, а почетная.

Солдаты посмеялись незатейливой шутке, и Холодов спросил:

— Ты, Федор, за свою «Славу» сколько получал?

— Уж и не помню... Рублей тридцать, кажись. Еще старыми.

— Выходит, трешку по-нонешнему?

— Дак нынче и вовсе ничего, — заметил Тихон Аляпин.

— Знаю, что ничего. Это я так, прикинуть. А вообще-то надо бы опять платить наградные. Раз уж ордена начали носить.

— Всем платить — ого, сколь надо!

— Да уж сколь? Всего-то рублишко за «Отвагу».

— Тебе рубль да другому рубль — мильон и набежит. Одной «Отваги» и то знаешь сколько?

— Ну, не скажи. Теперь не больно-то густо осталось, — возразил Холодов. — Много ее, «Отваги»-то, на красных подушечках отнесли. Одних маршалов сколь проводили. По газетам гляжу: то один, то другой в черной рамке. А уж нашего брата и подавно большой укос. Да вот считай: тогдашним новобранцам и то уже под пятьдесят...

— Так-то оно так. Костлявая чинов не разбирает...

— Выходит, казне полегче теперь стало. Можно бы какую мзду и начислить солдату, который еще уцелел.

— Ну и крохобор ты, Степк! — сплюнул Федор. — Дай награду тебе, да еще мзду в карман. Да нешто мы наемники, что ли? Не чужое оборонили, свое, кровное. К тебе, допустим, в хату воры полезли, а ты их взял да и поколотил. А потом матери своей говоришь: «Я воров прогнал, проявил геройство, давай, мать, за это трояк!» Ведь не станешь у своей же матери требовать? Не станешь! Так и это надо понимать.

— Ну, уел, уел он тебя, Степка! — засмеялись фронтовики. — Ничего не скажешь!

— Да я про что? — тоже рассмеялся Холодов. — Мне разве деньги нужны, чудак-человек. Трешка — какая пожива? А когда прежде их платили, вроде бы пустяк, табашные деньги, а — приятно! Вот я про что. Идешь, книжечку предъявляешь — тебе очередь уступают, глядят с уважением.

— Тебе и сейчас уступают, вон рукав пустой.

— Да не дюже-то раздвигаются.

— Э-э, мужички! — воскликнул дед Василий. — Какой разговор завели! Скажи спасибо, живы остались. Сам бы от себя платил!

К фронтовикам подошел председатель здешнего колхоза Иван Кузьмич Селиванов. Грузный, страдающий одышкой, он был тоже увешан орденами, тесно лепившимися вдоль обоих пиджачных бортов. И даже покачивался на голубой ленте какой-то инодержавный «лев», который за неимением места расположился почти на самом животе. Казалось, Селиванов потому так тяжко дышал и отдувался, что непривычно нагрузил себя сразу такой уймой регалий.

— Привет, гвардия! — сипло пробасил он, расплываясь в улыбке своим добрым простоватым лицом, и сам тоже, как и все прежде, вскользь, ревниво пробежал живыми серенькими глазами по наградам собравшихся.

Дед Василий плутовато сощурился:

— Упрел, однако, Кузьмич! Шутка ли, такой иконостас притащил. Никаких грудей не хватит — наедай не наедай.

В другом месте так лихо и не посмел бы созоровать дедко, но тут, в кругу бывалых окопников, действовал свой закон братства, отстранявший всякие чины, и прежний ездовой безо всякого подкузьмил прежнего командира полка, а ныне — своего председателя. Да и все знали: Кузьмич — мужик свой, не чиновный, с ним можно. Если к месту, конечно.

Иван Кузьмич тоже не остался в долгу перед дедом Василием:

— Свои-то ты, поди, гущей начистил? Сверкают — с того конца поля видать.

— Не-е, Кузьмич, не угадал! — зареготал дед Василий. — Это не я. Это мне баба надраила.

Фронтовики засмеялись.

— Ей-бо, не брешу. Я хотел было так иттить, а она: не хорошо, говорит, с такими нечищенными на народ.

— Ай да молодец баба! — весело похвалил Иван Кузьмич. — Вот кому ордена носить — женщинам нашим!

— Это точно! Ежели по совести, то в самый раз пополам поделить. Одну половину нам, а другую им. Нам за то, что воевали, а им за то, что тыловали. А это ничуть не слаще войны.

— Значит, это старуха тебе так наблистила?

— Она, она! Да и как не наблистить? — развел руками дед Василий. — Ну, которые там медные, ладно. А то ить из серебра, а вот, скажи ж ты, тоже портятся, тускнеют. Я их и в сухое место прятал, на комель, — все едино гаснут. Нету того блеску, как было.

— Время, отец, время работает, — сказал Иван Кузьмич.

— Что там медали! Мы и сами, гляди, как потускнели, поистратились, — заметил Федор. — У всех вон седина из-под шапок.

— А у меня дак и вовсе волос упал. — Дед Василий сдернул фуражку и засмеялся: — Во, как коленка! А в Будапешт этаким молодцом вступал.

— Ну ты, Василий Михайлович, и теперь еще герой. — Иван Кузьмич потрепал старика по плечу.

— А я и не рощу! — готовно кивнул дед Василий. — Кукарекаю помаленьку. А то вон которых и совсем нет.

— Ох, и верно, мужики, бежит время! — Тихон Аляпин досадливо пересунул на седой голове путейскую фуражк с молотками. — Соберемся когда вот так, солдаты, глядь — того нет, этот не пришел... Совсем мало нас остается...

— А что ж ты хотел, — сказал Федор. — Ты думал, уцелел, дак война тебя минула. Не-е! Сидит она у всех у нас. Грызет, подтачивает. Кого раны доканывают, кого простудные болезни, а кто животом мается. Даром не прошли эти четыре года...

Дядя Саша достал дюралевый портсигар и протянул его в круг на ладони. Все молча потянулись за сигаретами.

Наконец подкатил райисполкомовский газик, остановился возле белой «Волги». Придерживая шляпу, из машины вышел сам Засекин. Он тоже был в свежей сорочке с галстуком, но в яловых сапогах, изрядно забрызганных грязью. Видно, по пути заезжал куда-то еще, а потому немного припозднился. Вслед за ним выбрался райвоенком, пожилой сухощавый капитан с плащ-палаткой, притороченной на ремешках. Третьим был инструктор ДОСААФа Бадейко. Засекин торопливо пожал руки стоявшим у белой «Волги» и, озабоченно взглянув на часы, сразу же направился к обелиску, собирая за собой, будто невидимым бреднем, быстро густеющую толпу. Молодцеватый инструктор в ухоженных троекуровских баках, с фотоаппаратом через плечо, забегая вперед, громко оповещал:

— Товарищи, товарищи! Давайте подходите ближе! Давайте, давайте! Женщины у скирды, вас тоже касается!

Пока вокруг обелиска собирались люди, теснясь плотным кольцом, дядя Саша подошел к ребятам, уже разобравшим инструменты. Он и сам вынул из кармана свою маленькую трубочку, похожую на пионерский рожок, снял с нее чехол и по привычке несильно, беззвучно подул в мундштук и попробовал клапаны. Музыканты, поглядывая на небо, переминались, пританцовывали в своих легких модных плащах. И действительно, было холодновато. Откуда-то набежали низкие серые тучи. Они накрыли солнце, и стало ветрено, неуютно на открытом и голом угоре.

— Значит, так... — дядя Саша оглядел строй оркестрантов. — Как только снимут брезент — сразу Гимн. Прошу никуда не отлучаться.

— Да не волнуйся, шеф. — Пашка разглядывал себя в сверкающую тарелку, как в зеркало. — Слабаем, что надо.

— Вы мне бросьте это — «слабаем»! — дядя Саша нахмурился. — Ты, Павел, тарелками не очень-то звякай. Только тебя и слышишь.

— А что? Я все по уму. И в нотах указано: форто.

— Форто, форто... Слушать надо. Чувствовать надо мелодию. И весь оркестр. А ты лупишь, как сторож в рельсу.

Пашка обиделся:

— Зря придираешься, старшой.

Тем временем народ вокруг ожидающе притих, и военком, выйдя к подножию памятника, открыл митинг. В районном военкомате он служил уже давно, и знали его многие, особенно фронтовики. С разрубленной осколком нижней челюстью, которая срослась не совсем ладно, искривив ему рот, он выглядел угрюмовато, но был тихим, непритязательным человеком. Еще в самом начале войны, во время эвакуации Шепетовского укрепрайона, он потерял семью — жену и двух девочек — и с тех пор жил бобылем со старенькой матерью, и на его окнах всегда можно было видеть клетки с чижами и серенькими чечетками.

— Друзья мои! — заговорил он, наклонив голову и по привычке поглаживая, застя уродливый шрам ладонью. — Матери и отцы... братья и сестры... дети и внуки! Мы все собрались тут, чтобы почтить память... кто отдал свои жизни...

Быть может, под гулкими сводами зала голос оратора, усиленный микрофонами, и звучал бы как подобает. Но здесь, среди пустынного поля, под необозримым осенним небом, слова показались далекими и бессильными. Толпа задвигалась, еще больше уплотняясь, и детишки, прошмыгивая меж ногами у взрослых, начали пробираться в передние ряды, где послышнее. А Пашка все гудел обиженно:

— Вечно на меня бочку катит. Вон Курочкин ноты прочитать до дела не может, так ему ничего...

— Помолчи, пожалуйста! — досадливо обернулся дядя Саша, пытаясь сосредоточиться, уловить речь военкома.

Налетавший ветер принимался трепать угол брезента на обелиске, порой заглушая речь хлопками, и тогда лишь обрывки фраз долетали до дяди Саши:

— ...дожди смыли кровь павших с этих высот, вы собственными руками заровняли воронки и окопы, засеяли поля хлебом, и мирное солнце светит теперь над вами... Но ничем нельзя смыть нашу скорбь, заровнять наши душевные раны, притупить нашу память...

Военком, забывшись, убрал руку от подбородка, взмахнул ею, рассекая воздух, и стало видно, как нервно напряглась какая-то жила под его щекой, как потянула она всю правую сторону лица книзу.

— Вот возьму и уйду! — Пашка в самом деле отошел в сторону.

— Павел, — прошептал дядя Саша гневно, — встань в строй.

Пашка молчал, упрямо глядя на свои новые штиблеты. Кто-то обернулся в их сторону.

— Встань, говорю! — так же шепотом повторил старшой.

Парень, кисло глядя в поле, нехотя подчинился. И тут, перебивая военкома, раздался возмущенный голос инструктора Бадейко:

— В задних рядах! Прекратите базар, честное слово. Людей надо уважать, в конце-то концов.

Военком вскоре закончил свое выступление и отошел в сторону. Бадейко, пошептавшись с Засекиным, принялся разматывать веревку, витками охватывающую покрывало. Освободившийся брезент еще громче заколотился, потом взметнул пузырем. Бадейко держал его неловко, беспомощно. Несколько человек подбежало помочь. И когда брезент был усмирен и сташен, перед всеми предстал серый цементный конус, местами еще не просохший, со столбцом фамилий на металлической желтой табличке:

> Агапов Д.М., рядовой
> Аникин С.К., рядовой
> Борвенков В.В., мл. сержант
> Вяткин К.Д., рядовой
> Гаркуша И.С, рядовой
> Захарьян А.Ш., сержант
> Иванов И.П., сержант
> Махов А.Я., старшина

Это были имена людей, никому здесь не известных и уже давно не существующих, заглянувших в сегодняшний мир спустя много лет в виде знаков алфавита.

Мокряков Т.С, рядовой

Мурзабеков Б., рядовой

Нечитайло Х.И., рядовой

Ноготков С.С, мл. лейтенант

Нуриев А., рядовой

Обрезков П.С., рядовой

Парфенов А.М., мл. сержант

Дядя Саша подумал, что в этом списке его место было бы сразу за Парфеновым, потому что фамилия его тоже на «п» — Полосухин. Лежал бы он, конечно, не рядом с этим самым Парфеновым А.М., а может, сверху него, может — под ним. Это уж как положат. Там ведь клали не по алфавиту...

Ему уже махали рукой, делали знаки, чтоб оркестр начинал, и дядя Саша, спохватившись, поспешно положил пальцы на клапаны трубы.

— Три-четыре! И-и... — вобрав в себя воздух, он кивнул ребятам уже с трубой, прислоненной к губам.

Медь дружно рванула: «Союз нерушимый республик свободных...» Он не услышал своего корнета, а только почувствовал пальцами напряженную дрожь инструмента. Сотни раз на своем веку играл он гимн с тех самых пор, как впервые разучил его на фронте. Но когда снова и снова брался он за трубу, какой-то озноб охватывал его. Он поднял взгляд на парней, уже отрешенно-сдержанных, враз посерьезневших, и одобрительно прикрыл глаза.

Засекин первым снял шляпу и склонил голову. Вслед за ним то здесь, то там замелькали руки, стаскивающие шапки. Женщины с прилипшими к ногам ребятишками тоже сняли с них кепчонки и, скорбно понурившись, теребили непокрытые мальчишечьи головы. И только военком не снял своей фуражки, а, приложив руку к малиновому околышу, стоял навытяжку, напряженно мигая, и пальцы подрагивали у его седого виска.

«...Мы в битвах решали судьбу поколений...» — мысленно выговаривал слова текста дядя Саша, следя, как ладно и вовремя отсекают ритм звонкие всплески Пашкиных тарелок. «Молодец! Вот может же, когда захочет».

Перебирая клапаны, дядя Саша слушал оркестр и вспоминал, как летом сорок четвертого под Быховом он в первый раз разучивал гимн. Молодых офицеров вызвали специально в штаб дивизии, где под баян знакомили с напевом, чтобы потом они научили своих солдат. Музыка показалась тогда очень трудной, и, возвращаясь со спевки, командиры, чтобы не забыть, донести мелодию до окопов, всю дорогу напевали ее вполголоса. Наверно, странно было в прифронтовой полосе видеть разноголосо, нестройно бормочущих офицеров. Многие, пока шли, незаметно для себя все-таки перепутали нить напева, переиначили на свой лад, и потому в окопах солдаты сперва исполняли гимн вразнобой — один взвод так, другой — этак. Но зато слова знали все назубок.

Дядя Саша дал отмашку, и музыка смолкла. В общем, мелодию проиграли сносно, и даже новичок Курочкин пробасил уверенно, без сбоев.

— Спасибо, ребята, — поблагодарил старшой, вытирая мундштук сатиновым чехлом. — Молодцы!

— Ну вот, а ты все ворчал, — бросил Пашка.

К памятнику сквозь толпу, пара за парой, уже шагали пионеры в белых пилоточках, несли венки в черно-красных лентах. Шествие возглавляла молоденькая вожатая с высоким начесом каштановых, должно быть подкрашенных, волос, и тоже в красном галстуке.

Девушка ступала торжественно, ни на кого не глядя, молодое лицо ее пылало и было тоже торжественно, даже строго.

Подножие со всех сторон обложили венками. Двое школьников — мальчик и девочка — замерли справа и слева, подняв руку в салюте. Остальные, отойдя, выстроились рядами, четко обозначенными белыми шапочками. Митинг начался.

Сначала речь держал председатель здешнего колхоза Осинкин, на чьей земле был сооружен этот памятник. Невысокий энергичный крепыш, на котором, как на молодом кочане с мороза, все поскрипывало и похрустывало — и новенький синтетический плащик с опояской, и крепкие каблукастые полуботинки, — он быстрыми шажками сменил военкома у подножия, снял узкую тирольскую шляпу и обвел всех живыми цыганскими глазами. Колхоз его славился вокально-танцевальным ансамблем, гвоздем которого считался знаменитый «Тимоня», инструментованный старинными рожками, сопелками и кугиклами, и каждый год бравший первые премии на областных смотрах. Этот ансамбль был, так сказать, увлечением Осинкина, да он и сам не прочь и спеть, и станцевать при случае. Осинкин же почитался душой различных слетов и районных мероприятий на воздухе, вроде Дня тракториста или праздника Урожая, и непременно избирался во всевозможные жюри. Но при всем при том вел хозяйство расчетливо, даже прижимисто, не любил рисковать, тратить копейку «на ветер», и прежде чем завести какую-нибудь новую машину, скажем, дождевальную установку или суперзерносушилку, сначала посмотрит у соседа, стоит она того или не стоит. Говорил он всегда безо всяких бумажек, на память называл многозначные цифры распаханных под зябь гектаров, надоенных центнеров молока, сданных яиц, заготовленного силоса, внесенных удобрений, называл суммы доходов и расходов, капиталовложений, неделимых фондов. Словом, любил цифру и умел ее подать, а потому слушали его всегда с оживленным вниманием.

Здесь, на открытии памятника, Осинкина тоже слушали с интересом. Он рассказывал, как было развернуто соревнование на уборке урожая за личное право положить первый кирпич в основание обелиска и что в результате их колхоз сдал уже больше половины сахарной свеклы и, несмотря на отдаленность от приемного пункта, занял на вывозке третье почетное место в районной сводке.

А дядя Саша все смотрел на цементный конус, отыскивая на табличке место, на котором его прервали.

Праведников Г.А., рядовой
Проскурин С.М., рядовой
Пыжов А.С, лейтенант
Рогачев М.В., мл. сержант
Родионов Н.И., рядовой

Как и все остальные здесь, дядя Саша тоже не знал никого из этого списка, но имена неотвратимо притягивали к себе.

— ...Итоги подводить нам еще рано, — продолжал Осинкин, — но то, что мы сделали, это уже весомо. Это, товарищи, ни много ни мало, а тридцать шесть тысяч центнеров сырья для нашей сахарной промышленности, или, если учесть, что из одного центнера бурака можно получить пуд сахара, то — миллион двести тысяч пачек рафинада, можно сказать, уже положили на прилавки наших магазинов. А чтобы вам это представить более зримо, то получится по пачке сахару на каждого жителя таких городов-гигантов, как Харьков или Новосибирск.

Романов Ф.С., мл. сержант, —

про себя читал дядя Саша.

Салямов М., рядовой
Санько А.Д., рядовой

— ...Вот сейчас закончим свои дела в поле, — воодушевленно говорил Осинкин, — подчистим там кое-что и вернемся доделывать новый клуб. Денег мы на это не пожалеем: надо миллион — отпустим миллион, надо полтора — дадим полтора. А как же? Хорошо поработали — будем культурно отдыхать, верно, девчата? А отдыхать у нас тоже умеют. Вот был наш ансамбль на ВДНХ, — пожалуйста, еще один диплом привезли.

Говоря, Осинкин время от времени косил карие глаза в сторону Засекина, как привык на активах и совещаниях бросать взгляды в президиум.

Сыромятников В.С., рядовой
Тихомиров П.К., рядовой
Тугаринов М.З., рядовой

Вчитываясь в эти фамилии, дядя Саша как-то и не заметил, когда Осинкина сменила пионервожатая. Придерживая концы отутюженного галстука, которые ветер то и дело забрасывал ей на плечо, она начала звонко и четко рапортовать об успехах школьных следопытов. Старшой слушал эту чистенькую расторопную девочку, а перед ним встала вдруг в памяти картина, виденная все там же, под Быховом.

...Зимой они сменили пехотную часть на плацдарме по ту сторону Днепра. Поредевшую, измотанную шквальным огнем, ее незаметно отвели обратно за реку. И дядя Саша, командовавший тогда ротой, увидел в бинокль перед занятыми позициями убитого бойца. Он ничком висел на немецкой колючей проволоке, сникнув посиневшей стриженой головой. Из рукавов шинели торчали почти до локтей голые, иссохшие руки. Казалось, этими вытянутыми руками он просил землю принять его, неприютного, скрыть от пуль и осколков, которые все продолжали вонзаться и кромсать его тело. Но проволока, видно, крепко вцепилась в солдата и не пускала к земле. За зиму на нем нарос горб снега, нелепый, уродливый. Это был, по всему, наш сапер или, может, разведчик. Он, лейтенант Саша Полосухин, дважды посылал по ночам своих людей снять убитого. Но труп был пристрелян немцами, и только зря потеряли еще двух человек. Больше за убитым он уже не посылал. Так солдат провисел до самой весны, и всем было больно и совестно смотреть в ту сторону. А в апреле труп оттаял, позвоночник не выдержал, переломился, и убитый обвис на проволоке, сложившись вдвое... Только в июне была прорвана оборона врага. Он, Полосухин, повел роту через проделанные проходы в проволочном заграждении и вдруг с содроганием увидел, что у висевшей шинели ворот был пуст и ветер раскачивал пустые рукава...

Узляков С.Н., рядовой

Умеренков К.Г., рядовой

Федунец М,С, старшина

Кто же был тот, на проволоке? У него ведь тоже были фамилия, имя, отчество...

И дядя Саша подумал: как по-разному может сложиться судьба солдата. Даже если он пал смертью храбрых. Это благо, если его вовремя подобрали с поля боя, если опознали при этом и если ротный, составляя списки потерь, второпях не перепутал, не пропустил его фамилии. Это благо, если донесение попало в вышестоящий штаб и если тот штаб не окружили потом, не сожгли, не разбомбили с воздуха вместе с писарскими сундуками и сейфами. Если... Да мало ли этих «если» на пути солдатского имени к такой вот табличке на братском обелиске! А еще на этом пути и болота, и черные топи, реки и речки, заливы и проливы, обрушенные блиндажи, обвалы домов, сгоревшие танки и эшелоны и многое что другое... А еще — прямое попадание, когда на том месте, где солдат только что бежал с автоматом, через мгновение уже черно и смрадно дымится воронка и комья выброшенной земли, падая, мешаются с кусками одежды, даже не успевшей окровениться...

Фомичов В.А., мл. сержант

Ходов С.М., сержант

Цуканов А.Ф., мл. сержант

В это время пионервожатая выкрикнула:

— Никто не забыт, ничто не забыто!

Она произнесла последнюю фразу особенно звонко и, довольная, что нигде ни разу не запнулась, пылая счастливым лицом, на носочках перебежала от обелиска к стоявшим в строю ребятишкам.

Выступило и еще несколько человек: заведующая здешним клубом — женщина уже в годах, но еще проворная, в искусственной дошке под леопарда и крепко отдающая духами; недавно демобилизованный паренек, надевший по этому случаю свой совсем еще новенький мундир с яркой нашивкой на рукаве и, по недавней армейской привычке вытянув руки по швам, отчеканивший о преемственности боевых традиций; после него в круг вышел, опираясь на самодельный костылик, согбенный учитель истории из ближней деревни. Начал он с Александра Невского, с Ледового побоища, перешел к Куликову полю и тут хотел к случаю продекламировать стихи и уже прочел было первые три строчки:

Воткнув копье, он бросил шлем и лег.
Курган был жесткий, выбитый. Кольчуга
Колола грудь, а спину полдень жег... —

но неожиданно запнулся и умолк. Старичок мучительно потирал пальцами восковой висок, напрягал память, твердя последние слова: «а спину полдень жег...», «а спину полдень жег...», однако, так и не вспомнив продолжения, сокрушенно махнул рукой и, растерянно улыбаясь, бормоча: «извините, извините», — отступил в толпу.

Вышла и еще женщина, видно, из колхозниц — в зимней суконной шали, с заветренным лицом. За ней побежал было мальчик лет шести, но на него зацыкали, потянулось сразу несколько рук: «Нельзя, нельзя туда! Ты что ж это?» Однако мальчонка увернулся, прошмыгнул-таки к памятнику и стал рядом с женщиной, упрямо набычась.

— Ничего, пусть постоит, — сдержанно улыбнулся Засекин. — Ишь ты какой герой!

А женщина, не замечая парнишку и еще не произнеся ни слова, сразу побледнела лицом, как только оказалась у памятника, и лишь потом выкрикнула высоким запальчивым голосом:

— Я вам так скажу, товарищи: моих полегло двое. А я хоть и живая, а тоже поранетая на всю жисть...

И вдруг закрылась руками, грубыми, негнущимися пальцами, какие бывают от бурака и стылой осенней земли.

Постояв так в сдавленной немоте перед притихшим народом, она наконец отняла руки, ожесточенно оглядела толпу, ища внутри себя те слова, которыми хотела выразить свою старую боль, и, не сумев найти таких слов, вдруг подхватила мальчика, подняла под мышки и, повернув его к обелиску, выкрикнула в полуплаче:

— Смотри, Витька! И запомни! Вот она какая война.

Мальчонка, ничего не понимая, замерев, испуганно глядел на граненое острие обелиска.

От имени фронтовиков взялся сказать несколько слов Иван Кузьмич Селиванов.

— Ну что тут можно добавить? — трудно, задышливо начал он, вздымая грудью всю тяжесть своих орденов. — Но вот поставлен еще один памятник товарищам по оружию. Это хорошо, это нужно. Теперь будем все сообща беречь его, следить, чтобы время не стерло их имена. Ну, конечно, памятник не ахти какой видный. Делали его наши местные мастера. Слов нет, Осинкин мог бы пригласить и поименитей специалистов, поставить и повыше, и поосновательней, скажем, из мрамора или из гранита: денег у него на это хватило бы — в миллионерах ходит...

Стоявший неподалеку Осинкин нетерпеливо переступил, похрумкал скрипучими штиблетами.

— ...Он ведь как рассудил? Могила, мол, не в людном месте, в стороне от туристских дорог, паломничества не будет, можно и поскромнее.

— Брось, брось, Кузьмич! — не сдержался Осинкин. — Памятник типовой, не хуже, чем у других. Мы в Тарасовке смотрели — там тоже такой, наш даже повыше.

— Дело в конце концов не в мраморе и высоте памятника, — продолжал Селиванов, — а в нашей памяти. В нашем понимании того, какой ценой заплачено за победу над самым лютым из врагов, когда-либо нападавших на русскую землю. — Селиванов перевел дыхание. — Мой полк прошел от Воронежа до Белграда. Были моменты, когда в полку оставалось только триста с небольшим человек, и то вместе с ранеными. А когда мы в конце войны вместе с начальником штаба подсчитали, сколько прошло через наш полк людей, то сами себе не поверили. Двадцать две тысячи! Двадцать две! Вы спросите, куда они девались? А вот они, — Иван Кузьмич указал на обелиск. — Тут! Правда, многие остались позади полка по госпиталям и лазаретам. Но многие вот так — в чистом поле. Полк шел на запад, а за нами — от села к селу, от города к городу цепочкой тянулись могилы — путь к нашей победе. За это время я сам вот этими руками подписал и отправил многие тысячи похоронных извещений. И где-то, во всех уголках нашей земли, получали их и не слышно для нас захлебывались горем тысячи овдовевших женщин и осиротевших детей... Полк мой не проходил по этим местам, но здесь шел чей-то другой полк, другая дивизия. И путь ее был такой же!

В толпе кто-то всхлипнул, а Иван Кузьмич, постояв в раздумье, снова поднял голову:

— Заканчиваю, товарищи... Я не стану вас призывать достойно трудиться на этой земле. Вы об этом и сами знаете. Я только хочу, чтобы вы, мужчины и женщины, бывшие солдаты и солдатские жены, участники и очевидцы, пока еще живы, пока это не стало достоянием исторических книг и архивариусов, передали бы своим детям и внукам священную память о павших из рук в руки, от сердца к сердцу. Вот это я хотел сказать.

Ему дружно похлопали.

Больше желающих выступать не оказалось, хотя бывшие фронтовики и подбадривали друг друга: дед Василий — Федора Бабкина, а тот подталкивал в спину Тихона Аляпина, который застенчиво упирался и посылал Федора:

— Какой из меня говорильщик. Ты пограмотней мово. Да и что говорить? Вон Кузьмич все сказал.

Так они препирались тихонько, а слово тем временем было предоставлено самому Засекину.

Засекин вышел в круг и взглянул на часы...

Сегодня дядя Саша слышал в завкоме, что на завод должны были прибыть чешские специалисты. Ожидали их к вечеру, но уже с утра девчата драили столовую и было слышно, как в заводской гостинице гудели пылесосы. Летом, во время подготовительного ремонта, чехи устанавливали в цеху свои новые диффузионные аппараты повышенной мощности и теперь, когда завод начал сезон, должны были приехать снова, чтобы проверить оборудование под полной нагрузкой. Засекину надо было их встречать, однако митинг затягивался, к тому же его открыли позже, чем намечалось, и предрик, похоже, беспокоился.

Но насчет чехов дядя Саша только предполагал, а, возможно, у Засекина могли быть и другие неотложные дела: все же на его плечах целый район, да еще в такую напряженную пору, когда то здесь, то там ломался график уборки сахарной свеклы.

Говорил он, однако, без заметной торопливости, обстоятельно и толково, обрисовал международное положение, рассказал о достижениях района и его текущих задачах, назвал передовиков. Слушали и смотрели на него с особенным интересом, потому что многие видели Засекина вот так близко впервые.

Но тут, в самый разгар его выступления, вышла непредвиденная заминка. Подвыпивший мужичишка, растрепанный ветром, в расстегнутой до пупа рубахе, убегая позади толпы от кого-то, запнулся о лежавшую на стерне басовую трубу и, загремев наземь, плаксиво зашумел, забуянил:

— Ты домой меня не гони! Нечево меня гнать. Я тоже воевал. Я, может, тверезей тебя!..

Засекин прервал речь, на мужика зашикали. Ребята-оркестранты подхватили его под руки и без церемоний, волоком, потащили по пахоте к грузовику. А тот, загребая ногами землю, все вскрикивал визгливо:

— По какому такому праву? Я тоже воевал!

— Но, но! Раскудахтался! — весело покрикивал на мужика Пашка, пользуясь случаем поразмяться, заняться каким ни есть действом. — Будешь выёгиваться — мухой на пятнадцать суток постригу. Жора, давай ножницы!

— А чево она, зануда!.. Указчица! Нынче наш день. Хочу — гуляю!

Женщина в упавшем на плечи платке понуро шла следом к грузовику, подобрав на пахоте оброненный башмак. Засекин молчал, сдержанно покашливал — пережидал.

— Это твой артист? — спросил он наконец Осинкина.

— Да тут один... В примаках живет.

— Зачем привезли такого?

— Да ведь кто ж знал? Пока везли, вроде ничего был, незаметно. Это он уж тут, наверно, с кем-нибудь... Приеду — мы с ним разберемся. Вот шельмец!

— Нехорошо получается, товарищ Осинкин.

Парни дружно подняли и кулем перевалили шумливого мужика через борт в кузов, и женщина зашвырнула туда ботинок. Происшествие оживило публику, толпа задвигалась, загудела, мужики стали закуривать. А из кузова неслось разудало:

И все отдал бы за ласки взора-а,
Лишь ты владела б мной одна-а...

— Перебрал Никитич, перебрал! — снисходительно журили в толпе мужики. — Вот ведь и печник хороший, а — с изъяном.

Засекин после этого говорил недолго, и вскоре митинг объявили закрытым. Оркестр снова проиграл Гимн. Но и когда смолкли трубы, толпа все еще стояла вокруг обелиска и мужчины не надевали шапок.

— Все, товарищи! Все! — вскинул руки Бадейко. — Спасибо за внимание!

Люди, словно не понимая, что все уже кончилось, расходились нехотя, озираясь, оглядываясь, будто ожидали чего-то еще.

Засекин, бегло попрощавшись и уже на ходу напомнив: «Так завтра сессия, товарищи! И — никаких опозданий!», направился со своими спутниками к урчавшему мотором «газику» и сразу же уехал. Вскоре разошлись по машинам и председатели.

— Василий Михайлович! — окликнул из своей «Волги» Селиванов. — Садись, подброшу.

— Да вот не знаю... — растерялся дед Василий. — Тут робяты маракуют того... Я, поди, еще побуду маленько... Дак и ты, Кузьмич, давай к нашему салашу.

— Спасибо, братцы! Мне этого теперь — ни-ни!.. — Иван Кузьмич положил руку на ордена. — Барахлит что-то...

— Ну, ежели так, то конешно...

Иван Кузьмич, насажав полную машину попутной малышни, тоже уехал, и было видно, как скособочилась на одну сторону перегруженная старенькая машина...

Поле постепенно пустело. Умчалась машина с веселыми пионерами. Вниз по склону покатили мотоциклы, велосипеды. Неспешно побрели и пешие, кому идти было недалеко, до ближайших деревень, что отсюда, с косогора, виднелись как на ладони.

— Все отдал бы за ласки взорра-а... — продолжал выкрикивать мужичонка, высовываясь из-за борта и опять оседая на дно кузова. — И ты б... и ты б...

Подошел Федор Бабкин, взял дядю Сашу под локоть:

— О чем, солдат, задумался? Пойдем, посидишь с нами.

Под скирдой уже пристроились Степан Холодов, Тихон Аляпин, дед Василий и еще несколько человек.

— Во, еще один орелик! — оживился дед Василий. — Садись-присаживайся. Какую-никакую, а поминку справим. По старому по нашему обычаю.

Фронтовики охотно раздвинулись, высвобождая дяде Саше место в кружку на соломе. Откуда-то объявилась стопка, налитая дополна, в дяди Сашину руку вложили помидор.

— Давай, товарищ лейтенант, — кивнул дед Василий. — А то говорить поговорили, а добрые слова не скрепили. Они и отлетят дымом, слова те.

Старшой на этот раз не отказывался и, подняв стопку, взглянул на обелиск.

— Ну, простите, братья! Пусть будет вам пухом...

— Вечная память... Вечная память, — нестройно и торопливо заговорили и остальные, опять снимая шапки. — Вечная вам память.

Дядя Саша выпил в молчаливом окружении старых солдат, опустивших седые скорбные головы.

Неожиданно появился Пашка, хотел что-то спросить, но, увидев склоненных людей, в нерешительности замялся.

— Тебе чего, Павел? — поднял глаза дядя Саша.

— Да... хотел узнать... Играть больше не будем?

— Нет.

— Тогда нам тоже можно порубать?

— Садись, пожалуйста, — подвинулся Федор.

— Да нет, спасибо. У нас своя компания. — Он постоял, разглядывая мужиков, потом с обидой сказал: — С нами так не стал, старшой.

— Иди, Павел, — попросил дядя Саша. — Я сейчас приду.

— Да чего уж, сиди, — сказал Пашка. — Я ведь только спросить, будем играть или пошабашили...

Что-то насвистывая, Пашка ушел к ребятам, где на поваленном плашмя барабане стояла бутылка и Жора, шурша бумагой, раскладывал закуски.

Федор Бабкин, поглядывая на женщин, уже рассевшихся по грузовым машинам, украдкой наливал, закрываясь полой, и обносил рюмку по кругу.

— Давай, Степ, бери... Тихон, твой черед...

Фронтовики торопливо выпивали, тыкали дольками помидоров в спичечный коробок, в мокрую розоватую кашицу соли и, не дожевав еще, лезли в карманы за куревом. А с машин нетерпеливо окликали:

— Эй, мужики! Вы чего там колдуете? Поехали!

— Да сейчас! — отмахнулся Федор. — Сейчас едем.

— Ждать не будем! — кричали с машин.

— Ох эти бабы! — подосадовал дед Василий, вставая. — Никакого понятия. В кои-то разы собираемся так вот. Может, и не свидимся больше.

Фронтовики нехотя начали подниматься.

— Так пусть себе едут, — сказал дядя Саша. — У меня тут своя бортовая. Тебе, Сорокин, куда?

— Да мы вот с ним, с Хмызовым, из Березовки. А Федору вот с Тихоном в Махотино надо. Дальше, за нами.

— Ну, не волнуйтесь, всех отвезем.

Обрадованный Федор побежал сказать, чтоб их не дожидались. Машины начали разъезжаться.

Вернувшись, Федор выкопал из-под скирды еще одну бутылку, принялся оделять по новому заходу. То обстоятельство, что теперь не надо было никуда спешить, располагало к воспоминаниям, и Степан Холодов оживленно хлопнул себя по колену:

— А вот, братцы, был у нас один случай!..

— Ну ну, давай.

— Брали мы под Орлом одну высоту. И высотка-то не больно какая, а не подступишься: все открыто, ни кусточка, ни задоринки, а по низу — топь. Ну, раз сунулись — не вышло, в другой — никаких делов. Строчит и строчит из дота. Пробовали бить по нему из минометов — дым, пыль, ну, думаем, все, накрыли! Сунемся, а он опять: тра-та-та-та... Живой гад! Оно б пальнуть из артиллерии, может, что и получилося, да не было при нас никакой артиллерии. Одни ротные минометы. Ну а у тех силенок оказалось маловато: фук-фук, а немец цел. И потери у нас уже немалые. Командир батальона по телефону нашего ротного материт, чтоб к такому-то часу высота была захвачена, да и только!

— Ну дак вы б ее ночью-то, по темному...

— Погоди ты, ночью... До ночи вон сколь было ждать. Да... Сидит наш ротный в траншее, курит, на сапоги плюет — злой-презлой. Мы тоже помалкиваем, отдыхиваемся после атаки. А что скажешь? Видит око, да зуб неймет. Вот тебе подсаживается к нему один солдатик, пацан пацаном. Товарищ командир, говорит, отпустите вон в ту брошенную деревню. Если я найду, что мне нужно, — даю слово, после обеда сковырнем немца.

— А что ж ему такое нужно-то было?

— Не перебивай. Сказать, так не интересно будет. Слушай... Ну, отпустили его, пополз парень. Глядь — вертается, волокет что-то в мешке. Полдеревни, говорит, обшарил, а нашел. Только теперь надо обождать, когда солнце к немцу за спину зайдет...

— А-а! — засмеялся Федор. — Разгадал — зеркало!

— Ну, разгадал — нечего теперь и рассказывать...

— Давай, давай!..

— Изготовились мы к новой атаке, ждем. Только солнце начало к немцу воротить, парень и достал из мешка свою хитрость. А стекло во какое, с газету! Давай, наводи, говорит ему командир. Ну и уцелил он что ни есть в самую амбразуру. Немцу, конечно, это не понравилось, а что он может сделать? Кинулись мы все как есть, немец давай пулять, да стрельба уже не та, а куда попало. А парень ему зеркалом-то все в рожу, в рожу! Ну, конечно, там, окромя пулеметчика, и еще были, да мы их тут быстро разделали. Так потом и возили с собой зеркало, пуще глаза берегли. Как секретное оружие.

— Да это ж на Одере так вот прожекторами ослепляли.

— Э-э, браток, на Одере когда было? А то еще под Орлом. Оно, может, потом про наш случай и до генералов дошло, до самой Ставки. Ну дак, ясное дело, у генералов вся техника в руках. А придумка, выходит, солдатская.

— А то вот раз было... — начал фронтовик в резиновых сапогах.

И пошло, и пошло... Заговорили мужики, закраснелись лицами, заблестели глазами — не от водки, нет! Что там водка, если вспомнить нечего! А уж вспомнить им было чего — и геройского, и горше горького...

Возле обелиска не осталось теперь ни одного человека, и он, серый, цементный, одиноко высился среди черной предзимней наготы полей.

— Сколько же их там лежит? — в раздумье спросил Степан Холодов.

— Сорок девять, — ответил дядя Саша.

— Да-а... Где-то сорок девять дворов осиротело. Деревня целая.

— Дак они из разных мест, должно.

— Ну, это я так, к примеру.

— Сорок девять еще немного. — Холодов полез за новой папироской.

— Бывало, и по сотне, а то и больше в одну яму клали. Наш полк в три дня целый батальон потерял.

— А говорят, будто теперь по нашей местности четыреста таких памятников будет поставлено, — сказал Холодов. — Лектор один приезжал, так рассказывал...

— Вполне может быть.

— Сколь же тогда по всей России? — прикидывал дед Василий.

— А вот и считай...

— Да еще по Польше, да по разным другим сторонам. Под Берлином одним триста тысяч легло.

— Сказано: всего двадцать миллионов.

— А немца сколь?

— Что-то миллиона четыре с небольшим, — сказал дядя Саша.

— Только-то? — удивился Холодов.

— А что — мало?

— Н-да... Как же так, били-били, а только четыре миллиона нахлопали? Выходит: мы его одного, а он наших пятерых.

— Дак, чудак человек, — сказал Федор. — Мы одних только ихних солдат, а они кого попадя: и баб наших, и пацанов. Вон у военкома — и женку, и обеих девчушек... А сколь в Германию поугнал, в лагерях сгноил. Вот двадцать миллионов и набралось.

— Ох, лихо, лихо, — вздохнул дед Василий. — Не заесть, не запить этова. Не заесть, не запить...

Дед Василий помолчал, но вдруг, пересев половчее, сказал как-то осиянно, осветясь лицом:

— А все ж, братцы мои, помереть солдатом в бою с неприятелем — святое дело, што ни говори! Из всех смертей смерть! Ну вот што я? Ну, еще покопчу свет маленько, годка три-четыре, да и помру на печи. Снесут за деревню и закопают. И вся недолга. Потому как помер от старости. А вот ежели бы я там, солдатом смерть принял — это уже смерть вон какая. Глядишь, и мне памятник бы поставили.

Долго дымили сигаретами. Было слышно, как возле барабана о чем-то спорили музыканты:

— Не, Жорик, мелькомбинату ничего не светит. Кому там играть, где у них форварды? Там кирюхи одни.

— Не скажи! Вот увидишь, воткнут.

— Слабо! Они даже райпотребсоюзу продули.

Степан Холодов поправил пустой рукав телогрейки, выбившийся из-под ремня.

— Ты говоришь — четыреста... — сказал он. — Оно ежели все памятники поставить, как и положено, по тем боям, что тут были, так и пахать негде будет.

Дед Василий, сощурившись, оглядел дальние косогоры, будто прикидывал, где они должны стоять, эти не воздвигнутые еще обелиски.

— Надо бы раньше начинать ставить-то, — сказал Федор. — По свежим следам. Молодняк вон подрос, должен видеть и знать, во что обошлось. А то уж подзарастать начало. Долго ли: плугом прошелся — и все. Ровно, гладко, как ничего и не было.

— Я вам так скажу, — дед Василий обтер ладонью усы. — Это вот пешку, к примеру, сшибли в игре, а в другой кон опять ставь, опять двигай. А у солдата жизнь одна-разъедина. Солдата не воротишь. Ну а коли он свою голову сложил, то нету цены ей.

Возле барабана дружно смеялись ребята.

— Вот дает! Заливает!

— Чего? — кипятился Пашка. — У них один Зюзя чего стоит!

— Дерьмо твой Зюзя.

— Зюзя — дерьмо? Ха-ха! А ты видел, как он штрафной бил? Видел? Вот как от скирды до того памятника. С тридцати метров. Как врежет! Под самую планку.

Мужики помолчали, прислушиваясь к спорившим музыкантам.

— Н-да... — Тихон поскреб под черной путейской фуражкой. — Я как-то на совещание в Белгород ездил. В дистанцию пути. А там, может, видели, на площади Вечный огонь горит. А над огнем женщина пригорюненная такая. Из камня. Ночевать я не стал, думаю, уеду каким-нибудь товарняком. Иду часу во втором ночи-то через площадь, смотрю, пацаны возле Вечного огня колготятся. Лет по шестнадцати. Хохочут, на гитаре дрынчат. И девчатки с ними, все в белых платьицах. Гляжу, на граните бутылка, стакан. Ах, говорю, поганцы вы этакие! Да разве для этого огонь тут зажгли? А что, говорят, мы такое особенное делаем? Мы ж ничего не портим. Марш, говорю, по домам! Осерчал я. А они в толк не возьмут. Мы тут до утра будем. Рассвет встречать. У нас, говорят, выпускной. Во как!

Сквозь тучи низко, у самого горизонта, пробилось солнце. Оно ударило багряными пучками по дальним угорам, что друг за другом необозримо убегали из виду. Его лучи отыскали среди этих холмов неприметную дотоле церквушку. Трепетный, бегучий свет быстро перемещался, накатываясь все ближе и ближе, и вот уже огнем полыхнула межевая цепочка тополей на соседнем склоне, медным отливом затеплились пашни, и среди них радостно зазеленели полотнища озими.

Фронтовики, привалившись к теплому боку скирды, загляделись невольно на это неожиданное прозрение солнца, на торопливый и просветляющий бег лучей его по земле.

И вдруг на фоне темного неба, загроможденного тучами, пронзительно, как вспышка, высветилась кинжально-острая грань обелиска. В этот предвечерний час он выглядел особенно отрешенным, как бы вознесшимся над будничной суетой, и, может быть, потому пышная кипень венков у подножия — эта пестрота бумажных цветов, сосновой зелени, черных и красных бантов — показалась дяде Саше каким-то тщетным и ненужным убранством. Как старый музыкант, не раз имевший дело с погребениями, он не терпел венков. Скоро они пожелтеют, осыплется хвоя, дожди смоют с лент непрочные слова, написанные зубным порошком, и нет ничего печальнее видеть потом на могильной плите этот пожухлый мусор.

Солнце, посветив недолго, опять затянулось хмурой наволокой, и по краю разлилась багровая полоса заката. А вскоре предвечерняя синь и вовсе скорбно окутала холмы.

— Пора, однако, по домам. — Дед Василий оглядел небо. — Кабы дождя не натянуло. Второй день что-то мозжит нога, окаянная.

Остальные, вспомнив про разные свои дела, тоже засобирались, и дядя Саша пошел сказать своему шоферу, спавшему в кабине, чтоб тот развез фронтовиков по домам.

И вскоре, пофыркивая и покачиваясь на ухабах, машина увезла и деда Василия, и всех прочих.

К вечеру поутихло. Тучи присмирело сгрудились, непроницаемой толщей повисли над головой. Начало моросить — сперва одной только мокрой пылью, а потом посыпало и всерьез. Оркестранты, оставив лежать на жнивье инструменты, укрылись под застрехой обдерганной скирды. Уже в который раз выходил дядя Саша на край пахоты, подолгу глядел в сторону большака, откуда вот уже два часа дожидались машины. Но кругом было глухо, как бывает только в осеннем ненастном поле.

— Ну что, старшой? — нетерпеливо окликали его оркестранты.

Дядя Саша молча возвращался к стогу.

— Небось самогон трескает, — заключил о шофере Пашка. — Это точно.

Ребята угрюмо дымили сигаретами. Было слышно, как в душной утробе скирды пищали и возились мыши. Кто-то вспомнил, что сегодня наши играют на кубок с испанцами и что теперь не удастся посмотреть, потому что игру будут транслировать в семь, а уже начало седьмого.

— А у меня сегодня верная десятка гавкнула, — сказал альтовик Сохин, до самого подбородка обросший бакенбардами. — А то и побольше.

— А тебе куда? — поинтересовался Иван-бейный. — На «жмурика»?

— Ха, на «жмурика»... — Сохин брезгливо поморщился. — На «жмуриков» я уже давно не клюю. Это ты, поди, трояки там сшибаешь? На свадьбу в одно место приглашали.

— Свадьба — это дело, — согласился Иван. — Я быва-ал. Только играть помногу заставляют.

Иван-бейный принялся выдергивать слежало запахшую солому, долго по-собачьи уминал ее, подтыкал под бока и наконец затих. Вскоре раздался его мерный храп.

— Гаммы проигрывает, — усмехнулся Ромка.

Дождь заметно прибавил прыти, зачастил по плащам, парни, подбирая под себя ноги, все теснее жались к скирде. Один Иван-бейный беспечно похрапывал, не замечая сырости. Откуда-то налетела стая грачей, густо усеяла небо и полетела гомонящей полосой на восток, к ночевкам, исчезая, растворяясь в серой кисее дождя. С пролетом грачей ветер окончательно загустел, близко обступил скирду сумерками, и оттого время потянулось еще тягучей. Пашка снял с себя свою куцую болонью, попробовал укрыться, но не улежал под нею, сырость и копившееся раздражение подняли его, он отшвырнул плащ и, как затравленный хорек, свирепо зыркал по сторонам.

— И на кой хрен надо было отдавать машину! — сплюнул он, яростно тряхнув за плевком рыжей всклокоченной головой. — Теперь вот припухай.

— Да, тут старшой перемудрил, — отозвался Сохин, неприязненно поглядывая, как дядя Саша взад-вперед прохаживается вдоль стога.

Остальные сдержанно помалкивали.

— Всего-то пару раз и сыграли. Стоило ли переться в такую даль! — продолжал распаляться Пашка. — Другого оркестра не могли найти, что ли? Да теперь в каждом колхозе полно духачей. — Он рывком опять натянул на себя плащ, ткнулся головой в солому и уже из-под болоньи выкрикнул: — Небось старшой сам и напросился!

— Да помолчи ты наконец! — оборвал его дядя Саша.

Сдерживая себя, он побрел к инструментам, тускло поблескивавшим в стерне. В сумерках едва не споткнулся о барабан, плашмя опрокинутый поодаль. На кожаной деке вокруг опорожненных бутылок мокли клочья газеты, яичная скорлупа, остатки недоеденной хамсы. Старшой весь закипел от гнева: хотя бы убрали за собой эту пакость, черт возьми! И, чувствуя, что уже не владеет собой, вдруг крикнул:

— Разобрать инструменты!

Парни, не поняв, что стряслось, затаенно остались лежать.

— Встать всем! — глухо проговорил дядя Саша, чувствуя, как немеют челюсти.

Музыканты, еще помедлив, нехотя завозились в соломе.

— А в чем дело, старшой? — с небрежной растяжкой осведомился Сохин. И, не получив ответа, пожал плечами. — Что это он, а?

Поеживаясь от дождя, на ходу вытряхивая из пиджака и штанов полову, оркестранты понуро побрели разбирать трубы.

Послышались раздраженные голоса:

— Чья альтуха?

— Да тихо ты, козел, валторну раздавишь. Смотреть надо!

— Заткнись!

— Иван, забирай свою иерихонскую.

Дядя Саша, не дожидаясь, первым ступил на глыбистую, уже порядком промокшую пашню. Оркестранты, увязая в раскисшей земле, вразнобой плелись следом. На проселке старшой остановился и, когда выбрались все остальные, скомандовал:

— По три разбери-ись!

Ребята недовольно запротестовали:

— А зачем? Что мы, новобранцы, что ли? Кому это нужно?

— Прекратить разговоры!

Порядок построения оркестра все знали хорошо: корнеты — вперед, за ними тенора, альты, басы... Но было непонятно, зачем идти строем, да еще в дождь.

— Да брось фасонить, старшой, — снова попробовал отговорить Сохин. — Ну, чего ты?

— Стать в строй! — голос дяди Саши звучал непривычно чужим и непреклонным.

— Ого! — отпрянул Сохин и с недоуменной усмешкой втиснулся между Курочкиным и Белибиным.

— Барабан здесь? — окликнул дядя Саша, оглядывая хмуро переминавшихся оркестрантов.

— Здесь! — подал голос Сева из заднего ряда.

— Бейный бас?

— Ну, вот он я... — неохотно отозвался Иван.

— Шагом ар-рш! — Дядя Саша круто повернулся и зашагал вниз. — И не отставать.

Шли в отчужденном молчании, было только слышно липкое чавканье подошв на ослизлом проселке да бряцание труб, задевавших друг друга. Иногда кто-нибудь чиркал спичкой и, застясь от дождя, закуривал на ходу. И только Пашка продолжал недовольно бубнить, понося шофера, дорогу, погоду и свою горькую судьбу.

— И куда мы? — с язвительностью спросил Сохин.

— Куда, куда! — сразу пыхнул Пашка. — С кудыкиной горы — в тартарары.

— Ясное дело: теперь до большака, — предположил Жора.

— Ничего себе! Километров десять! Ну а там что?

— А там — на попутку.

— Плевать! — фыркнул Пашка. — Идем до первой деревни.

— А на работу? — с растерянностью спросил Курочкин. — Мне завтра в первую заступать.

— А это старшой отвечает. Наше дело телячье.

Склон был крут, ноги ступали будто в пустоту. По сторонам все выше дыбились горбы соседних холмов, и все меньше оставалось над головой тускло-серого неба. Угор нескончаемо сбегал и сбегал вниз, дорога уже едва различалась, и оркестранты, скользя и разъезжаясь ногами, спускались, будто в преисподнюю, сокрытую дождем и надвигавшейся темнотой.

Где-то ниже вдруг охватило подвальным холодом, дохнуло стоялой водой, жухлой осокой. Под ногами зачавкала жижа.

— Все! Начерпал в корочки, — кисло объявил Пашка. — На той неделе тридцатку отдал, теперь хана им.

— А ты ходи по камушкам, — усмехнулся Ромка.

— По каким камушкам? Какие тут камушки — сплошное болото.

Дорогу обступили черные громады ракит, под которыми сразу стало темно, как в пещере. Дождь глухо шумел где-то высоко над головой, путаясь в чащобе веток, и лишь отдельные капли разреженно и тяжело колотили по спинам. Строй окончательно рассыпался, оркестранты брели как попало, прощупывая места потверже. Под ногами захрустел скользкий хворост, должно быть, наваленный шоферами в топких колдобинах. Ветки пружинили, цеплялись за штаны, больно хлестались, из-под них при каждом шаге с хлюпом выбрызгивалась грязь. Иван-бейный вместе со своим басом залетел в какую-то канаву и долго шуршал кустами, отыскивая кепку. Выбравшись на твердое, он стал уверять, что идут вовсе не туда, не по той дороге, и вообще зря стронулись с места.

— Вот увидите, запремся куда-нибудь, — ворчал он, долговязо и неуклюже перепрыгивая по затонувшим слегам. — Днем, когда ехали, никакого болота не было.

— Это точно! — злорадствовал Пашка. — Завел Сусанин! И что б я еще куда поехал! Мотал я такую самодеятельность!

Дядя Саша остановился, подождал Пашку.

— Ты вот что, Павел, — сказал он, придерживая парня за рукав. — Возьми-ка у Севы барабан.

— А почему, спрашивается, я?

— Да потому, что у тебя одни тарелки.

— Пусть Курочкин несет, любимчик твой. С его мордой только барабан таскать.

— Нет, понесешь ты, — жестко сказал дядя Саша.

— Все Павел да Павел, — передразнил Пашка. — Целый день придираешься.

— Ну, хорошо. Не возьмешь барабан — понесу я.

Пашка угрюмо молчал, пытаясь освободить рукав из крепко державших дяди Сашиных пальцев. И вдруг заорал:

— Севка, паразит, давай свое грохало!

— Ладно, дядь Саш, я сам, — откликнулся Сева. — Мне еще не тяжело.

— Отдай, отдай! — строго настоял дядя Саша и, отпустив Пашку, пошел вперед. — Пусть понесет.

Пашка сорвал с подошедшего Севы барабан, сунул ему тарелки и, зло вытматерившись, дал парнишке пинка.

— У, оглоед!

Ребята гуськом проходили мимо Пашки, не ввязываясь в спор. А Пашка, усевшись на барабан, жадно курил и, когда все прошли, поплелся сзади, чтобы ни с кем не идти рядом.

Держась за хлипкие перильца, ощупью минули какой-то мосток, который то ли был, когда ехали сюда, то ли не был.

Наконец кончился ракитник и постепенно начался угадываться подъем. Небо расширилось и, казалось, даже чуть посветлело. Все ожидали появления деревни. Но дорога, враз раскисшая, налившаяся водой по колеям и выбоинам, все тянулась куда-то с удручающей прямизной, все маячили надоедливо телеграфные столбы в серой хляби меркнущего неба, и ничего не было слышно, кроме дождя, хлеставшего по спинам и трубам. Парни нахохленно брели за дядей Сашей, уже не обходя ни луж, ни колдобин. Двенадцать пар башмаков, еще утром начищенных до щегольского сияния, нестройно и безразлично чавкали, осклизались, хлюпали в сметанной вязкой жиже, и в этой беспорядочной толчее ног старшой улавливал скрытое недовольство самолюбивых, ничего еще не видевших мальчишек, почитавших себя на этом пути мучениками и жертвами несправедливости и произвола.

В общем-то, конечно, получилось довольно нескладно, и дядя Саша испытывал неприятное чувство вины перед ними, но ведь должны же и они понимать то главное, ради чего он это сделал — отдал фронтовикам машину.

...В сорок третьем из запасного полка вывел он сотни три вот таких же зеленых, необстрелянных парней. И так же лили дожди и непролазны были дороги. Шли только ночами: остерегались авиации. К рассвету делали по тридцать — сорок километров. Тяжелые кирзачи, мокрые, разбухшие шинели, не успевающие просыхать за время коротких дневок, скудный паек и сон не вволю. Парни усыхали на глазах: осунулись, потемнели лицами. К концу недели засыпали на ходу: глядишь, идет, уронив голову, держится за соседа, как слепой. Несколько минут такого неодолимого забытья — и опять топает, месит нескончаемую грязь прифронтовой дороги. Последние тридцать верст уже не шли, а буквально домучивали. Помнится, как в рассветной мгле наконец завиднелись постройки пункта назначения. У всех билась одна только мысль: дойти, свалиться и спать, спать — все равно где, на чем...

И вдруг конный посыльный: прибывшее пополнение будет встречать сам командир полка. По колонне понеслось: «Подтянись! Разобраться по четыре! Оправить обмундирование!» На перекрестке в открытом «виллисе» стоял старый усатый подполковник. Он поднял руку к забинтованной голове, отдал честь едва тащившейся роте. «Поздравляю со вступлением в действующую армию! — хрипло выкрикнул командир полка. — Всем присваиваю звание гвардейцев!» И в тот же миг за его спиной оркестр грянул веселый праздничный марш: «Утро красит нежным светом...» Утро было хмурое, лохматое, в глинистых лужах пузырился осточертевший дождь. Понурые, забрызганные грязью солдаты как могли подравняли нестройные, разорванные шеренги, приподняли отяжелевшие головы, первые ряды даже попытались отбить строевым — так радостно, ободряюще гремела музыка, так звала она к чему-то прекрасному и необыкновенному! «Кипучая, могучая, никем не победимая!» — звонко, радостно пели трубы, и рота, воспрянувшая и слившаяся, вторила им тяжелым и грозным шагом. «Хорошо идете, товарищи гвардейцы! — перекрывая оркестр, крикнул дрогнувший лицом старый подполковник. — Благодарю за службу, сынки!»

В то утро дневки не было. Роте выдали оружие и вручили приказ на новый тридцатикилометровый форсированный бросок.

Тем же вечером дядя Саша водил их в первую контратаку. Прорвавшийся враг был остановлен, но многие из них тогда не вернулись...

— Подтяни-ись! — подбодрил парней дядя Саша, прислушиваясь к разреженным шагам на дороге.

На взгорке возле крайней избы старшой остановился. Сквозь перехлест дождя из окон бил яркий и ровный электрический свет, выхватывавший из темноты мокрый почерневший штакетник, за которым в палисаднике взахлеб булькала переполненная кадка. Один по одному к избе молча подходили все остальные. Иван-бейный снял с плеча свою «иерихонскую», опрокинул раструбом книзу и вылил скопившуюся воду. Почуяв за воротами чужих, во дворе загремела цепью, заметалась собака. На ее хриплый, остервенелый брех в коридоре послышались шлепающие шажки, громыхнул деревянный засов, и в освещенных дверях появилась девушка в долгополом халате.

— Ой, кто это? — отпрянула она, увидев сверкающие на свету трубы.

— Бременские музыканты, — нарочитым басом отозвался Ромка, всегда готовый потрепаться с девчатами.

— Ой, ничего я не знаю! Ма, а ма! —девушка убежала, бросив дверь открытой. — Ма, там пришли-и..

В распахнутом коридоре были видны клеенчатый конторский диван с высокой спинкой, лопушистый фикус, белые цинковые ведра на деревянной скамье. Серый кот клубком спал на лоскутном коврике, постланном у порога на чистом крашеном полу. Потревоженный кот вытянул передние лапы в сладком зевке, поцарапал коврик и недоуменно уставился на незнакомых людей, столпившихся у крыльца.

Вышла женщина, круглолицая, полнеющая, в теплом платке на плечах. Дядя Саша сказал, кто они и откуда.

— Ой, лихо, в такой-то проливень! — сочувственно ужаснулась она, выглядывая за порог. — Да что ж вы стоите! Проходите уж, чего зря мокнуть.

Оркестранты стали было складывать инструменты на свету под окнами, но хозяйка запротестовала:

— И музыку заносите. Пропасть не пропадет, а кто ж ее знает... Машина невзначай колесами наедет или еще что... Чего ж бросать.

Ребята, пошмурыгав о траву туфлями, пообтрусив плащи, начали подниматься на крыльцо, сразу наполнив коридор запахом дождя и мокрой одежды. Кот предусмотрительно ушмыгнул в кухню. Не зная, оставаться ли им здесь или можно войти в дом, парни неловко теснились, озирались по сторонам.

— Проходите, проходите в горницу, — ободрила их женщина. — Машина мимо пойдет, никуда она не денется. По такой дороге не вот-то проскочит. Ее и в доме будет слыхать.

Покидав в коридоре плащи и башмаки, ребята присмирело, гуськом прошли через кухню в горницу.

Возле кафельной грубки, спрятав руки за спину, стояли четыре девушки, настороженно поглядывавшие на незваных гостей.

— Еще раз здрасьте, — вкрадчиво сказал Ромка. Подойдя к девушке, открывавшей им дверь, протянул руку топориком, представился:

— Рома.

Девушка пыхнула, некоторое время смущенно смотрела на Ромкину ладонь и, наконец решившись пожать ее, тихо промолвила:

— Вера.

— Очень приятно! — удовлетворился Ромка и передал ладонь другой девушке:

— Рома.

— Серафима, — охотно назвала себя другая девушка в черном спортивном костюме.

— Рома.

— Надя.

— Рома.

— Нонна.

— Очень, очень приятно. А это все моя охрана. — Ромка повел рукой, указывая на обступивших оркестрантов. — Знаете, как поется: «Ох, рано встает охрана!»

Девушки засмеялись.

Неловкость первых минут была преодолена, и вот уже Ромка, подкладывая хворост в занявшийся костерок беседы, допытывался:

— Значит, все четверо — родные сестры?

— Ага, сиамские близнецы, — подтвердила Серафима.

— Ясно.

— Бурачные побратимы, — уточнила Надя.

— А это уже неясно.

— Что ж тут неясного? Приехали в колхоз бурак копать.

— Значит, студенты! Так это вы в нас бураками кидались?

— Когда? — удивились девушки.

— Где? — спросил Ромка.

— Что — где? — переглянулись девчата.

— Это вы спрашиваете — где.

Девушки, наконец разгадав подвох, расхохотались.

Дядя Саша остался на кухне с хозяйкой, только что принесшей со двора ведерко с прессованным углем.

Гремя совком, подбрасывая брикеты, мокро шипевшие на огне, она сетовала на дождь, которому можно было бы и повременить, поскольку в полях еще много свеклы. Ей-то дождь ничего, она работает под крышей, на ферме, а другим женщинам теперь достанется: благо ли возиться с бураками по такой земле! Вот и девочки из города у нее квартируют, прислали на уборку. Та вон, в халатике, — ее дочь Вера, а остальные приезжие. Только вернулись с поля, едва успели умыться, переодеться, а завтра чуть свет опять идти. И Вера с ними ходит, оторвали от занятий. В этом году десятый кончает, класс ответственный, а тоже не посмотрели, отправили на бурак.

Говорила она охотно, с той гостеприимной приветливостью, которая невольно усвоена безмужними деревенскими женщинами.

— Да вот решила угольком протопить, просушить девчачью одежку, а то пришли, как гуща. Можно б и русскую печь затопить, девок теплом побаловать, да опасливо — дымить начнет, столько времени нетопленная. Да теперь и редко кто топит печи, все больше плитами обходятся. Меньше хлопот. Это ж раньше сами хлеба пекли, да скотине всякого варева на каждый день. А теперь все это отпало. Думала даже сломать печку-то, в доме попросторнеет, да как-то рушить жалко, привыкли. Еще девочкой на ней сиживала, уж годов, годов той печке!

— Дом-то вроде новый, — заметил дядя Саша, оглядывая ровный потолок и свежую матицу.

— Да домок-то, верно, новый, после войны ставленный, а печка старая, еще от той хаты. Это ж как немец спалил деревню, так одни печи и торчали. На нашей весь кирпич пулями да осколками поиссечен, такие щербатины были! Потом, правда, глиной позамазали, а если обмазку отколупнуть, так на ней, бедной, живого места не сыщешь. Она у нас геройская печка, хоть медаль цепляй, — улыбнулась хозяйка. — Жалко разорять теперь.

Из боковушки, опираясь о дверной косяк, выползла старуха в подшитых валенках, тихо, без интереса поздоровалась.

— Да вот, мам, про нашу печь заговорили, — чуть громче обратилась к ней женщина. — Как ее пулями-то посекло.

— А-а. — Старуха, придерживая одной рукой поясницу и опираясь о стол, медленно опустилась на табуретку. — Было, было, — она уже оживленней поглядела на нового человека.

— От печки все и пошло. Вся наша жизнь теперешняя. Как немец-то ушел, — сказала женщина с добродушной веселостью, — вылезли мы из погреба на свет божий, а света божьего и нет. От нашего двора — ни былочки, ни поживочки, одна черная печка. Поглядела — а труба без крыши-то До того высокая да страшная! А окрест глянули — и деревни нету. Одна дорога. И поле — вот оно, совсем близко.

— Про щи скажи, Пелагеюшка, про щи, — напомнила старуха.

Женщина засмеялась:

— У нас щи перед тем в печи варились. Еще до пожара. Ну, сковырнули крышку-то, а там одна сажа.

Старуха улыбнулась слабо:

— Упарились.

— Ага... Ну дак что было делать, с чего начинать? Как жить? Стали мы нашу кормилицу плетнем оплетать да глиной плетень обмазывать. А сверху крышу из бурьяна накидали. Сарай не сарай, а затишок вроде вышел. С того и начали.

В кухню выскочила раскрасневшаяся Вера, хозяйкина дочь, спросила:

— Мам, можно яблок ребятам дать?

— Да разве жалко? — готовно согласилась Пелагея. — Свои, не купленные. Сходи, доченька, набери.

Девушка вышла в сени и, воротясь, быстро прошла в горницу с решетом крупной, улежалой антоновки. Из комнаты тянуло сигаретным дымом, дядя Саша слышал, как Ромка, видать, уже освоившись, трепался там вовсю, и девчонки то и дело прыскали смехом.

— Может, и вы чего покушаете? — обернулась к дяде Саше хозяйка. — Весь-то день, поди, в поле играли. — И, не дожидаясь ответа, засуетилась у полки, достала хлеб, из крынки налила молока в кружку, обтерла донышко и поднесла гостю. — Оно бы лучше чего горяченького, да девчатки пришли, все подобрали.

— Кушай, кушай, — закивала старуха и, помолчав, спросила: — Это ж на каком поле играли, не расслышала я?

— Да вот там, за вашей деревней, — указал дядя Саша. — Как мостик перейти.

— Ага, ага...

— На заяружной пожне, мама, — пояснила Пелагея.

— Ага, ага... На заяружной... — повторила за дочерью старуха. — Дак там-то дюже сильные бои были. Сколь недель бились: он — на-

196

ших, а наши — его, он вот как палит, а наши не уступают. Коса на камень. Уж так изрыта пожня была, так изрыта! А уж гранатов этих да всякого смертоубийства оставлено — как ребятишки убегут туды, аж сердце захолонет. Сколь покалечило беспонятных. Дикое поле сделалось, весны две не пахали, все, бывало, голодные собаки туда бегали.

Дядя Саша придвинул кружку, и, пока ел, обе женщины как-то вдруг смолкли и, пригорюнившись, с тихим вниманием, исподволь смотрели, как сидит он у них за столом, этот немолодой, усталый мужчина, как ест хлеб и прихлебывает молоко.

— Ох-хо-хо, — вздохнула каким-то своим думам старуха и темной рукой погладила на столе скатерку. А он, запивая хлеб молоком, чувствовал на себе их взгляды и думал, что, наверно, давно за этим столом не кормили мужчину и давно, должно быть, живет в этом доме тоска по хозяину.

Вера опять выбегала в сени с опорожненным решетом, и в горнице весело гомонили, наперебой хрустели яблоками

— А чем рассчитываться будем за такой сервис? — слышался голос Ромки.

— Да что вы! Ничего и не надо, — отвечала Вера. — Вы уж лучше сыграйте что-нибудь.

— Это всегда пожалуйста.

Старуха, склонив голову, некоторое время тугоухо прислушивалась к разговору в комнате, потом сказала:

— Наш Лексей тоже, бывало, на гармошке играл. Вот так же соберутся и ну шуметь.

— Дак и Коля тоже играл, — живо заметила Пелагея.

— И Коля, и Коля... — согласно закивала старуха. — Коля тоже веселый был. Они обои веселые были.

— Сыновья? — спросил дядя Саша.

— Сыно-очки, сыно-очки, — опять закивала старуха. — Вот ее, Пелагеюшкины, братья. Принеси, Пелагея, карточки-то, покажь человеку.

Пелагея сходила в темную, без света, боковушку, вынесла небольшую рамку с фотографиями, окрашенную голубой масляной краской, так же как и цветные горшки на подоконнике, как рукомойник в углу, и, на ходу протирая стекло передником, сказала извинительно:

— Висела в горнице, а Верка: сними да сними. Говорит, будто не вешают теперь всех заодно в одной раме, не модно. Теперь, дескать, в альбомах надо держать. Ну, я взяла и сняла, перевесила к маме в темную.

Хозяйка поставила рамку на стол, прислонила к стене. Старуха, щурясь, напрягаясь лицом, потянулась к фотографиям:

— Я дак теперь и не различаю, который тут где. Это вот не Лексей ли? Ну-ка, Пелагея, ты зрячая.

— Это Коля с дружками. Еще в эмтээсе снимались.

— Ага, ага... Дак а это кто же тогда, не пойму?

— И это тоже Коля. — И уже дяде Саше пояснила: — Колиных тут целых три карточки. Вот еще он. С Василием. Это наш, деревенский. Они в одной части были. А Лешина одна-разъединственная. Леша-то наш, вот он. Как же ты, мама, забыла? Он всегда у нас с этого краю был.

— Дак, может, переставили когда... — оправдывалась старуха. — А так, как же, помню... Лексей... сыночек...

Она дрожащими пальцами потрогала стекло в том месте, где была вставлена крошечная фотокарточка с уголком для печати. Дядя Саша и сам едва различил на ней уже слабые очертания лица, плохо пропечатанного каким-то фронтовым фотографом, погасшего от времени. На снимке просматривались одни только глаза да еще солдатская пилотка, косо сидевшая на стриженой голове. Вот-вот истают с этого кусочка бумаги последние человеческие черты, подернутся желтым налетом небытия. И дядя Саша подумал, что, должно быть, старуха-мать, сама угасающая и полуслепая, уже не обращается к этой карточке: она давно для нее блеклая пустота. И даже память, быть может, все труднее, все невернее воскрешает далекие, годами застланные черты. И только верным остается материнское сердце.

— Лексея-то помню... — как-то отрешенно, уйдя в себя, проговорила старуха. — Как же, первенец мой. Уже зубочки резались, а я все грудью баловала. Уж так прикусит, бывало... — Старуха провела по пустой ситцевой кофте и, наткнувшись на пуговицу, успокоила на ней мелко дрожащую руку.

— Ну а это мы тут со Степой, — встревоженно метнув взгляд на мать, поспешно и даже весело сказала Пелагея. — Сразу как поженились. Это уже опосля войны. — Пелагея задержала тихий и грустный взгляд на фотографии, где она, простенько, на пробор причесанная девчонка, радостно-настороженная, едва доставала до плеча строгого, уже в летах мужчины. И уважительно, чуть дрогнувшим голосом, добавила: — Со своим Степаном Петровичем...

Она помолчала, предоставляя дяде Саше поглядеть на себя молодую и на своего Степана.

— Ну а это все двоюродные да тетки. Весь наш боковой корень. Только папы нашего здесь нет. До войны как-то не успел сняться, а потом просили-просили, чтоб с фронта прислал, так и не дождались. Все есть, а его нету...

Хозяйка взяла со стола рамку, опять отнесла ее в темную боковушку и, воротясь, подытожила:

— Четверо легло из нашего дома. А по деревне так и не счесть.

— А четвертый кто же? — спросил дядя Саша.

— А четвертый Степа мой. Мы с ним уже опосля войны поженились. Он-то до самой Германии дошел, а это потом смерть и его нашла, уже дома достала. Раны у него открылися. Перемогался, перемогался, лег в больницу, да больше и не вышел оттуда...

Лицо Пелагеи дернулось, и она быстро прошла к плите, высыпала из ведра остатки угля. Потом долго через конфорку шуровала кочергой, разгребала, уравнивала брикетины.

— Степа-то мой у себя лежит, ухоженный, — вздохнула она, не поворачиваясь от плиты. — И оградку мы ему поставили, и карточки подменяем. Я сразу десять штук увеличила, чтоб надолго хватило, пока сама жива. Да и так когда сходишь поплачешься, бабье дело... А уж как те мои родненькие лежат, и где они... Ездила я года два назад поискать папину могилку. Сообщали, будто под Великими Луками он. Ну, поехала. В военкомате даже район указали. Около станции Локня. И верно, стоят там памятники. Дак под которым наш-то? Вечная слава, а кому — не написано. А может, и не под которым. Местные-то люди сказывают, будто и теперь еще из омшар да болот костяки достают... С тем и вернулась я... Ну а Николай в морской авиации служил. — Пелагея понизила голос: — Того и искать нечего... А Леша наш до сего дня без похоронной... Я раньше тоже ждала, да что ж теперь... Столько лет прошло... Одна мама все надеется...

Старуха ревниво прислушивалась, потом подняла глаза в потолочный угол, выдохнула скорбный полушепот:

— Ох, светы мои батюшки! Ох, неприбранные лежат страдальцы наши!

— Что ты, мама! — испуганно возразила Пелагея. — Как так можно? Неприбранные! Выдумает тоже.

Дядя Саша молча курил, глядя на черные стекла ночного окна, по которым, подсвеченные из комнаты, косо чиркали трассирующие капли дождя. И опять ему привиделся тот неизвестный солдат на проволоке под дождем и пулями, синими руками просившийся к земле. И как потом осыпался он из своей шинели костьми и прахом...

А старуха, утвердив обе руки на коленях, безмолвно сидела, уставившись в малиновое поддувало, сидела так, как, наверно, привыкла за долгие годы сидеть в терпеливом ожидании чуда.

В соседней горнице девчата опять стали просить Ромку сыграть что-нибудь:

— Ну чего вы, правда! Что вам, воздуху жалко, что ли?

— Шейк? Босанова? — небрежно кинул Ромка.

— А играете? — обрадовались девушки.

— Спрашиваете!

— Ой, шейк, мальчики! Шейк!

— Ну как, братва, слабаем?

— Рванем!

— Ой, давайте, давайте! — студентки забили в ладоши.

На пороге кухни появился Ромка, по-хозяйски навалясь на косяк, возбужденно сказал:

— Шеф, там девчонки шейк просят сбацать. Как смотришь?

Дядя Саша даже не понял сразу, о чем говорил ему Ромка.

Он не сразу оторвался от окна, посмотрел на него каким-то невидящим взглядом и опять отвернулся. Ромка озадаченно помолчал и спросил уже потише, поспокойней:

— Дядь Саш? А дядь Саш? Поиграть можно?

Тут подала голос старуха, она уловила Ромкин вопрос и, тронув дядю Сашу за руку, тоже попросила:

— Сыграй, милый, сыграй. У нас прежде в дому завсегда весело было. Лексей музыку любил. Он гармошку и на фронт забрал. Я ну его укорять: Леша, сынок, куда ж ты ношу такую, помеху-то? Будет ли тебе там когда играть? А он смеется сгодится, мама, сгодится. Ну, да он и там время отыщет, он такой... Дак и Коля тоже любил... Сыграй, милый, сыграй.

Дядя Саша пристально вгляделся в старуху и услышал ее. В раздумье повернулся, посмотрел в вопрошающие Ромкины глаза, сказал негромко:

— Давай, правда, сыграем, Роман.

И убежденно добавил, вставая:

— Носите-ка инструменты.

В комнате притихшие было ребята сразу загалдели, загремели стульями, живо вышли в сени за трубами. Подали и дяде Саше его черный чехол, и он вслед на Пелагеей шагнул в горницу. И старуха приковыляла, села в сторонку к окошку. Девчата уже поспешно составляли к стене стол, стулья, освобождали место под танцы.

— Ты что ж, Сим, так и будешь в тренировочном костюме?

— А что? Шейк ведь! Вон и Вера в халате.

— Я не буду, — замялась Вера. — Я не умею такие.

— Ну что ты! Чего тут уметь. Пойдем, пойдем, я тоже туфли надену.

И девушки скрылись за занавеской.

— А ты почему не взял инструмент? — Дядя Саша покосился на Сохина, в стороне жевавшего яблоко.

— Да я потанцую. Хватит вам и одного альта.

— Ты мне нужен как раз. Иди возьми.

Сохин передернул плечами, недовольно вышел.

Ребята, каждый со своим инструментом, окружив старшего, изготовившись, поглядывали, как он распускал на чехле завязку, как не спеша обнажал свой прекрасный, сверкающий чистотой корнет. Делал он это как никогда торжественно, сосредоточенно, будто незрячий. Принаряженные девчата, сдержанно переговариваясь, расселись возле Пелагеи, и та участливо осматривала их прически и платья.

Дядя Саша постучал ногтем по корнету. Трубы замерли в изготовке.

И, глядя вниз, на свои пальцы, что уже лежали на клапанах, выждав паузу, он объявил, разделяя слова:

— Шопен... Соната... номер... два...

Какое-то время оркестранты смятенно смотрели на старшого, глазами, немотой своей как бы спрашивая: какая соната? при чем тут соната? Кто-то удивленно шепнул: «Чего это он?» Девчата тоже переглянулись. И только Пелагея, ничего не поняв, продолжала улыбаться и радостно ожидать музыки.

Дядя Саша опять постучал по трубе:

— Играем часть третью. Вы ее знаете.

— Ну, знаем, конечно... — сдержанно кивнул за всех Ромка.

— Прошу повнимательнее.

Он еще раз оглядел оркестр.

— Начали!

И, все еще недоумевая, думая, что произошла ошибка, оркестранты с какой-то обреченной неизбежностью грянули си-бемольный аккорд, низкий, тягучий, как глубинный подземный взрыв.

Пелагея, для которой слова «соната», «Шопен» означали просто музыку, а значит, и веселье, при первых звуках вздрогнула, как от удара. Она с растерянной улыбкой покосилась на старуху, но та лишь прикрыла глаза и поудобнее положила одна на другую ревматические, сухие руки.

Дядя Саша кивком головы одобрил вступление и сделал знак повтора. Парни, все разом переведя дух и взяв чуть выше, уже уверенней, увлеченней повторили эти басовые вздохи меди. Ему было видно, как пристроившийся позади остальных Иван-бейный старательно надувал щеки, вперив смятенный взгляд в какую-то одну далекую точку.

Возле него маленький круглолицый Сева, давая отсчет тактам взмахами колотушки, отбивал тяжелую медленную поступь траурного марша.

И Пашка с его не просохшими после дождя взъерошенными волосами вторил Севе тарелками, которые всплескивались среди басов и баритонов тревожной медной звенью.

Звуки страдания тяжко бились, стонали в тесной горнице, ударялись о стены, в оконные, испуганно подрагивающие стекла.

Когда была проиграна басовая партия, вскинулись, сверкнув, сразу три корнета, наполнив комнату неутешным взрыдом.

Принаряженные девчата, потупив глаза, уставились на свои туфли, обмякла плечами и Пелагея, и только старуха, держа большие темные руки на коленях, сидела неподвижно и прямо.

Серое ее лицо, изрытое морщинами, оставалось спокойным, и можно было подумать, что она уснула под музыку и вовсе не слышит этого плача труб в ее бревенчатом вдовьем дому. Но она слышала все и теперь, уйдя, отрешившись от других и от самой себя, затаенно и благостно вбирала эту скорбь и эту печаль раненой души неизвестного ей Шопена таким же израненным сердцем матери.

И дядя Саша вспомнил, что именно об этой великой сонате кто-то, тоже великий, сказал, что скорбь в ней не по одному только павшему герою.

Боль такова, будто пали воины все до единого и остались лишь дети, женщины и священнослужители, горестно склонившие головы перед неисчислимыми жертвами...

И тут Вера, внучка, вдруг закрыв лицо руками, кинулась за занавеску.

Девушки тоже поднялись и одна по одной, ступая на носках, пошли к ней.

И как проливается последний дождь при умытом солнце — уже без туч и тяжелых раскатов грома, — так и дядя Саша повел мелодию на своем корнете в тихом сопутствии одних только теноров: без литавр, басов и барабанов.

Это было то высокое серебряное соло, что успокаивая, звучало и нежно, и трепетно, и выплаканно, и просветленно.

Освободившиеся от игры ребята — басы, баритоны — в немой завороженности следили за этим необыкновенным девичье-чистым пением дяди Сашиного корнета, звучавшим все тише и умиротвореннее. Печаль как бы истаивала, иссякала, и, когда она истончилась совсем, завершившись как бы легким вздохом и обратясь в тишину, дядя Саша отнял от губ мундштук. Бледный, вспотевший, он торопливо, потерянно полез в карман за платком. Он почему-то не стал возвращаться к басовому началу, которое у Шопена повторялось в самом конце шествия. Видно, ему не хотелось заглушать свет этой успокаивающей и очищающей мелодии тяжелой эпитафией.

И когда он утер лицо и не спеша, устало принялся зачехлять трубу, в горнице все еще молчали. Было только слышно, как изредка всхлипывала за ситцевой занавеской Вера.

Старуха наконец встала и, отстранив рукой Пелагею, которая кинулась было поддержать ее, поковыляла одна, шаркая подшитыми валенками.

— Ну, вот и ладно... — проговорила она. — Хорошо сыграли... Вот и проводили наших... Спасибо.

И, остановившись посередине горницы, перекрестилась в угол.

Оркестранты молча закуривали.

Они шли к большаку непроглядным ночным бездорожьем. Все так же сыпался и вызванивал на трубах холодный невидимый дождь, все так же вязли и разъезжались мокрые башмаки.

Проходили набухшие водой низины, глухие распаханные поля, спящие деревни, откуда веяло палым садовым листом и редким дымком затухающих печей. Нигде уже не было ни огонька, а лишь недремные деревенские псы, потревоженные чавканьем ног на дороге, взахлеб брехали из глубины дворов.

Шли молча, сосредоточенно, перебрасываясь редкими словами, и старшой слышал близко, сразу же за собой, тяжелое, упрямое дыхание строя.

Как тогда, в сорок третьем...

И дядя Саша, придерживая рукой разболевшееся, глухо ноющее сердце, что донимало его последние годы, громко подбодрил оркестр:

— Ничего, ребята, ничего. Скоро дотопаем...

1973

КАРТОШКА
С МАЛОСОЛЬНЫМИ ОГУРЦАМИ

Юрка гостевал у своей деревенской бабушки, сидел у окна на лавке, дожидаясь, когда в печи поспеет молодая, недавно убранная картошка. В эту пору она так хороша, что вовсе не обязательно было есть ее с хлебом, а только прикусывать с зеленым лучком, кругляшами белой щипучей редьки, сдобренной конопляным маслом, а еще лучше — с малосольными огурцами, которые, как только их принесут из погреба, враз полнили избу чесноком, укропом и смородиновым листом.

Набирая из распущенного снопа пучки ржаной соломы, бабушка скручивала из них перевяслица. Делалось это для того, чтобы солома сразу не пыхала, а горела подольше, поддерживая в печи ровный непрерывный жар. В нашем полустепном краю не всяк день топили дровами, а пока держалось тепло, обходились разной подножной всячиной: лозняком, полынком, обмолоченной соломой, тем паче на дворе нежится бабье лето, в голубом, погожем безветрии дремотно плавится паутина, а в подзаборной мураве благодатно зинзикают кузнечики. Так что до заветных дров было еще далеко.

Однако же топить соломой было колготно: от печки не отойти, не опустить руки, пока не сварится еда. Соломенные закрутки, будто живые, норовили развиться, бабушка прижимала локтем, гася их змеиный порыв и, выждав момент, подсовывала жгуты в печь. Веселый, светлый соломенный пламень уже в который раз принимался лизать черный, запотело лоснящийся чугунок, накрытый такой же черной сковородкой. Однако, казалось, чугунку все было нипочем, будто и не ведал он робости перед огнем, тем более соломенным, и вовсе не думал закипать. Но бабушка все подбрасывала, все обкладывала его перевяслицами, не давая огню иссякнуть, спрятаться под легкую кружевную золу. И вот наконец-то из-под сковороды вышмыгнула робкая струйка, потом рядом — другая, чугунок нехотя принялся что-то бормотать и побулькивать и вскоре уже неудержимо захвастался: «Бульба я, бульба я, бульба!» — и пустился выфукивать пузыри и выплескивать на свои округлые бока пахучую картофельную юшку.

— Ага, проняла-таки мазурика! — торжествующе объявила бабушка и сковырнула чапельником с чугунка сковородку. — Пусть еще чуток побулькотит, да и сливать будем. Картошка еще не застарелая, варки немного требует.

Проголодавшись, Юрка нетерпеливо млел в ожидании, когда бабушка наконец-то вывалит в глиняную черепушку объятые паром картофелины. В лопнувших от внутренней натуги сермяжных одежках, с сахарно-зернистыми разломами, картофелины будут исходить неистовым жаром, от которого, если в нетерпении куснешь перебрасываемую с ладони на ладонь каленую барабульку, то мигом перехватит дыхание, а по щекам побегут нечаянные слезы. Тут-то в самую пору гасить пожар в распахнутом рту холодными бочковыми огурчиками, еще молоденькими, пупырчатыми и хлестко хрумкающими на зубах. Пожалуй, нет еды азартнее пылающей картошки с малосольными огурцами, особенно когда за стол сядут с полдюжины едоков и примутся наперегонки скубить кожурки, дуть в ладони, запястьями утирать невидящие глаза и дышать по-рыбьи округлыми ртами. «Ай, хорошо! — вырывается то тут, то там за столом. — Вот это дак пропарило, будто побывал в бане!»

— Ай, чтой-то в поясницу вступило! — взмолилась бабушка. — Дай хоть присяду. Небось опять прострелило. Дак и не диво: столь картошки перебрать да в погреб перетаскать. А подмоги — ниоткудова. Ты вот что, Юрко! Сбегай-ка в погреб да набери огурцов. А то я, раскоряка, и по лестнице не спущусь. А спущусь, дак и не выберусь обратно. Эко скрутило! Печку истопила — ничего, а чугунок подняла чаплями, меня и саданýло. Аж не вздохнуть. Сходи, голубь, уважь старую.

— Кто? Я-а? — не поверил бабушке Юрка.

— Да кто ж у нас еще, окромя тебя?

— Во что набирать? — готово спохватился Юрка.

Никогда еще не бывал он в бабушкином погребе. На чердаке избы бывал — ничего особенного: хлам да паутина, на сеновал лазил, тоже неинтересно, даже на старое дерево, что под окном, забирался поглядеть, кто там пищит в дупле? Но его клюнула в макушку галка, и он едва не сверзился на землю. А вот в погреб, да ещё одному, — такого никогда не бывало. Он даже почуял, как полыхнул ушами — так пришлась ему бабушкина просьба.

— Так во что набирать? — теребил Юрка бабушку.

— Вот тебе миска, наклади полную, чтоб и к обеду осталось.

Юрка схватил эмалированную миску и хотел было выскочить во двор, но бабушка удержала за руку:

— Да смотри не ошмыгнись, лестница там крутая, я и то не раз с нее падала. Особенно когда руки поклажей заняты. Ты перекладину-то ногами пощупай. Сперва подошевкой уверься, а тогда только переступай. Понял?

— Понял! — кивнул Юрка, порываясь высвободиться.

— Да погоди ты, егоза! — волновалась бабушка. — Экий ему нетерпёж! Ох, грех на душу беру... Лучше я сама как-нибудь спущусь. Дай-кось сюда миску...

— Не дам... — набычился Юрка и спрятал посудину под рубаху.

— Какой натурный! Вылитый дед! Тот, бывало, так вот упрется... Да ты хоть творило осилишь поднять? Оно ить в три доски-пятидесятки...

— Оси-и-лю! — заверил Юрка на всякий случай, чтоб отпустила только.

— Ну ладно, егоз, ступай... Немочи мои ходу не дают, куда от них денешься. Я и так печку едва выстояла, в ногах не стало державы. А ить скоро зима, печку кажен день обряжать. Однако ж спичек тебе не дам: дверцу отворишь пошире — оно и без спичек станет видать. Солнца еще эвон сколь.

— Ладно, — согласился Юрка идти без спичек

— Стало быть, слушай и запоминай: как, значит, спустишься, так сразу по правую руку и будет кадка с огурцами. Она сверху рогожкой прикрыта. Ты огурцы-то не буровь, а под укроп подсунься и бери с краю, какие попадутся. Где у тебя правая рука?

Юрка не знал, где у него правая, а где левая, и так просто, низачем переместил миску из одной руки в другую, протянув бабушке ту, которая оказалась свободной.

— Ну вот тебе! — огорчилась бабушка. — Какая же это правая?! Грамотей! Так-то посылай тебя в темноту без спичек... Правая — вот она, запомни. — Бабушка задергала Юрку за правый рукав. — Потому и правая, что она всяким делом правит. Что бы ты ни взялся делать, первым-наперво правая рука за это дело берется. Уроки ли писать или ложкой хлебать — все правой. И крест Божий только она творит... А левая — она вроде как в помощниках. Запомнил?

— А я все вот этой делаю, — не согласился Юрка.

— Да уж знаю, приметила... Потому и неслух такой, — смиряясь, вздохнула бабушка и зачем-то погладила Юрку по стриженой голове. — И откуда эта неправедность у тебя? Надо бы к Мелентьихе сводить, пока еще малой, слову податливый. Пусть бы пошептала чего да попрыскала святой водицей.

— Никуда я не пойду! — нагнул Юрка голову, похожую на свернувшегося ежика.

— Ну ладно, ступай! — отпустила бабушка внука. — Да смотри там, не озорничай, не оступись часом...

Распугивая кур, набившихся в сумеречные сени, должно быть, в ожидании картофельных кожурок или еще чего-либо съестного, Юрка вылетел во двор, полный ликующего солнца. Сквозь рубаху сразу почувствовалось его приятное прикосновение. Над двором с азартным визгом носились молодые, вылетевшие из гнезд вилохвостые касатки, гоняясь за слепнями и всякой прочей мошкой, а по ветхому, иссохшему плетню, перевалясь на бабушкину сторону, вилась и без устали пускала загребущие усы соседская тыква и все еще норовила цвести, протягивая к солнцу оранжевые пустоцветы.

Погреб находился как раз возле плетня. Над его лазом высился ивовый шалашик, закиданный сверху картофельной ботвой. Здесь, на погребице, в знойный летний полдень любили сиживать и охорашиваться бабушкины куры, а сегодня, когда Юрка заглянул под навес, на теплом твориле блаженно нежился тоже, как и тыква, соседский кот Кудря. Он плоско, как будто одна только пустая рыжая шкурка, возлежал на боку, отбросив в сторону все четыре лапы и подставляя утреннему солнцу розовые пятнашки подушечек. При этом Кудря сладостно поигрывал коготками, то выпуская их наружу во всей цап-царапающей красе, то снова убирая в рыжую меховую пушистость. «Муры-муры», — удовлетворенно наигрывал он невесть каким способом — то ли когда вдыхал, то ли когда выдыхал воздух из своего слежалого нутра.

Коту очень не хотелось покидать укромное местечко, и он, не поднимая головы, а лишь слегка разомкнув веки, недвижно поглядывал за Юркой, не уберется ли он прочь. Чтобы не занимать рук, Юрка определил миску себе на макушку и крадучись, осторожно потянул из шалаша хворостинку. Кудря сразу все понял, внезапно вскинулся и опрометью прошмыгнул меж Юркиных ног, так что тот даже не успел их вовремя сомкнуть, чтобы прихлопнуть этого любителя чужих погребов. Это же он, конечно, на той неделе опрокинул кувшин с топленым молоком, когда бабушка забыла притворить погребную крышку. Кто ж еще? И цыплят таскал, пока те не подросли и не перестали путать кота со старой цигейковой шапкой.

«Вот погоди, — пригрозил Юрка, — привяжу к хвосту жестяную банку, тогда узнаешь, как шастать по чужим дворам».

Поднатужась, Юрка с первой же попытки отвалил дубовый притвор на ременных петлях и, опустившись на четвереньки, заглянул в квадратную дыру. Оттуда сперто, холодно шибануло сырой землей и терпким укропным духом. Обмирая от неизвестности и любопытства, Юрка пытался разглядеть что-либо внизу, чтобы определиться, но, кроме нескольких изначальных ступеней жердяной лестницы, терявшейся другим концом где-то в пустоте, ничего больше со свету не увидел. Казалось, что там не было дна, твердой опоры, и разило холодом и клеклой землей вовсе не из погреба, а из прохладной пустоты, из самого разверзшегося земного чрева, где обитают те самые «кабиясы», о которых не раз так жутко рассказывала бабушка. Она вовсе не хотела запугивать Юрку, а просто не знала, что придет черед, когда надо будет и ему спускаться в это «кабиясное» подземелье.

Юрка сел на край, боязливо свесил в лаз босые ноги. Погребная стылость неприятно лизнула подошвы, он поспешил убрать ступни под себя, после чего, скованный оторопью, долго сидел вот так у края погреба с миской на голове и поджатыми под себя ногами. Его даже посетила убедительная мысль, что картошку вовсе не обязательно есть с огурцами. Очень даже неплохо макнуть ее в постное масло, а затем присыпать солью.

Юрка украдкой оглянулся на кухонное окошко, не смотрит ли на него бабушка. Ему очень не хотелось, чтобы она видела его все еще сидящим на погребице. Но в окне никого не было, зато в спину ободряюще глядело солнце, и это наконец-то вывело Юрку из нерешительности. Он снова спустил ноги, зависнув в проеме на врозь раскинутых руках, стараясь нащупать под собой лестничную перекладину. Утвердясь на ней и переведя дух, он спустился на следующую, потом таким же образом еще на одну... Погребной холод охватно стеснил его тело, казалось, он погружался в колодец с холодной водой. Все его существо онемело, напряглось в ожидании, что вот-вот кто-то неведомый и мерзкий выскочит из глубины и когтисто вцепится в голые ноги. Но никто его пока не трогал, а над головой, в квадрате лаза, все так же ободряюще голубело солнечное небо, и Юрка, перестав прощупывать перекладины, разом, как в омут, скользнул вниз и раньше, чем ожидалось, с радостным узнаванием стукнулся пятками о земную твердь.

Здесь, на дне погреба, оказалось не столь кромешно: брезжило как будто в серое ненастное предвечерье. Пообыкнув, Юрка даже стал различать окружавшие стены и отдельные предметы. Обозначилась, замерцала стеклом земляная печурка, заставленная тускло-пыльными банками и бутылками. Сквозь стекло проглядывали рыжие шляпки каких-то грибов, трехкопеечным размером и округлым видом похожие на засоленные пальтовые пуговицы, в посудинках поменьше узнавались улыбчивая смородина, с колким отблесковым лучиком на каждой чернявой ягоде, и багряно-алая малина, хранимая на случай простудных хворей, и припасы ягоды черемы, из которой получаются отменные пироги и которые можно жевать прямо с косточками, придающими печеву особую лесную горчинку, — все это, должно, еще от тех времен, от тех сборов, когда бабушка сама хаживала и по грибы, и по ягоды. Этим летом она уже нигде не была, кроме своего огорода.

Ниже печурки, на дощатой полке, теснились глиняные горшки и горшочки и совсем крошечные махоточки с округлыми — продеть только палец — черепняными держальцами, уже отслужившие в наземной надобности, но еще пригодные здесь для хранения каких-то бабушкиных лекарских секретов — от надсады, золотухи, черного ногтя, бородавок, застарелых цыпок, что Юрка уже заимел или мог подцепить, поскольку был великий «неслух» и бабушкина досада, как порой говаривала она в сердцах. Среди этой глиняной мелкоты выступали рослые дородные кринки, темно-кирпичные от печного загара, повязанные белыми марличками, будто платочками, делавшими их похожими на загорелых крутобедрых молочниц, пропахших пенками и смуглым топленым молоком. Прямо же перед Юркой, до уровня его подбородка высился тесовый закром, доверху засыпанный картошкой. Бабушка перебрала ее по штучке, очистила от огородной земли, раскатала по утоптанному токовищу на ветерке. И вот она, котом спущенная по деревянному лотку, теперь лежит в закроме. Картофелины все чистые, светлокорые, налитые молодой сытой спелостью, с густым пасленовым духом. Но Юрке почему-то жаль картошку. Может, оттого, что там, наверху, было еще тепло, солнечно, и ей можно было сколько-то времени пожить на воле, как живут еще многие травы и даже цветут себе на здоровье. Впрочем, картошка сама виновата, что ее раньше времени упрятали подземь: вместо того, чтобы еще зеленеть да радоваться погожим денькам, она, глупая, зачем-то принялась хиреть и чезнуть листьями. И солнце ей не впрок, и воля не по нутру. Вроде сама со свету запросилась в погреб. «Ну и чего хорошего, — рассуждал у закрома Юрка, — лежать вот так навалом, друг на дружке, в темноте и холоде? Особенно худо нижним. Уж и надавят бока тем, кто на самом дне! Хотя, если разобраться, верхним картошкам и того хуже. Их первыми нагребут в корзину, снесут в избу, ножом соскребут шкуру и сварят в печи: которые покрупнее — людям на прокорм, а которые помельче да ушибленные — курам и поросенку. Если бы Юрка был картошкой, он забился бы на самое дно — подальше от бабушкиного ножика и чугунка. Как-нибудь перетерпел тесноту, зато долежал бы до весны, до ростепели. И тогда его снова отнесут в огород, выроют лопатой ямку и присыпят сверху теплой землицей. А он полежит-полежит, согреется после холодного погреба да и высунется ростком — поглядеть, что нового на белом свете? И примется пускать листья и цветы, станет снова жить да поживать. Ведь впереди — целое лето! Расти да радуйся! А когда осенью опять выкопают, он, не будь дурак, снова — на самое дно, и так до следующей весны, до новой ямки на огороде...»

В соседней дощатой отгородке хранились ворошки всякой огородной всячины: оранжевые морковки, напоминавшие вареных раков, как и те — тоже усатые и клещастые; загадочные округло-приплюснутые репы, похожие на одинаково выточенные юлы, казалось, выросшие затем только, чтобы бесконечно долго, до полного слияния с окружающим воздухом вращаться на своих тонких хвостиках-ножках. А еще были редьки, покрытые грубой черной кожей, однако хранящие под этой бычачьей юфтью белоснежную мякоть, пропитанную острым кочерыжным соком, нацедив которого в ложку и зажав в коленях Юркину голову, бабушка закапывала ему в ноздри, когда тот ознабливался и начинал хлюпать носом.

Отдельно от всех, в стареньком лукошке, как бы пребывая в особых почестях, хранилась свекла — на Юркин тогдашний вкус совершенно никчемный овощ, который он тайком выковыривал из винегрета. Однако же бабушка почтительно величала свеклу египетской варенкой, и на ее лице проступало благостное просветление. Она непременно говаривала, что будто бы этот красный бурак не просто так, а помянут в Священном Писании, и потому, должно быть, готовила винегрет только по церковным праздникам и никогда не выбрасывала остатки курам.

Огурцы оказались в приземистой, расклешенной книзу кадке. Юрка не сразу нашел их, а сперва запустил руку в соседнюю бочку. Но сколь ни вертел туда-сюда растопыренной пятерней, никаких огурцов, ни единой бубочки в бочке не оказалось, а только холодная вспененная вода. Юрка лизнул мокрые кислые пальцы, и ему почудилось в этой влаге что-то знакомое. Тогда для верности он зачерпнул миской, осторожно испробовал, и все больше уверяясь в своей догадке, отпил несколько глотков этой постреливающей пузырьками жидкости. В носу тотчас же защекотало, как если бы туда сунули травинку, а глаза позадернуло наволочью, так что он снова перестал различать, где право, а где лево. «Точно, квас! — не сразу прозрел он. — Вот это так кваси-и-ище!» — удостоверился Юрка окончательно. Вспомнилось, как бабушка сказала, что огуречная кадушка накрыта рогожей. Юрка допил из миски квас и, еще как следует не отморгавшись после колкой шипучести, принялся вылавливать из-под рогожи холодные пупырчатые огурчики, источавшие аппетитный дух. Но тут где-то между банок, шурша и позвякивая о стекло, посыпалась сухая земля. Юрка невольно обернулся и вдруг на краю припечка увидел большую серую жабу... Поначалу он принял ее за ком земли и даже подумал отбросить прочь, чтобы этот ком не попал в кадушку с квасом. Но, присмотревшись, заметил, что эта серая, шишковатая глыба дышит, равномерно поднимая и опуская бока, а из-под надбровий внимательно, как-то прицельно, взирают желтые, немигающие глаза с косыми, как у кошки, черными зрачками.

Юрка оторопел. Это потом он будет хвастать, что нисколечко не забоялся. Но, если честно, то, конечно, маленько сдрейфил: а вдруг прыгнет на него или еще чего сделает нехорошее? Мгновенно вспомнилось все, что было слыхано о таких вот страшилищах, когда деревенская ребятня, окрестные Юркины сверстники, собираясь коротать вечер на перевернутой лодке, говорили, что если прикоснуться к лягушке, когда она раздувает свои пузыри на горле, то на руках непременно выскочат бородавки, и в подтверждение показывали друг дружке пальцы и запястья с этими таинственными вздутиями. Сказывали также, будто лягушка может так брызнуть сами знаете чем, что если вовремя не зажмуриться, то в глазу может появиться порча, а то и вовсе можно ослепнуть.

Юрка хотел было стрекануть наверх, но в эту минуту жаба раздула шею и скрипуче, но вполне отчетливо произнесла его имя.

«Юр-р-ра!» — сказала она с расстановкой, нажимая на «р». Это было так неожиданно, что Юрка, оторопев, не улепетнул вверх по лестнице, а остался у ее подножья как вкопанный.

«Юр-р-ра!» — повторила жаба, и прозвучало это вполне миролюбиво, даже как-то просяще, будто в недомогании.

— Чего тебе? — отозвался Юрка, догадываясь, что лягушке что-то от него надо и что она вовсе не собирается на него нападать.

«Юр-р-ра! Юр-р-ра!» — твердила она, будто жевала крутую резину.

— Ну чего? — совсем освоился Юрка и заговорил с жабой как с давнишней знакомой. — Ты что? Тут живешь?

Жаба, будто подтверждая, приподняла нижние веки и задернула ими оранжевые ободки зрачков.

— Дак тут же холодно! И никогда не бывает солнца, — содрогнулся Юрка. — Как в тюрьме.

— Я так-кова, я так-кова, — вздымая бока, проскрипела жаба.

— А что ты ешь? Тут же есть нечего! Одни малосольные огурцы да картоха. А банки все закрыты...

Юрка пошарил вокруг глазами в намерении отыскать что-либо подходящее для лягушки, но ничего не увидел: ни мухи, ни мало-мальского комарика, никто из них не хотел залетать сюда, в погреб, где всегда было холодно и темно. Юрке стало жаль жабу, такую малоподвижную неумеху, которая безысходно живет в этом погребном неуюте.

В ответ жаба подняла свою медлительную переднюю лапу и, закрыв один глаз, поскребла желтым ногтем там, где должно было быть ухо, но — которого никогда не было на этом месте.

В дверном проеме вдруг сделалось темно: кто-то заслонил солнечное небо. Юрка поднял голову, а это бабушка.

— Ты пошто не идешь-то? — зашумела она. — Жду-пожду, а его домовой нанюхал! Ну, лихо же мое! Уж думаю, не сверзился ли с лестницы, не переломал руки-ноги? Лучше б сама доползла. Хоть огурцов-то набрал?

— Набрал...

— Давай сюды.

Юрка передал огурцы и побрел следом за прихрамывающей и кряхтящей бабушкой.

— Все ладом поделал? Не начередил чего? Варенья не пооткрывал?

— Все, как было. — Юрка нехотя плелся за бабушкой, за ее обширной юбкой, ходившей туда-сюда вокруг ног в пустых, шаркающих галошах.

— Дак чего долго-то? — допытывалась она.

— Да-а... Там лягушка.

— Ну и что — лягушка? Экая невидаль. Я еще в девках ходила, а она уже там жила. Это эвон сколь годов!

— Ей там есть нечего... — возразил Юрка.

— Ежели доси жива — стало быть находит.

— И пить нечего...

— И пить находит.

— А давай мы ее к себе заберем?

— Это зачем еще?

— Будет жить с нами.

— В избе — что ли?

— Ага... у нас тепло: печка топится.

— Не выдумывай. В избе святые иконы висят, а мы в дом — нечисть всякую. Польза-то от нее какая?

— Она хо-ро-о-шая!

— Да чего ж в ней хорошего-то? Небось в руки брал эту непотребу? Иди сейчас же сполосни, а то так и за стол сядешь. Признавайся: брал ай нет?

— Не брал я! — осерчал Юрка.

— А то так-то бородавок нахватаешь...

— Ее тоже Бог слепил?

— А то как же!

— А зачем, если она плохая?

— А Он всякой твари налепил по паре.

— А зачем?

— Чтобы было.

— А Он из чего их всех лепил? Из глины?

— Из глины, из глины! — отмахнулась бабушка.

— Неправда! А вот глаза — не из глины!

Вместо ответа бабушка выждала, когда Юрка поравнялся с ней, и отпустила ему подзатыльник.

— Ладно тебе! — пресекла она Юркины происки. — Фома сыскался.

— А вот не из глины!!! — упирался Юрка.

Бабушка отпустила ему еще одну затрещину, и тот, полыхнув обидой, вдруг сорвался, опрометью пустился со двора и скрылся в жарких и шершавых рядах огородной кукурузы.

Отыскался Юрка на вечернем закате, запеченный на солнце, исцарапанный цепкими кукурузными листьями. Он снял изодранные на коленке штаны, залез на топчан под косяковое одеяло.

— И не поевши... — сокрушилась бабушка.

Когда он сморенно раскидался по подушке, бабушка примирительно огладила его жаркую пшеничную головенку и, надев очки и пристроившись возле абажура, принялась штопать Юркины штаны, попутно сощипывая с них цепкие кужучки. Из единственного кармана на попе штанишек выпал стеклянный патрончик от валидола, который она прикончила еще на той неделе, а порожнюю посудинку вместе с домашним сором выбросила за сарайку. Было видно, как внутри трубочки все еще ползали две синие мухи и неугомонно царапался по стеклу желтенький кузнечик...

1989

КАРМАННЫЙ ФОНАРИК

По мокрому, туго распяленному брезенту мелко, просяно сеялась назойливая морось, наполняя гулкую утробу палатки шепелявым усыпляющим шепотком. Временами дождь припускал, и тогда вкрадчивый шелест переходил в нетерпеливую раздраженную скороговорку, заглушавшую мой изрядно припосаженный приемник.

Из палатки виднелась серая плоскость реки в мелких кольчужках дождевого накрапа да край тусклого неба без малейшего намека на просветление. Заречный берег едва проступал сквозь мглистую наволочь. Иногда из размытой глубины лугов объявлялись на урезе призрачные, бесцветные и плоские коровы и так же бесследно истаивали, словно растворялись в небытии. Выходил и подолгу стоял у края воды пастух, тоже призрачный и бесцветный, в конусном клобуке. Высмотрев мою палатку в мутном хаосе лозняка, он окликнул меня вопросом: «Который час?» Пастухи знают время и без часов, почти с безошибочной точностью они ощущают его неосознанно каким-то своим, внутренним самосчетом, и потому спросил он меня просто так, из любопытства: кто таков, что за палатка? Было начало пятого, я прокричал ему время в ладони, не высовываясь из-под навеса, и тот как-то нехотя, неудовлетворенно повернул от реки и растворился в ненастье. Вскоре раскатисто, ружейно громыхнул его набрякший сыромятный кнут и осерженный хлопок многократ надломился эхом меж старых ветел.

Куртинки ракит и ольх, рассыпанные по лугу, тоже утратили свою плоть, обратясь в зависшие над землей причудливые декорации какого-то плоского одномерного мира. И оттуда, из той зыбкой потусторонности, на эту, мою, хотя и неприятную, но все же вполне реальную зримую сторону всякий раз прилетал и с тем же размеренным постоянством возвращался обратно крошечный кулик-перевозчик. О словно бы выискивал кого-то и тонко, удрученно призывал: «пюи-и... пюи-и...»

Помню, в далеком детстве бабушка моя, исконная жительница этой реки, сама вязавшая сети и управлявшая плоскодонкой, просвещала меня, будто сия ничем не приметная птаха летает не просто так, сама по себе, а «сполняет Господне послушание». С рассвета и дотемна с одного берега на другой перевозит она души усопших. Я, стриженный под овцу, лопоухий, не понимал этого и бестактно спрашивал: «А зачем?» Бабушка, возгораясь от моей языческой бестолковости, ревностно наставляла: «А затем, что всякой отошедшей душе перед тем, как явиться пред Всевышним, беспременно надобно очиститься от всего земного. Чтобы ни духу, ни запаху. А для этого положено пройти очищение живой бегучей водой, перенестись через реку или даже через малый ручей. — Бабушка верила в эту наивную легенду истово, без колебаний, с восторженной святостью, и я видел, как одухотворялось, хорошело ее простое, крестьянское лицо. — Вот только через озеро негоже. Ты понаблюдай: на озере кулик полетит-полетит, да тут же и воротится на прежнее место, потому как у озера берег един и вода в нем недвижна».

«Может быть… Может быть, и так…» — вяло соглашался я, спустя более полувека, наблюдая из палатки, как частил крыльями, неустанно трудился кулик-перевозчик. И привязалось почти на весь остаток дня:

Перевозчик-водогребщик,
Парень молодой,
Перевези меня на сторону,
В ту сторону — домой…

Мне и в самом деле надо бы уже на ту сторону. Рыба не брала: говорят, при низком атмосферном давлении ей не до поклевок. Я даже перестал спускаться к удочкам, сиротливо торчавшим под берегом. Нанизанные черви, белесые, выполощенные водой, уже более суток висели нетронутыми. Между тем без рыбы, на которую был весь расчет, мои съестные припасы иссякли до срока, остались лишь соль, лаврушка и чай-сахар без хлеба. Честно сказать, весь сегодняшний день я пробавлялся викой: вытеребливал стручки из охапки виковсяной соломы, которую еще по приезде притащил от недалекого скирда для подстилки. Стручки попадались все реже и реже, тогда как машина, забросившая меня сюда, по уговору должна быть только завтра во второй половине дня. Впрочем, уговор этот наверняка утратил свою силу: вряд ли какая-либо машина способна теперь пробиться к моему жалкому пристанищу, даже такая, как лихой четыреста шестьдесят девятый газон.

Позади палатки, метрах в двадцати, за прибрежными лозняками, проходила дорога, если же не говорить преувеличенно, то растерзанный тракторами грунтовой проселок со спекшимися динозавровыми хребтинами между ямистыми колеями. Таким он был еще посуху, когда мой приятель, багровея и чертыхаясь, не раз хватался за лопату, чтобы срубить опасные надолбы. Ну а каким он стал после затяжного дождя… Его состояние можно определить, даже не выходя из палатки: если в первые день-два еще пробирались кое-какие отчаянные машиненки, то уже вчера за весь день протащились, надсаживая моторы, едва ли два-три борта. Нынче же с самого утра за палаткой стояла удручающая тишина. Лишь в обед, подоткнув подолы, возбужденно галдя все разом, прошлепали обвешанные авоськами и сидорами деревенские бабы, должно быть, с далекой электрички.

Дорога эта тянулась вдоль реки из невидных отсюда прибрежных деревень Жаховки и Верхних Чапыг, обезлюдевших, неприятно заросших бурьянами, к единственному в округе бревенчатому мосту и далее — к железнодорожной станции с нефтебазой, лесным складом, крепко, бражно разящим гнилой древесиной, с пивной забегаловкой, парикмахерской и прочими соблазнами глубинной цивилизации.

Конечно, будь мой приятель посообразительней, он мог бы оставить свой газик где-нибудь на станции и пешки, верст пять-шесть, дотопать сюда, чтобы помочь собрать и унести мои рыбацкие бебехи. Но, скорее всего, по законам современного прагматизма, завтрашнюю поездку он посчитает бессмысленной и перенесет ее до лучшей погоды. Ему, поди, и в голову не приходит, что я сижу тут буквально на бобах. Скорее всего, придется, взвалив на себя все это — сырую, втрое отяжелевшую палатку, рулон спальника, замызганный котелок, неизвестно для чего взятый большой двухлитровый термос, ненужный топор, поскольку рубить им оказалось нечего, приемник, одежду всякую, пук удилищ, два садка — с учетом того, что одного могло и не хватить, —и прочее, и прочее, также не пригодившееся, придется самому месить злосчастные километры до электрички.

Перевозчик-водогребщик,
Парень молодой…

216

Да, единственное, о чем я жалел, что не взял с собой, так это о резиновой лодке. Она показалась мне излишней, но сейчас была бы весьма кстати: можно было, погрузив шмотье, сплавиться на ней по течению до ближайшей деревеньки, просушиться, обогреться, похлебать щей и выпросить лошадку до станции.

Между тем под толщей ненастного неба раньше времени завечерело. Из скудной дневной расцветки исчезло последнее тепло — охра лозы, палевая зеленца отавы, — и все заволокло быстро надвигавшейся освинцевелостью. Перед долгой сентябрьской ночью, уже по-осеннему ознобливой и жесткой, неплохо бы испить крепкого горячего чаю, чтобы потом, забравшись в находолавший спальник, греться изнутри чайным теплом. Но, представив, что ради этого придется лезть в мокрую, обвисшую от накопленной влаги лозняковую чащобу, уже многократ мною прочесанную в прошлые вечера, где почти не осталось ничего подходящего для костра, а то, что еще уцелело, вконец вымокло и ослизло и вряд ли способно гореть, решил-таки не высовываться, чтобы не забираться в спальный мешок в мокрой одежде.

В мешок я все-таки не полез: за эти ненастные дни и ночи нутро его насырело и дурно разило погребом, а потому, взбив порыхлей соломенную подстилку, я закопался в нее и накрылся спальником, как одеялом. Так было вольнее и телу, и душе. Впереди ожидали двенадцать часов кромешной темени — этого гнетущего беспредела, моросящего, капающего, булькающего, временами напряженно умолкающего и снова принимающегося шелестеть, что-то нашептывать и как бы тяжко ворочать тучами, завладевшего, казалось, всем мыслимым пространством, от которого меня отделяли весьма условные палаточные застенки, пропитанные водой донельзя и уже не создававшие иллюзорного чувства какой-никакой обители и защиты. Крупные дождевые капли, копившиеся на швах, провисах и под потолочными растяжками, с пунктуальной размеренностью то тут, то там шлепались в солому, заставляя подбирать ноги, отодвигаться, избегать прямого попадания. В сущности, мне предстояло коротать долгую ночь, свернувшись на подстилке щенячьим калачиком и ощущая боком всю толщу земной тверди, по ту сторону которой ходили вниз головой уже проснувшиеся американцы, а над собой — безмерную глубину Вселенной со всеми ее черными дырами и запредельной звездной пылью. И это — в абсолютном одиночестве! Для такого отрешения необходимо определенное равновесие духа. Хотя бы для того, чтобы не прислушиваться с остановившимся дыханием к темноте и не впадать в мистическое оцепенение, если где-то за палаткой явственно хрустнет ветка или под тобой вкрадчиво зашебуршит солома. Испробуйте подобную ночевку, и, право, вы сполна ощутите свое собственное ничтожество, тем паче если там, за горизонтом, в людском миру, вы занимаете самообольщающее положение и повелеваете другими.

Безмятежно дрыхнуть в такой обнаженной среде в полном одиночестве, без взаимной подстраховки, вряд ли возможно, и я, надо полагать, всего лишь коротко забывался, проваливаясь в грубое и недолгое небытие, тогда как в остальное время пребывал как бы в животном, сурковом анабиозе с замедленным кровотоком и мыслетворчеством, смиренно и терпеливо протискиваясь сквозь ночь, походившую на долгую и тесную трубу, в конце которой через много часов изнурительного прозябания должен забрезжить утренний рассвет. В этот вечер, однако, угревшись в волглом тепле соломенного логова, я сразу же отключился напрочь и очнулся невесть когда от ощущения какой-то перемены. Я нащупал в изголовье электрический фонарик и посветил себе на запястье: было всего только половина девятого. Впереди все еще оставалась целая ночная бездна. Приходя в себя и вслушиваясь в явь, я внезапно догадался, что именно могло отпугнуть мой сон и возбудить подсознание: меня обнимала глухая, вязкая тишина, почти осязаемо давившая на ушные перепонки. Дождливая мгла больше не скреблась в чуткие скаты палатки, ничто не капало с брезентового потолка, не тормошило по-мышиному солому, отчего еще ощутимей, пронзительней сделалась наружная немота, поглотившая все окружающее пространство — мокретью пресыщенную землю, прореженные лозняки, сронившие почти всю охряножелтую листву, залитый лывами проселок, осунувшийся и как-то сразу одряхлевший от сырости вико-овсяной скирды середь грубо вздыбленной плугами предзимней пахоты, а заодно — все живое в этом напрягшемся тишиной ночном мире — вконец продрогшее зверье по сырым чащобам и раскисшим норам и взъерошенных, нахохленных, изголодавшихся птах на скользких ветках, не успевших отлететь в благие, теплые края.

И вот в этой предельно натянутой, настороженной глухоте мне почудилось отдаленное чавканье. Я приподнялся и замер: не показалось ли? Нет, не показалось: чавканье походило на замедленные, неуверенные шаги, слышимые пока еще в отдалении с тыльной стороны палатки. Порой вязкие переступы ног заглушались всплесками стоялой воды, после чего наступала долгая немая пауза. «Кто это? —

не понимал я. — Зверь или человек? Может, заблудшая, спутанная лошадь? Или старый одинокий кабан, голодный и свирепый, выбредший на какую-нито поживу, способный в клочья изорвать мою квелую палатку, а заодно и меня, такого же голодного и полуодичавшего, по самые глаза заросшего сивой кабаньей щетиной?»

Через некоторое время за палаткой, за лозняком еще раз обвально, раскатисто всплеснулось, и когда возня в калюжине унялась, послышалось глухое, раздраженное бормотанье и даже рваные, задышливые слова:

— Ну, ешь тя… дорога!.. Не яма, дак канава…

Понял я, что никакой это не зверь, не кабан дикий, а некто, бредущий с вечерней электрички. Расквашенным проселком с залитым сметанной грязью колеями брел он, надо полагать, в одну из прибрежных деревень, куда, собственно, и вела эта расхристанная дорога, из чего следовало, что этот пробиравшийся в темени некто — не иначе как местный землепроходец, поднаторевший абориген, ибо залетный чужак вряд ли сунулся бы в такую темень, в такие разверстые хляби.

— Ну, попал, Ванька! И назад, пля, далеко, и вперед неблизко, — говорил он сам с собой. — Хочь бы что-нибудь зыркнуло… Надо было, дураку, итить засветло. Хочь и дождь, да зато видно, куда ступить… Давай, пля, еще по маленькой… Да и просидел, покуда не смерклося…

Теперь было ясно, что землепроходец, блуждавший во тьме, был зело пьян, и во мне шевельнулось неприятие и даже опаска, как бы он не набрел на мое становище. Не было настроения возиться с ним, тащить его, мокрого и грязного, в палатку, и вообще… Опять же — что за человек? Какой бес в нем сидит? Иной пьяный хуже дикого вепря. Того хоть можно отогнать внезапным окриком или зажженной спичкой, ну а залившего зенки до помутнения ничем не смутишь…

С неприязненным вниманием вслушивался я теперь в каждый его шаг, в каждый хлюп и чавк, и показалось, что он нисколь не приблизился, а невесть почему барахтался, месил грязь в одном и том же месте в топкой низине, вобравшей в себя всю окрестную жижу.

— Во, пля! Кепку, кажись, потерял… — донеслось наконец хриплое восклицание. — Ну да, нету, пля, кепки… Вот это дак звезданулся! Не то что без кепки, а и без головы, пля, останешься.

Матерился он как-то так, спрохвала — обыденно, самосевом, должно, ничуть того не слыша и не замечая, будто с этим и родился на свет. Тем паче пребывал он, как ему казалось, наедине сам с собой, в полном безлюдье да еще в непроглядной тьме и непролазной погибели. Тут уж и не хочешь, да пульнешь… В ущерб достоверности я, конечно, вынужден буду кое-что опустить или заменить отнюдь не эквивалентными синонимами…

А он по-прежнему сокрушался:

— Кепка-то ладная была. К голове притертая… Никогда не слетала… А тут — на тебе, нету, пля, кепки… Ишо в тем годи с шуряком махнулись… На Октябрьские… Под этим делом… Шуряк как раз выгнал… Хорош был первак! В ложке до самого дна выгорал! Только б ракеты б заправлять. На это мастак! Пристал: давай и давай кепками махнемся. Ну, хрен с тобой, давай… Он свою на другой день потерял… А я, пля, аж до се дня доносил… Ладная была кепка…

В той стороне завозилось, засопело, зачавкало грязью, а потом снова донеслось пьяное сетование:

— Рази теперь ее, лядюгу, найдешь?.. Куда ступаешь, чево руками цапаешь — ни хрена не видно. Ровно в погребе. Мобыть, сам же ногами затоптал. Кабы б посветить, дак, ешь тя, нема, чем… Был коробок — весь размок на хрен. Карманы полны грязи… Ну, Ванька, жди от бабы выволочки… Спросит, игде, ля, валялся, на четырех лапах ходил? Как — игде? У шуряка был. Точильный брусок надо было спросить… Я рази, пля, виноват, что дорога такая? Канава на канаве. Чего, дура, орешь? — Тово ору, что я воду таскать не буду… На тебе, пля, сто цибар треба. А у меня и так с бураков мочи нетути… Она, пля, завсегда так… Раззявится, аж видно, чево ела. Крокодил-баба…

Поддавший землепроходец наконец смирился с утратой кепки, потому как на проселке снова зачавкало, донеслись его неверные, медлительные шаги, гибло вязнущие в засосном месиве.

— Ладно, завтра Маньку пошлю поискать… Пусть, пля, пробежится до моста… Мобыть, я ее не здесь, а ишо где потерял? Сколь разов, пля, падал… Хорошо, хоть зубы не обронил… Ишши их тади… Маньке надо бы сбегать до трактора. А то трактор утром пойдет с молоком на станцию, тади — звездец кепарю! Гусеницами изорвет, або в грязь утопит. Пятерку только жалко: в подкладку от бабы спрятал. Кто же знал, что так, пля, получится…

И тут запутавшийся в ночи и бездорожье землепроходец враз впал в неистовство, завопил зло и хрипло:

— А все, пля, Семибабов, сучий потрох! Морду нажрал, аж на кухвайку обвисла… Какой год обещает защебенить, покрытие положить… Ни хрена! Пустой брех! Как в район забрали — сразу про все забыл… Как же так? Игде ж твоя совесть? А вот так: нету вас в списках… Как это, нет?.. А куды ж мы подевались? Ведь и деньги на это были отпущены… Ваша деревня, грит, теперь неперспективная… Подлежит сносу… Дак а што вместо деревни-то будет?.. А ничево… Поле, грит, будет. Бураки посеют… Дак, а мы куда?.. Как куда? Старые — на погост, а молодым везде у нас дорога, понял?.. Чево ж не понять… Он умотал, теперь по асфальту катается… А ты, пля, ковыряйся тут рылом в грязи…

Сознавая, что здесь он один-одиненешек на всю забытую Богом округу, землепроходец вольно, распахнуто и даже с каким-то сладострастным остервенением обложил всех больших и малых толсторылов, а заодно и ни в чем не повинных святых отцов, не удосужившихся ощебенить проселок.

— Неперспективная — а-йа! Чевой-то она такая стала? Деньги дорожные небось с прихлебателями пропил, вот тебе и неперспективная… Сволочи…

Он, поди, опять-таки не туда и не так ступил, потому что в том месте, откуда сыпались матерки, как бы в отместку за это, шумно и грузно всколыхнулись дорожные хляби, да так, будто со всего маху ухнул туда туго набитый мешок.

В ночи повисла неприятно затянувшаяся вакуумная тишина. Сколь я ни наводил ухо — в той стороне больше ничего не ворохнулось, словно бы землепроходец, этот подвыпивший Ванька-абориген, с головы до пят грешный в непотребной хуле всех святых и районных праведников, провалился в тартарары и накрыло его крышкой.

Уже не питая к нему прежней неприязни, я мысленно понукал его и почти братски упрашивал: «Ну, чего ты там? Давай вставай! Шевелись, что ли… Этак и утопнуть можно. Хлебнешь жижи и — конец!.. А все оттого, что распаляешь себя… Материшься… От этого вестибулятор слабнет и мотор сдает от больших оборотов…»

Я торопливо натянул сапоги, запихнул в карман батарейковый фонарик и выбрался из палатки в кромешную тьму, как, поди, космонавты выходят из обжитых кораблей в дикий и неприютный космос.

«Ну, хватит, хватит… Давай вставай… Или хотя бы скажи что-нибудь».

И он наконец внял посылаемым мной флюидам, моим позывным и, больше не тратя никаких человеческих слов, рванул гнетущую темень отборным матом без всяких комментариев:

— Там-тара-ра-рара-рам!

Но, вскарабкавшись на твердь, обретя равновесие и отдышавшись, все-таки пояснил, что он этим хотел сказать:

— Во, Семибабов, радуйся… Ребро, кажись, надсадил… Об железяку… как есть со всего маху… Тут не то кардан засосало, не то прицепную вагу… Дак, а сколько этова добра по всей дороге… Кто считал утопленные рублики? Тут нешто асфальтом крыть? Золотом на два пальца…

Сапоги вяло, неуверенно захлюпали в слепом неведении, будто брел он, шарился с повязкой на глазах, прощупывая ночь охватно расставленными руками.

— Ей-бо, ребро выломал… — хрипел он болезненно и натужно, останавливаясь и передыхая. — Во, вишь, дыхнуть больно… Наружу ишо выдыхаю, а как обратно — аж искры из глаз… А мне завтра в Макарьино на распиловку… Доски пластать…

После того как он еще раз оступился и тяжко, с отчаянным стоном упал, расплескивая жижу, из него окончательно ушла недавняя пьяная бесшабашность, голос обмяк и засмирел:

— Ничего не узнаю… — жаловался он потерянно. — Как не своя земля… Всю жисть проходил… А теперь не узнаю… Ни одной верной приметы… Кабы зыркнуло где — месяц, звезда какая… Али собака брехнула, дала б знать… А то — нигде ничево…

Он глухо застонал, как бы процеживая боль сквозь стиснутые зубы, и затих, должно, не решаясь больше ступить, сдвинуться с места, будто весь изошел, растворился, сделался обезличенным наполнителем непроглядной и алчной темноты.

— Где же это я?.. — упавше спрашивал он. — И куда мне теперь? В какую сторону?.. Мост я перешел али нет? Ежли б переходил, дак небось доски ногами почуял… А то грязь да грязь… А мобыть, это и не дорога вовсе?.. Поле теперь тоже зыбью взялось, на паханое не ступить…

Я наконец выбрался за кусты. Человек находился совсем близко. Теперь я отчетливо слышал его сиплое, загнанное дыхание с каким-то жалобным, птенцовым писком на исходе. И даже разобрал затрудненный полушепот, те немощные, недоозвученные слова, которые, как мне представлялось, в обыденности, за ее серой чередой прозябания, за опостылевшей земляной бескормной работой на чужом бескрайнем поле с непременными опосля, разящими с ног выпивками где-нибудь там же, на обочине, под кустом, и с утренним мутным похмельем, — за всем тем, что саму жизнь обращало в отупляющую дрему, — запамятовал эти слова, а то и вовсе забыл напрочь. Но они, отторгнутые повседневностью, не исчезли, не канули в небытие, а сами собой береглись до случая где-то, и вот родниково высочились из-под слежавшихся, полуиссохших подкорок, из-под толщи прожитого и улегшегося однообразной пылью, — воспряли и отлетели в ночь робкой стыдливой мольбой:

— Осподи, не дай пропасть…

Наверняка человек не слыхал меня, пока я, привыкая к темноте и отводя руками лозины, выбирался к дороге, не чувствовал и теперь стоявшего в непосредственной близости и продолжал бормотать, торопя слова:

— Спаси и помилай… Спаси и помилай мя, грешнова… Не отвернись токмо… Буду век помнить…

Честно сказать, я не знал, что мне дальше делать, и, поскольку в моей руке оказался электрический фонарик, я нажал кнопку и направил луч впереди себя.

Низкий касательный свет имеет свойство зловеще преувеличивать дорожные изъяны. Но, и с учетом этого, проступившая из темноты лыва, которую я не мог охватить всю разом, а прощупывал желтым овалом света по частям, воистину показалась погибельной и ужасной. Луч фонарика скользнул по мазутно мерцавшему, язвенно пузырящемуся вязкому разливу, отдававшему равнодушной надменностью всякой коварной прорвы. Простершаяся хлябь бугрилась коростой множества островов и целых архипелагов, вывернутых из глубин и вознесшихся дыбом, словно в библейские дни сотворения мира. Избегая эту погибель, отчаявшиеся водители пытались проторить объезд по пахоте, но и свежий распуток долго не вынес: осел, провалился глубокими каньонами, сразу же наполнившимися черноземным мазутом, вознес по обе стороны колесных вмятин лунные хребты и неодолимые системы, особенно если те спекутся потом на солнце.

В эти-то свежевздыбленные кордильеры и завело вконец потерявшегося землепроходца, не признавшего родные места.

По хриплому, протабаченному голосу и забористому мату во мне заведомо, сам собой сложился облик крепкого, ражего вышивохи, но когда я направил на него фонарь, то зыбкий луч его выхватил неказистое существо, хлипкого мужичонку в подростковой болонье, мокро обвислой и замызганной донельзя. Куртеечка была схвачена под животом женским перламутровым пояском, да и сама она, голубого, не наших полей и дорог цвета, с белыми лупастыми пуговицами, явно относилась не к мужскому крою. Чуть приподняв фонарь, я увидел и его непокрытую голову, нахохленно вобранную в поднятый воротник. Голое заостренное темя тыквенно желтело от уха до уха, и лишь по бокам торчали мокрые, обсосанные ненастьем застрешные куделки. В ответ на пучок направленного света в колодезной глубине запавших глазниц желтой фольгой, как на дорожных знаках, полыхнули округлые неясытевые глаза, полные недоумения и страха.

Стоя в глубокой развалистой колее, почти до колен засосанный вязкой трясиной, ослепленный светом, он не видел меня, и некоторое время оцепенело глядел на фонарь, в самый его воспаленный зрак, но, будто осознав какую-то опасность, внезапно сорвался и, будоража жидкое месиво и руша нагроможденные кордильеры, ринулся от меня прочь, в темноту, в глыбисто распаханное поле. Я продолжал удерживать его в пучке жидкого света, сколько позволяли возможности рефлектора. Через несколько судорожных прыжков он, однако, завяз и упал и, повернувшись на спину, по-заячьи замотал зелеными резиновыми недомерками, роняя и на себя, и вокруг земляные ошметки и крича панически высоко и визгливо:

— Не подходи! Не подходи!

Брезгливо, со всеми возможными предосторожностями я преодолел топкий, разбитый объезд и среди земляных глыб, небрежно навороченных «кировцем», вновь накрыл лучом голубую болоньевую куртку.

— Не подходи! Не подходи, сказано! — продолжал, лежа на спине, вопить землепроходец, хватая тут же распадающиеся комья земли. — Чево пристал? Нету у меня ничево!

— Да ладно тебе! — как можно небрежнее сказал я. — Брось ломать дурочку. Я ведь к тебе по-хорошему.

— Зачем я тебе?! — тревожно вскрикивал он. — Денег у меня нет, курить нечево... Чево надо?!

— Да перестань! Я ж тебя знаю, — продолжал я, осторожно приближаясь. — Ты — Иван! Верно ведь? Иван, да?

Тот настороженно молчал.

— А жена у тебя — Марья! Угадал? Ну вот! А живешь ты в Жаховке, там, за поворотом?

Землепроходец продолжал молчать, должно быть, сбитый с толку этой моей осведомленностью, но, заподозрив что-то неладное, вновь всполошился:

— Все равно не подходи! Я за себя не ручаюсь!

Отталкиваясь пятками сапог, он, как был на спине, принялся юзом выползать из светового пучка.

— Ну что ты такой... Я ведь в самом деле по-хорошему. Слышу — стонешь, думаю, худо человеку... Ты, что, вправду сломал ребро?

— Не твое дело… — огрызнулся он, застясь рукавом от фонарика.

— Давай погляжу… Может, перевязать надо? Это ведь не шуточки. Сломанным ребром можно легкое проткнуть… Давай, давай гляну.

— Сказано, не подходи! — прошипел он, и глаза его вновь, как тогда, полыхнули желтой фольгой. — А подойдешь — гляди, чево будет…

Привстав и уже сидя на земле, он пошарил рукой в кармане болоньи, достал складник и ловко открыл его зубами.

— Во, видишь? Сунься только…

— Ну и дурак… — сплюнул я. — Знал бы, что ты такое дерьмо, я бы не пачкался… Сапоги только зря угваздал…

Землепроходец поднялся на ноги и, оглядываясь на фонарь, не пряча ножа, попятился еще дальше, в черное поле. Свет больше не добивал до него, я потерял его из виду, хотя чувствовал, что он еще где-то тут, близко: наверно, стоял и, как зверь из укромы, наблюдал за мной, за маневрами фонарика…

— Слушай, там дальше скирд где-то...

— Знаю… — отозвалась темнота.

— Можешь в стогу заночевать...

— Мне домой надо, — несколько ровнее, успокоеннее отозвался тот.

Выйдя из полосы света и как бы обретя свободу, почувствовал себя более уверенно и надежно.

— Не дойдешь ведь… Куда по такой темени?

— А мне надо… — упрямо возразил он.

— Ну, ладно, черт с тобой, топай… Не понимаешь ты добра. Совсем одичал. Как брошенный пес: протянутой руки боишься. Или много пинали тебя?

На всякий случай я обвел фонариком вокруг себя полкруга, но везде было голо и пусто.

— Эй, где ты там? Чего молчишь?

Он не отозвался.

— Послушай! Хочешь, я дам тебе свой фонарик?! А?! Без него ты все равно никуда не дойдешь… Ни полем, ни по дороге. Полем еще хуже. Полем вовсе заблудишься. Последние ребра доломаешь. На вот, бери!

Но я кричал ровно впустую.

— Или давай так… Я уйду, а фонарик тут оставлю. Понял меня? Фонарик будет гореть один, без меня.

Я притих, вытянулся в струнку, вслушиваясь, не подаст ли он ответного голоса, но тот раздражающе молчал.

— Ты понял, как? Я включу и оставлю его возле дороги... А ты подойдешь и возьмешь... И не будешь ломить напролом. Ведь падать тебе больше никак нельзя. А с фонариком потопаешь в свою Жаховку чин-чинарем.

Отыскав на краю поля подходящую глыбу, поросшую жесткой стерней, я утвердил на ней фонарик, направив рефлектор ровно вверх, чтобы свет был виден со всех сторон.

— Слушай меня! — обратился я снова. — Я сейчас три раза помигаю. На счет «три» я положу фонарик на землю. Усек? На счет «три»... Ну, вот, давай считай! Р-раз... Два-а! Три-и!.. Все! Ты видел, как я помигал? Это значит, что я кладу фонарик... Вернее, ставлю на попа... Вот, слышишь, отряхиваю ладони, стало быть, в моих руках ничего нет. А теперь ухожу... Честное слово! Вот иду... иду... иду... Ухожу без дураков.

Я и на самом деле ощупью, вслепую перебрался обратно сперва через свежераскуроченный объезд, а потом и через старую дорожную лыву и сам едва не шлепнулся в одном месте. Нет, не завидую я ночному путнику — ни пешему, ни тем паче на колесах...

— Эй! Где ты там, черт возьми?! — окликнул я с досадой. — Я уже на дороге! Фонарик вон где, а я вот где... Можешь подойти и взять... Ну, давай, бери, чего же ты?

Но фонарик, оставленный там, на краю поля, продолжал недвижно и ровно излучать свет в вышину, редея и истончаясь, он растушевывался чернильной толщей и исчезал бесследно. И я начал выходить из себя. Может, там уже давно никого нет, а я ору, даю ценные указания... Если тот тип смотался, то надо снова лезть через эту отвратительную топь, которая способна сделать бесперспективной не только деревню, но и саму человеческую судьбу. Глупо же оставлять в поле фонарик, впустую жечь батарейки, тогда как свет в любую минуту понадобится здесь — в палатке или около нее.

Я остался стоять у края лозняков, все еще медля возвращаться в свой лагерь.

Низко надо мной, так что пахнуло ветром и запахом влажного пера, беззвучно, словно некий дух, пролетела большая птица, должно быть, болотная сова. И хотя она не обронила ни малейшего звука, рождаемого сильными махами, тишина после нее показалась еще обнаженнее, острее. Сделалось беспокойно и тревожно от сознания, что где-то, возможно, совсем рядом, таился другой человек, как и я, напряженно, опасливо слушавший ночь и все, что таилось в ней.

Но как я ни вслушивался, ни тянул шею, все же не ухватил предваряющих шагов, хотя на глыбистой пахоте вряд ли возможно пробраться совершенно неслышно: что-то заденешь, ковырнешь сапогом, что-либо да проломится под подошвой, а в такую мокреть в иных местах и самого сапога не вырвешь без хлопка и чавканья. Я увидел только тот момент, когда ровно струившийся кверху пучок электрического света, схваченный у основания мотнувшейся из темноты рукой, будто вырванное с корнем светящееся деревце, внезапно вздрогнул, судорожно рухнул ниц и тотчас погас, исчез бесследно. И только теперь слух уловил поспешные чмокающие прыжки убегающего человека.

Я не стал его окликать, да и не нашелся сразу. Много спустя, уже на порядочном удалении, фонарик снова ожил, воровато оглянулся, пошарил позади себя и, отведя свое желтое око, зачиркал лучом по неровностям земли.

Свет его еще долго взмелькивал, пока не иссяк, не изжил себя далью.

Утро прозрело поздно и неохотно. Блеклое, обескровленное, словно после болезни, после ее изнуряющего перелома, еще не способное улыбнуться, оно безучастно и кротко глядело с очистившихся высот на распростертое по ним осеннее пожухлое пространство в колких отсветах пролитой воды, заполнившей все природные емкости и прогибы — от луговых низин до убористых пазух дягиля и белокрыла.

Раздумывая о вчерашнем, я лежал в промятой соломе, закинув руки за голову и глядя в утреннее серебро палаточного проема. Простенькие реалии видимого там — поникшие купы заречных ракит, изреженных дождями, обозначившаяся линия далекого убережья с тонкой жестяной трубой на просветленном горизонте, трудолюбиво сучившей нескончаемую нить сизого дыма, переливчатая вуаль скворцовой стаи, казалось, ничего не поклевавшей, а может, и потому, что нечего, — с утра, на пустое брюхо устремившейся вон из России, и опять вышедший к берегу пастух, уже не в половецком навершье, а в простой обмятой кепке, и просто так спросивший, не видя меня, «сколько время», и где-то флейтово пюикнувший кулик-перевозчик, подавший кому-то знак к отлету на ту сторону, — все это светлое, привычное отстраняло вчерашнее, ночное, творившееся только слухом и взбудораженным воображением и обращало это вчерашнее в какое-то странное саднящее сновидение.

Я, однако, продрог без спальника, а пуще — проголодался еще вчерашним голодом. Пошарив в рюкзаке, я сунул за щеку кубик пиленого сахара, чтобы не сосало под ложечкой, и на четвереньках выполз к мокрому прибитому кострищу с вялым намерением на еще не собранном валежном сырье хотя бы как-то вскипятить чаю.

«А может, лучше попробовать пробраться к стогу и притащить свежую охапку с викой? — рассуждал я, как вчерашний землепроходец, тоже полагая, что меня никто не слышит в этой сиротской неперспективной округе. — Или нашелушить стручков прямо там, под стогом, а потом сварить из черных зернушек кашу?»

И тут со стороны дороги послышалось:

— Хозя-и-ин!? А хозя-и-ин! Есть ли кто?

Зашебуршали кусты, хлестко стегавшие концами веток по одежке, и на притоптанную, обжитую мной кулижку выпуталась из хмызы невысоких и некрупных статей женщина в белой с накрапом сельповской косынке, поверх которой сидела еще клеенчатая шоферская восьмиклинка с черным лакированным козырьком. Ее плечи облегала таковская ватная стеганка, в коих ныне уже не выходят за околицу, но которая, однако, сидела на ней ладо, с небрежной домашней уютностью. Обеими руками она держала перед собой рыжий дерматиновый кошель.

— Есть хозяин-то?

Осматриваясь, женщина по-птичьи вытягивала шею и любопытствующе шарилась остренькими, заметно выцвелыми глазами, похожими на поздний голубичник.

Медленно, заторможенно, удивленным питекантропом поднялся я с четверенек — заросший почти недельной сивостью, с овсяной половой в нечесаных волосах, с отечными неумытыми глазами.

— Ну, я… хозяин… А что? — не очень приветливо выцедилось из меня.

— Здрасьте вам! — мягко поздоровалась она без лишней робости, и я, все еще не соображая, что это за утреннее явление, машинально принялся обтирать о свой синий олимпийский зад не очень опрятные после вчерашнего руки.

— Вот, велено передать…

Опустив к ногам кошель, она извлекла из кармана телогрейки блестящий, белого металла фонарик и бережно, на составленных вместе ладонях протянула мне.

— А-а! — сообразил я наконец, в чем тут дело… — Да-да, это мой фонарик… Мой, мой, спасибо…

— Вы уж извините… Обеспокоили вас…

— Ну что вы! Какое же тут беспокойство?

Я не знал, что еще такое сказать, и вместо слов просто так пощелкал выключателем. Фонарик несколько раз послушно приоткрыл единственный глаз, заспанно и блекло посветил в серое небо.

— Что-нибудь не так? — испуганно шатнулась ко мне женщина. — Я только помыла его, тряпочкой обтерла… Уж не навредила ли?

— Все так, все так… — сказал я небрежно, все же радуясь возвращению фонарика, проделавшего такое странное кругосветное путешествие. По правде, я уже считал его для себя потерянным, вернее сказать, отдавал тогда без возврата. А он — надо же! Чудесным образом опять со мной. — Все так, все так… Не велика ценность!

— Ну как же… Ваня мой говорит, если б не фонарик, ни за что не дошел бы… Ужасть что было! Гляну, гляну в окно, а глядеть некуда… Дошть и черень! Светопреставление! А Ваня говорит: стою середь ночи и не знаю, куда итти. Не знаю, и все! Куда, говорит, ни ступлю — или яма, или провальная. Было совсем ослаб духом, аж, говорит, Бога давай кликать… Как на войне… Там будто бы тоже так… Вот прижмет! Вот прижмет! Дак иной, даже при хорошем звании, капитан или майор, за минуту до того кочетом глядел, а тут — куды гордыня девалась… Жужелкой тыкается, ищет земную трещину… А сам шепчет в песок: «Господи! Спаси да пронеси…» Дескать, век не забуду… — Она посмотрела на меня внимательно и пытливо. — Ну а потом, когда минет-то напасть, стряхнет с себя пыль да комья и опять кочетом глядит, кого клюнуть…

— Да-а, вы как на передовой побывали. Все точно так и было.

— Ну, на той передовой я, конечно, не была, — улыбнулась она. — У нас тут теперь своя передовая. Это старший брат мне рассказывал… А то, говорит, было такое… Один раз, где-то на Украине, на хуторе поднялась воздушная тревога. Смотрю, говорит, командир дивизии, генерал, выскочил из хаты — и в лопухи. Там щель была отрыта… А я, говорит, как раз на посту стоял, цею хату охранял… Немец как давай молотить! Ну, куда? Бросил я пост и тоже в лопухи. Да на командира дивизии и угодил, прямо ему на спину… А он ничего, терпит… Тут как садануло, совсем близко, как полетели ветки да бревна, слышу, генерал подо мной: «Свят, свят, светы наши!»

— Все мы человеки! — вскинул я ладони кверху. — И со мной такое было… Ну а ваш, ваш-то — дошел? Все нормально?

— Мой-то? Ой, да едва отполоскала! — подхватила она смешливо, с хорошим запасом певучести в чистом голосе. — Вваливается —

то ли он, то ли не он. Одни глаза белые зенькают. Голова колтуном взялась. Стоит на пороге, вашим фонариком светит, забыл даже, что надо выключить…

— Жаловался, будто ребро поломал…

— Кряхте-е-ел! — подтвердила она. — Когда обмывала в корыте, не давал дотронуться. А и правда, аж синяк проступил. Да я меду с хлебом пожевала, прилепила к боку, а сверху липучкой крест-накрест… Кашляет, а сам морщится. Видно, не шутейное дело. Крепко бахнулся.

— Может, доктора надо?

Женщина добродушно рассмеялась, даже шлепнула себя по бедру.

— Кова доктора! Уже нету! Уже в Макарьино утрехал!

— Как — утрехал?!

— Убежа-а-ал! На пятой скорости! — продолжала смеяться женщина. — Боится, что уговор пропадет. В Макарьинском отделении овощехранилище надумали строить, до морозов хотели успеть, а он доски пилить подрядился. Он у меня росточку не шибкого, говорит, в самый раз на верхнего распиловщика. По бревну целый день бегать — не всякий найдется. Это же цирк! — засмеялась она. — А Ваня взялся. Он у меня за все хватается — и за столярное, и за печное, и помалярничать… Правда, у самого в доме — ласточки на чердак через крышу летают…

— Говорится: сапожник…

— Без сапог! — подхватила она. — Небо-о-сь! С ребром, говорит, обтерплюсь как-нибудь, пилой отмахаюсь, — а сам вострится на меня, смотрит, что на это скажу, не пошлю ли в больничку. — В болезни, говорит, надобно, чтоб не заклинило. Никак не допускай до этова! А как заклинит — вот тогда кресты! Тогда — в тополя! Вот такой он прохвесор…

— Тополя — это что? — не понял я. — Кладбище, что ли?

— Да не-е! Больница! Наша районка. Она в старых тополях стоит.

— Поди, барская усадьба.

— Не-е! Так и была больничкой. Еще до революции. Мужики сложились и сами построили всем миром. Он этих тополей пуще колючей проволоки боится. В прошлом годе у него что-то с печенкой занеладилось… То не есть это отпихивает… Ну, уговорила… А через два дня является: «Маня, встречай Ваню, топи баню!» Стоит на пороге, рот до ушей, из авоськи мои тапки торчат и какая-то железяка, на дороге поднял. Там, говорит, одно томление. Окна законопачены,

230

телевизор поломатый, а бессмертника я и сам накошу… Так что мимо тополей аж в Макарьино умотал…

— И далеко ли?

— Да сперва на лодке через речку, да верст пять до конторы, а там, может, подвезут… Ополоснулся, прикорнул на сундуке, спал не спал, а чуть засерело — подскочил! Покряхтывает, лоб тискает со вчерашнего, но терпит, поправки не просит… Щец холодных постребал и побег, сердечный. Упорхал без кепки, на босу голову… Пусть, говорит, маленько ветерком обдует, освежит… Вчера, говорит, обронил где-тось… Да где ж: тут вот недалече и нашлась. Кверху кутырками в луже плавает, как ладья. Спасибо, хоть не протекает, не затонула часом…

Женщина сняла кепку, повертела так и сяк, поскребла ногтем в каком-то месте и опять надела, присадила ладонью поплотнее.

— А кабы б не фонарик, то как бы не пришлось не кепку, а самую дурну голову на дороге искать… Уж такое спасибо! Такое спасибо!

Она присела на корточки перед кошелем и, вконец засмущав меня, выставила на землю трехлитровую банку молока — «Кипяченое, из погреба только, хотела в приемку сдать, да не принимают, возить — дороги нет», — банку накрыла большой, как спелый подсолнух, белой лавашиной — «Вчерась напекла, хлеб весь кончился, а за хлебом на станцию благо ли в такую погоду?» — на лепешку пристроила брус сала и головку чесноку, а то, что не удержалось на лепешке, разложила возле, на лопушках с десяток яиц и сколько-то соленых огурцов, полоснувших по ноздрям смородиновым листом и укропом. И что меня совершенно растрогало, так это полиэтиленовый мешочек с ядреными, белыми, как перлы, тыквенными семечками.

— Кушайте на здоровье! — сама волнуясь и пыхая смущением, предложила она напевно, как на большом хлебосолье. — Хотела курицу, да не успела б… Боялась, уйдете или уедете. Такое спасибо! Такое спасибо!

— Ну что вы! Простая человеческая обязанность! Слышу, кто-то на дороге стонет… Дай, думаю, пойду погляжу…

— Ну вот… Ну вот… Слава Богу! — Она широко, откровенно перекрестилась щепотью. — Это вас Бог надоумил… Только кажется, что мы все — сами… А Ваня мой говорит: после вас будто взял его кто-то за руку да так и довел до самого дома. Больше ни разу не упал, не запнулся.

— Может быть… Может быть… — неопределенно уступил я, хотя можно было и сказать вроде того, что зло за руку к дому не поведет. И Бог наш есмь добро. Но не сказал этого, а, пошлепывая фонариком по ладони, согласился:

— Может быть, и так…

Женщина сунула шоферскую конфедератку в опустевший кошель, перевязала на голове косынку и протянула мне свою руку — живую, теплую, проложенную косточками и жесткими натертостями ладошку, полную благодарного отклика. И, конечно, не догадывалась она, что никто другой, а именно вот эта рука и к дому, и к храму, и к человеку всю жизнь вела, а иногда тащила и подпихивала непутевого Ваню-землепроходца, без коей он давно бы сложил свою разудалую подростковую голову.

— Ну, до свиданница! — сказала она, будто просила разрешения отправиться восвояси.

Уехал я на другой день.

Переночевав, я принялся потихоньку свертывать свой лагерь: вычистил котелок, смыл с бродней бетонно схватившийся родной чернозем, скатал и увязал спальник, сжег истертую солому… Потом разобрал и сложил в чехол две удочки, оставив третью, как бы дежурную. Так вот именно ее неожиданно загнуло, и я нежданно-негаданно выволок отменного судака! Вот тоже: помню, на этом крючке больше суток болтался жалкий выполощенный обсосок червяка. Ну конечно, такой важный чин на два кило солидности с темными послужными полосами по серому фраку ни в коем разе не притронулся бы к жалкому обсоску. Тут как надо бы рассуждать: на усопшего червя сперва позарился какой-нибудь изголодавшийся, вечно гонимый, без определенного места жительства (бомж), чумазый слизливый ершишко. А уж потом только, проверяя виды на проживание, схватил за шиворот ерша, но при этом допустил неосторожность и наш блюститель донного порядка. Но так механистически все можно препарировать и объяснить. А ежели без учета ехидства, то: не было ни ерша, да вдруг судак! Чудеса! Чистое везение!

Как водится, я сыпнул под жабры сольцы, обложил крапивой и, завернув в махровое полотенце, спрятал рыбину на самое дно рюкзака. Друзьям на уху. А главное — как наглядность. А то одним словам не поверят.

Меня подобрала цыганская колымажка под парой сытых, гривастых, темно-гнедых… Хотел было написать «лошадей», но это были не лошади, а вот именно кони! Кони, косившие диковатые глаза и отфыркивавшиеся зеленой луговой пеной, в колымажке на дутых коле-

232

сах и с полосатым тентовым верхом, кроме средних лет цыгана в меховом жилете гнездилась еще куча цыганок и цыганят непонятной степени родства.

Цыган прошел на мою кулижку, и пока усмешливо оглядывал приготовленные пожитки, цыганята перепираясь и отталкивая друг дружку, набросились на оставшуюся еду и, азартно сверкая белками и молодыми резцами, мигом схрумкали и счавкали все яйца, огурцы, почти непочатый шман сала, полпачки пиленого сахара, запивая все это молоком из ходившей по рукам трехлитровой банки. Ели они в таком темпе не потому, что были голодны, а от бодрящего сознания внезапно выпавшего фарта.

— Сколько дашь? — все так же усмешливо спросил большой цыган, буйной зарослью лица похожий на черного скотч-терьера.

— Веришь, друг, — развел я руки. — Нету ничего!

— Ни копейки?

— Вот последний рубль. Но это — на электричку.

Цыган циркнул слюной, обтер бороду черной лапой с белыми ногтями.

— Ладно, поехали! — воскликнул он весело. — Потом всем расскажешь, какой хороший цыган попался. Это дороже денег, верно?

Его готовность отвезти меня, праздного человека, за здорово живешь заставила мое сердце сделать сильный непредвиденный толчок, ошпаривший меня чувством горячей любви и братства, и, уже искренне любя и счастливо созерцая этого человека, я взволнованно сказал:

— Хотя погоди…

И я развязал рюкзак, достал и протянул ему карманный фонарик.

— Вот…

— Работает?! — прагматично спросил цыган.

— В хороших руках… — сказал я.

Ну, тогда — хоп!

1992

КРАСНОЕ, ЖЕЛТОЕ, ЗЕЛЕНОЕ...

В ту весну нескончаемо дули степные ветры. Город долго не одевался зеленью, и над его нагими неприютными улицами часто вскидывались косматые завитки пыльных смерчей. После них из бесцветного омертвелого неба, сухо шурша, сыпался песок, стучал по крышам мелкий камешник, а в поднебесье носилась взвихренная бумажная рвань, своим белым мельканием похожая на воспаривших голубей.

И все чаще через палисадниковую ограду к нашему кухонному окну тянулся конец батога, приводивший меня в смертную оторопь. Оглоданный иссохшей землей неведомых перепутьев, похожий на серую могильную костяшку, батожий конец некоторое время немощно, дрожливо мелькал и трясся перед оконным стеклом и, наконец, дотянувшись, визгливо царапал, скребся и тыкался в шибку. Мне делалось жутко до оцепенения, но я все же вызыркивал из-за горшка с кустиком фуксии и привороженно замирал, углядев за оградой толсто обмотанную голову побирушки с неясным ликом в глубине серого вязаного платка, напоминавшего грязный дырявый невод. Или же виделась мятущаяся на суховейном ветру ковыльная лунь непокрытой головы старца в землистом пощипанном кожухе, перекрещенном холщовыми лямками заплечной рухляди.

— Хозяин! А хозяин! — слышался усохший, больше состоящий из дрожащего выдоха, нежели из живых внятных звуков, изуверившийся голос. — Подай ради Христа...

Но подать было нечего.

Рано утром, уходя с отцом на завод, мать тормошила меня и наказывала, еще сонному:

— Встанете — доедите вчерашний кулеш, а днем — тут я вам приготовила, на столе под газеткой...

— Ладно... — морщился я, не разлепляя век.

— Смотри, Нинку не обижай: поделите все по совести.

— Да ладно, ладно же... — досадливо тянул я на себя одеяло.

Я уже знал, что там могло быть под газеткой: по паре картошек в кожурках, блюдце квашеной капусты и по заскорузлому сухарю.

Это обеденное меню повторялось почти изо дня в день, но и это, говорила мать, тоже скоро должно кончиться. Подходили к пределу сухари, припасенные зимой, когда хлеб еще продавали без ночных очередей. Кончалась деревенская картошка. Бабушка обещала, что как только весной отобьют яму, то привезет нам еще пару мешков картошки. Но вот что-то не везли. Там у них какая-то коллективизация, у деда отобрали лошадь вместе с телегой, от этого дедушка захворал и пролежал на печи всю зиму безъязыко. Правда, в нашем сарайке имелось еще полкадки квашеной капусты. Но она столько раз замерзала и отмерзала, а теперь вот парилась в апрельской духоте, что ели ее мы с Нинкой без прежней охоты, тем паче что квашенку эту надо было употреблять почти каждый день — то во щах, а то просто так, под картошку.

— Так-то еще жить бы, — со вздохом утешала нас мать, — да боюсь, что это только цветики...

В соседнем с нами магазинчике сделалось гулко и пусто. Продавщица тетя Шура в тихие часы делала бумажные цветы и расставляла их по пустым полкам. Я почему-то думал, что это и есть те самые цветики, о которых так тревожно говорила мать.

Тихие часы наступали в магазине во второй половине дня. А в первой его небольшое пространство, рассчитанное на неспешную мелкую торговлю, гудело людом, полнилось духотой и потом плотно спрессованных тел — давали хлеб.

В ожидании хлеба жители ближайших улиц собирались возле запертых дверей еще с вечера. Темная змея очереди ближе к полуночи постепенно оседала на землю и затихала, затаивалась в ночи в чутком и терпеливом ожидании стука колес хлебного фургона. Иногда на нашей кухонной стене вскидывались багровые отсветы. «Что это?» — спрашивали мы поначалу. «Спите, спите... — Мать успокаивающе оглаживала наши головы. — Это возле магазина жгут негожие ящики. Я тоже сейчас пойду. А то без хлеба останемся».

Хлеб привозили рассветной ранью, задолго до открытия магазина. В гулкой пустоте сквозной улицы сперва слышалось отдаленное цоканье копыт по булыжной мостовой, и только потом проступал и сам фургон, вернее, выгиб дуги на светлеющем небе, а под дугой — две человеческие фигуры: возчика и продавщицы Шуры.

— Едут! — оповещал кто-нибудь громогласно, и очередь враз подхватывалась на ноги, принималась вбирать в себя разброды, уплотняться, обретать свой прежний змеиный облик.

Пока продавщица отрешенно и озабоченно, ни на кого не глядя, не отвечая на заискивающее доброслове, отпирала замок, небритый сиволицый возчик разворачивал лошадь и хрипло покрикивал: «Рас-спись! Рас-спись, сказано!» — задом сдавал фургон к раздвижному, заставленному фанеркой оконцу. Продавщица высовывала в проем деревянный лоток, и возчик, огородив себя слева и справа распахнутыми фургонными створками, принимался швырять в лоток сразу по паре буханок.

— Шурка, считай! — предупреждал он, опасливо и зверовато оглядываясь на обступившую, напряженно притихшую толпу.

Хлеба привозили мало, а ртов собиралось несчетно, так что ожидать можно было всякого...

В иные дни в магазин завозили пачковые дрожжи или фруктовый чай — два вида продуктов, еще поступавших в вольную продажу. Чай представлял собой спрессованные и запеченные брикеты из фруктовых сердцевин, яблочных и грушевых семечек и черенков, остававшихся после варки повидла и джема. На пачках красовались румяные фрукты, окропленные дождевыми каплями, а сам чай издавал манящий конфетный дух. Но едва только разжуешь эту вязкую сластящую обманку, как рот начинала обволакивать смолистая едкая горечь, которую надо было терпеть, если хочешь хоть немного унять голод. Впрочем, этот жмых из фруктовых отбросов предназначался вовсе не для еды, а всего лишь для подкрашивания кипятка, для придания ему респектабельного чайного вида. В каждой пачке было сконцентрировано столько сгущенного грушево-яблочного дегтя, что им можно было окрасить не одну бочку горячей воды. Тем не менее чай, как и дрожжи, многие жадно и счастливо поедали тут же из отвернутых пачек, как если бы им досталось шоколадное мороженое.

За этим деликатесом всегда возникала содомская давка, и случилось однажды, что под напором набежавших людей была сорвана с места одна из секций прилавка. Пустой дощатый короб скрежетно затрещал и рухнул, притиснутые к прилавку, потеряв опору, попадали на ощеренные гвоздями доски, сзади продолжали напирать, людей неудержимо несло по барахтающимся, вопящим и стонущим под ногами, однако никто уже не мог воспротивиться и остановиться. Напрасно увещевавшая опомниться, взывавшая к совести и всем святым продавщица, вконец отчаявшись, схватила палку, всегда стоявшую в углу прилавка для самообороны, и, плача, захлебываясь обрывками матерщины, принялась остервенело колотить по спинам и простертым рукам. Ворвавшиеся за прилавок уже терзали рогожные мешки, рассовывая фруктовые брикеты по карманам и пазухам. Палка тут же была отнята у продавщицы, а ее халат изодран в клочья, и она, едва успев ухватить картонный короб с выручкой, опрометью вылетела через подсобку во двор. Продолжая взрыдывать, тетя Шура утирала лицо уцелевшими белыми рукавами, застегнутыми на запястьях.

Мать, в тот раз ходившая на работу во вторую смену, вернулась из магазина бледная, встрепанная, без куда-то подевавшейся косынки, но фруктового чаю ей так и не досталось.

Такой же ходовой едой первой пятилетки стало так называемое саго — загадочный заменитель пшена, перловки и прочих натуральных круп. Поначалу мне казалось, что саго — это семена какого-то южного запредельного растения, ну, как, скажем, сорго. Невольно представлялись слоны, попугаи, черные нагие люди в чащобных зарослях... Но выяснилось, что саго делали в нашем же городе из обыкновенного крахмала. Получалось нечто, действительно похожее на крупу, а вернее, на разнокалиберную дробь — от бекасинника до заячьей нулевки.

В сухом состоянии саго имело скучный, серый, остекленелый вид, но в булькающем кипятке оно сразу же оживало, принималось весело носиться по кастрюле, на глазах прибавлять в размере и становилось почти прозрачным, скользким и неуловимым созданием, для овладения которым надо было иметь определенную сноровку. Эта хитроумная крупка имела свое хождение главным образом по школьным и заводским столовым, и мать иногда приносила с работы для нас с Нинкой бутылку голубоватого клейстера без вкуса и запаха, в котором обитали шустрые студенистые шарики, напоминавшие лягушачью икру. Мать поджаривала немного муки, добавляла в похлебку, и мы с Нинкой, азартно гоняясь ложками за неуловимой крупой, в один момент выхлебывали каждый свою долю.

Мать с отцом работали на одном и том же заводе, который в обиходе называли «мэрзэ», что означало: машино-ремонтный завод. Главным его направлением был ремонт покупных зарубежных «фордзончиков» — весьма примитивных колесных тракторишек фирмы «Форд-сын», вышедших, как я теперь понимаю, из тамошнего употребления и сбывавшихся в большевистскую Россию по хорошей, золотой цене на нужды молодой заносчивой коллективизации, отказавшейся от крестьянского коня. МРЗ принимал и всякого рода штучные заказы, производил клепаные металлические емкости, брался за мостовые фермы, а также ладил кое-какое оборудование для местных мельниц и крупорушек.

Заводскому профилю соответствовали и профессии моих родителей. Отец работал котельщиком, помню его в каленой, наждачно шуршащей брезентовой спецовке, пропитанной едкой неизбывной ржавчиной. Будучи тогда еще подручным молотобойцем, отец во время клепки находился внутри емкости. От сотрясающих ударов колкая крошка окалины проникала в нательное белье, липла к влажной спине, набивалась в уши. Лицом же, выпачканным ржавой пылью, замешенной на потных подтеках, он походил на циркового клоуна. От этого гулкого молотобойного дела он еще в молодые годы сделался тугоухим, почти все переспрашивал в разговоре, а больше предпочитал отмалчиваться и курить «козью ножку». Внутренние сгибы его пальцев были покрыты жесткими роговидными мозолями, он мог держать в горсти раскаленные угли, жечь на ладони скомканную бумагу и только избегал прикасаться к моему телу, опасаясь оставить на нем царапины.

Моя мать работала ситопробойщицей, выпускала сита для мукомольного производства, и руки ее были ничуть не ласковее и приютней от бесчисленных порезов жестью, от задиров и проколов острыми язвящими заусеницами, ранившими ладони даже сквозь рукавицы. Я видел однажды, как она плакала, взмахивая и тряся кистями, дуя на руки после домашней стирки, в которой вместо мыла пользовалась древесной золой из печного поддувала.

Наконец-то перед маем всем, кому это положено, выдали давно и нетерпеливо ожидавшиеся хлебные карточки.

— Хоть по очередям не бегать. — Мать была довольна этим обстоятельством. — Причитается — получи!

Нам достались четыре месячных листа: два красных и два желтых. Листы были поделены на талоны, а каждый талон покрыт мелкой сеточкой: чтобы никто не мог подделать, догадалась мать. Посередине каждого талона крупно, отчетливо напечатано слово «хлеб». Я с ходу прочитал его без запинки. Хлеб — и все! Сразу ясно, о чем речь. Это короткое слово прежде в моем воображении звуково походило на шлепок теста: хлеп! Так слышалось, когда наша деревенская бабушка еще недавно нашлепывала на тесовую лопату хлебные кругляши, чтобы отправить их в раскаленную печь. Теперь же это слово представлялось как бы уже испеченным, крутым и пахучим, и от одного только его прочтения становилось легко и радостно на душе. Хлебных слов было столько много, что от них даже рябило в глазах. Можно было провести пальцем слева направо или сверху вниз, и в ровном рядку будет написано: «хлеб, хлеб, хлеб...» Меня буквально распирало от привалившего счастья. Вот это так да! Мне, конечно, больше нравились красные карточки. Раскладывая их по едокам, я положил матери и Нинке по желтому листу, а отцу и себе оставил красные. Чтобы было по справедливости: мужикам — красные, поскольку они за революцию, а бабам — желтые, таковские. Но мать огорчила, сказав:

— Ты не так... Красные — нам с отцом, а желтые — вам с Нинкой.

Я заупирался:

— А почему вам — красные, а нам — желтые?

238

— Красные для тех, кто работает, — пояснила мать. — А желтые — для иждивенцев. Нам — по триста пятьдесят грамм, а вам — по двести. Маловато, конечно... Но зато на каждый день. А то есть еще зеленые — те для служащих. Но у нас служащих нету.

Мне не понравилось и это никогда прежде не слыханное, но чемто неприятное слово «иждивенец», и я спросил:

— А иждивенец — это кто?

— Это который на иждивении сидит, — сказала мать.

Я невольно почувствовал как бы отодвинутость от краснопролетарского дела, свою малопригодность, что ли, как если бы от этой желтой карточки заболел какой-то желтой малярийной болезнью, от которой все делалось желто: и лицо, и глаза, и живот с пупком.

— Как это — на иждивении сидит? — переспросил я.

— Ну как... Один трудится, а другой только ест, — сказала мать. — Но это не про вас, вы еще маленькие.

Я оценивающе оглядел Нинку, ее перепачканные печеной картошкой щеки: эта ничего не упустит, тут же завопит: «А мне?» И, сделав ей хороший шелобан по носу, презрительно прошипел:

— У-у-у, ижди-вен-ка-а несчастная!

— Ты сам дулак! — замахнулась она ответно.

С получением карточек добывать хлеб стало полегче. На МРЗ открыли свой хлебный ларек, карточки проштемпелевали завкомовской печатью, чтобы никто чужой не примазывался, и теперь мать, идя с завода вечером или на завод во вторую смену, забегала в заводской распределитель и отоваривала карточки. Правда, очередь собиралась и там, все-таки на МРЗ работало порядочно люду, да еще у всех были эти самые иждивенцы. Но все же не такая страшная очередища, как в обыкновенном, ничейном магазине, куда народу набегало видимоневидимо. И даже цыгане и всякое карманное ворье хоть и без карточек, но тоже в толчее имели каждый свой интерес...

Вскоре, однако, на карточном фронте произошли события, вживе коснувшиеся нашей семьи и моего иждивенческого бытия, в частности.

Нет-нет, никто хлебных карточек не терял. Ни при чем и карманники, которых я только что помянул всуе.

Что и говорить, утрата карточек обернулась бы для нас непоправимой бедой. Без этого, хотя и мизерного, пайка мы едва ли смогли бы продержаться до новых карточек, поскольку у нас не оставалось ничего такого, да и никогда не водилось, что можно было бы продать и как-то прокоротать две-три недели. В доме не было даже простеньких ходиков, и мы жили по заводскому гудку, который трижды взывал поутру, один раз в обед и дважды в конце дня, во вторую пересменку. Этого вполне было достаточно, чтобы сориентироваться в пространстве дня. Другие же заметы времени, тем более такая мелочь, как минуты и секунды, вроде бы и не требовались.

Из всего, что тогда имелось в нашем жилище, самой дорогой вещью я бы посчитал примус. Он появился совсем недавно, мне нравилось, как он грел натужным голубым огнем, на его сверкающем корпусе торжественно и важно высвечивали две выставочные медали, и мне было бы жаль, если бы его продали. Далее по степени ценности следовали дубовая бочка из-под капусты, бабушкина самотканая, вся в веселых мережках, скатерть со стола, слесарная ножовка, большой полудный паяльник с припоем и канифолью в жестяной баночке, чижиковая клетка, правда, без самого чижика, которого выпустили еще в марте, как только начали пухнуть очереди и подскочили цены на птичьи корма... Ну, может, еще алюминиевая кастрюля, совсем новая, незачерневшая, подаренная к Октябрю за хорошую ситопробойную работу.

Нет, наши карточки, слава богу, остались целы...

А случилось вот что: в заводской хлебной лавке обнаружили недостачу, продавщица что-то там напутала с талонами, и ей указали от ворот поворот, тем паче что была прислана со стороны. Решили поставить за прилавок свою, заводскую, которая по себе знала бы, почем фунт рабочего лиха.

Выбирали общим собранием, выставили несколько кандидатур, в том числе назвали и мою мать.

— Польку Носову! Польку давайте! — кричали из глубины цеха. — Надежная баба! Сита на сто двадцать процентов бьет!

— А как у нее с грамотой?! Тут грамота нужна.

Дядя Федя-завком постучал по графину карандашиком:

— Тише, товарищи! Лексевна! Ответь собранию!

Мать потом рассказывала, как ей было боязно и неловко, что на нее глядели со всех сторон и она должна была стоя отвечать на все вопросы.

— Так как у тя с грамотой? — настаивал дядя Федя-завком, в прошлом тоже, как и отец, котельщик и тоже тугой на уши.

— Я уже сказала.

— Ты погромче давай, не мямли под нос. Ты не мне говоришь — рабочему классу отвечаешь.

— Четыре класса у меня, — не поднимая головы, как бы повинилась мать.

Цех удовлетворенно загудел:

— Ого!

— Аж четыре!

— Должно, смекалистая!

— Ну так как же? — ухом вперед через красный стол тянулся в цех дядя Федя-завком. — Носову из ситного заносим али нет?

— Давай, заноси!

— Подбивай бабки!

Ближайшую свою соперницу мать обогнала на восемь голосов, и дядя Федя-завком тут же принародно вручил ей ключ от распределителя, белый халат и печатную инструкцию, в получении которой попросил расписаться.

В тот вечер я долго не мог заснуть, ворочался с боку на бок, прикидывал, что теперь будет, когда наша мать собственными руками станет отпускать хлеб. Я радовался и гордился ее новой профессией, тем, что она будет теперь ходить не в синем, а в белом халате и что к ней будут тянуться сразу десятки рук с карточками. Но, гордясь, тайно, стыдливо рассчитывал, что какой-то прибыток да должен же получиться от этого дела. Может, принесет каких-либо хлебных корочек. Есть же такие, которые сами по себе отстают от буханки. Разрежешь такой хлеб, а там, под верхней коркой, вроде как пустой чердак, гуляй ветер. Ясное дело, никто такую порченую буханку не возьмет, да и я бы не взял, возмутился бы: «Что такое?!» Вот она и останется, никому не нужная. «Отчего бы ее не взять и не принести домой? — так мечтал я сладко, обнимая подушку. — Да и так подумать: хоть в очереди теперь не стоять — и то дай сюда...»

Долго не ложились и мои родители. Они приглушенно договаривали свое на темной кухне, призрачно озаренной молодым робким месяцем. В дверной проем мне было видно, как отец, сидя на корточках перед приоткрытой печуркой, озабоченно тянул свою «козью ножку» и та пышно расцветала малиновым татарником, высвечивая задубелые пальцы с медно блестевшими ногтями и большой вислый нос, в каком-то давнем деле сдвинутый набок.

— Ладно, не реви! — утешал он суровым, досадливым шепотом.

Весь следующий день нас с Нинкой распирало приподнятое настроение оттого, что где-то, облаченная в белый халат, придававший продавцам недоступно-повелительный облик, ловко орудуя то ножницами, то ножом, наша мать одаривала людей хлебом. Наше воображение было столь возбуждено, что требовало немедленного утоляющего действа, и мы тоже принялись изображать магазин, составив из двух табуреток прилавок и налепив из дворовой глины хлебных коврижек и прочего иного печева, давно исчезнувшего из обихода. Но самым главным оставалось ожидание матери. После вечерних заводских гудков мы все чаще, уставясь друг на друга округлыми оловяшками, по-заячьи замирали, вслушиваясь в какой-либо случайный звук, донесшийся из коридора.

Наконец мать пришла. Она объявилась какая-то обыкновенная, с осунувшимся и отрешенным лицом. Молча, как бы не замечая нас, прошла мимо, небрежно бросила сумку к обножью стола и, не сняв своего демисезонного пальтишка, опустилась на наш прилавок из двух табуреток.

— А хлебушка принесла? — после неловкого молчания спросила Нинка, пока я придумывал, как узнать о самом главном.

— Нет, не принесла... — ответила мать нехотя, через силу.

— Не досталось, да?

— Карточки дома забыла, — с натужным выдохом сказала мать и, решительно встав, принялась стаскивать с себя пальто.

Я подумал, что хлеб можно было взять и без карточек, а потом дома вырезать нужные талоны, а завтра сдать их, куда следует.

Пока я мелким бесом крутился возле сумки, которую изнутри явно что-то распирало, Нинка со всей нахальностью иждивенки спросила напрямую:

— А чего принесла?

Вместо ответа мать молча подняла сумку и выложила на стол ее содержимое: свой измызганный халат, который тут же отшвырнула к печке на стирку, большой тупомордый нож, похожий на косарь, — отцу, как придет, на выточку, пачку старых газет, как она сказала, на расклейку талонов и холщовую сумку, набитую пестрой мешаниной бумажных квадратиков.

— А хлебушка? — из-за края стола оловянно вызрелась Нинка, и губы ее разочарованно сжались в горькую скобочку.

— Завтра принесу, — натужно сказала мать. — Завтра сразу за два дня получим.

Но и на другой день она опять пришла без хлеба и вынуждена была признаться, что никак не может уложиться в норму: слишком мелкие пайки приходится нарезать, особенно когда хлеб еще горяч, плохо замешан или если затупившийся нож не режет, а мнет ковригу, сорит мелким крошевом.

— Ну да ладно, сегодня давайте лепешек напечем...

Я знал, у нее в дальней, недоступной заканке было немного белой муки — берегла «на лапшицу, если кто заболеет». Сегодня она вспомнила о ней еще и потому, что нужно было заварить клейстер — для расклейки талонов.

После недолгого ужина отец, заправив «летучую мышь» керосином и прихватив магазинный затупившийся нож, ушел к себе в сарайку чинить водопроводные краны, чайники и самовары, навесные и ящичные замки, вить пружины для бельевых прищепок или высекать железные подковки на каблуки, которые потом старый красноглазый татарин, называвший отца не Иваном, а Иманом, забирал оптом для воскресной торговли на толкучем базаре.

Мать же, освободив от посуды стол, сняла с него скатерть и на самую середину столешницы высыпала пеструю кучу хлебных талонов. Разрывая газеты на осьмушки и раскладывая стопочками перед каждым, она тем временем объясняла, что и как надо делать. Потом перед каждым же поставила по блюдечку с еще теплым мучнистым клейстером.

Клеить полагалось по сотням. Я, конечно, мог сосчитать до ста и даже дальше, но, оказывается, этого вовсе и не требовалось: просто наклеиваешь десять рядов по десять талончиков в каждом ряду. Так — десять и так — десять. Десять на десять — получается ровно сто. Даже и не надо пересчитывать. Я сразу объявил, что буду клеить красные. Нинке достались желтые, а матери было все равно, и она наклеивала то зеленые, то желтые, а то принималась и за красные. Но я ревниво перехватывал ее руку и предупреждал:

— Это мои!

— Так ведь красных больше других, — говорила мать. — Дурачок, еще не рад будешь...

Наклеенные осьмушки, влажные и отяжелевшие, раскладывали на полу для просушки. И я ликовал, что мой ряд красных талонов оказался длиннее всего. Правда, мать часто отвлекалась, выходила из-за стола и то гремела на кухне посудой, то затевала стирать свой халат, который надо было к утру обязательно высушить и отутюжить.

— Ма, а Нинка талон на пол уронила! — докладывал я оперативную обстановку. — А поднимать не хочет.

— Да-а! — упорствовала Нинка. — Там темно!

— Подними, детка, подними! — наставляла из кухни мать.

— Да-а! — капризничала Нинка. — Там мыши бегают!

Мать оставляла свои дела и на четвереньках принималась шарить под столом.

— Куда же он подевался? — сокрушалась она. — Вот не хватит талона, что тогда? Придется свой отдавать.

Наконец бумажный квадратик был найден, но едва мать вернулась к постирушкам, как возникла новая проблема.

— Ма, а ма...

— Что там еще?

— А Нинка-балбеска свои талоны прямо по Сталину клеит!

— Ой, горе мое! — На ходу вытирая мокрые руки о передник, мать прибежала из кухни. — Мне ж завтра листы эти на контроль нести... А там дядьки такие глазастые! И как я не заметила... Дайте, дайте эту газетку, от греха... Не дай бог...

Пользуясь отлучками матери, мы тоже начинали подфилонивать. Клейка талонов, поначалу показавшаяся нам веселой игрой, постепенно превращалась в нудное, монотонное занятие, и уже не занимало, кто больше наклеит газетных листов. Первой сдавала Нинка. Она все чаще принималась портачить, клеить вкривь и вкось, путать желтые и зеленые талоны, а то и просто откровенно засыпать, уронив на стол свою встрепанную голову. Но правило талонной «игры» было жестко и неумолимо: весь этот ворох талонов надо было во что бы ни стало перебрать и переклеить в тот же вечер.

Мы с Нинкой тогда еще не знали, что, едва только засереет рассвет, когда мы будем еще дрыхнуть, мать соберет с пола все эти шуршащие, изогнувшиеся листы в одну толстую кипу, затолкает в сумку и помчится в горторговскую дежурку. А там уже очередь! Сбежались такие же хлебные продавцы со всего города. Поэтому, чем раньше поспеешь на сдачу талонов, тем скорее пройдешь эту процедуру. А она занудливая и нескорая. Дежурный, сидящий за барьеркой под низким абажуром, молча, камнелико принимает очередную порцию листов, с треском перегибает их через колено и принимается неспешно, прищуренно пересчитывать, водя по каждому рядку остро зачиненным карандашом и тем же карандашом отбрасывая косточки на счетах. Потом он подобьет общий итог, что-то запишет в толстую книгу, составит под копирку акт приемки, подсунет матери расписаться. После чего прямо по красным, зеленым и желтым листам, по строгим рядам талонов, которые мы старательно выклеивали весь вечер, пройдется вверх-вниз резиновым катком, опачканным дегтярной краской. «Следующий!» — равнодушно, бесцветно произнесет дежурный, глядя в пустоту перед собой. А мать, заполучив бумажку с указанием, сколько ей, согласно сданным талонам, разрешается получить хлеба на текущий день, уже шлепает через еще пустой, предрассветно серый и гулкий городок к пекарне, ронявшей искры из долгой жестяной трубы, чтобы пораньше заполучить, нет, не хлеб вовсе, а сперва дядю Степана или дядю Демьяна, то есть хлебного возчика. Чуть замешкаешься, и возчики будут уже разобраны. И тогда жди в проходной, пока кто-то из них освободится. Ну а те знают себе цену, не вот-то поспешат под загруз, мнутся, волынят, допытываются, в какой стороне магазин, проезжая ли туда дорога, словом, выжимают трояк, а еще лучше — буханку хлеба. Теплым печным товаром обычно расплачивались уже бывалые завмаги, спецы по сальдобульдо, и возчики заведомо знали, кому предпочтительнее подать фургон, а кому — попридержать маленько. Жаловаться на них — только себе в убыток, ибо против жалобщиков они поднимались молчаливой стеной всеобщего неповиновения: у одного лошадь что-то захромала, у другого — ступица на ладан дышит, третий врет, будто уже занят под другой извоз... А весовщик-раздатчик себе шумит: «Эй, кто там? Чья очередь? Что рот распялила?!» — «Так куда ж я его? Все фургоны заняты». — «А мне какое дело? Спи побольше! Выпечка подоспела — хоть в подол забирай. Горячий хлеб — поднимать надо! Твои заботы мне же и на шею». А сам показывает в раздаточное окно два пальца. Это значит, что она может оставить хлеб на часок, но за это придется откинуть две буханки на усушку...

— Нина, доченька! — заламывала руки мать. — Погоди, не спи!

— А? Что? — отстраненно, непонимающе озиралась Нинка, бледная прозрачная таракаха, у которой позвоночник на огонь лампы просвечивается.

— Не спи, не спи, моя крохотулечка!

— А я и не сплю... — не может взять в толк Нинка.

— Еще рано спать. Вон кошка еще не спит, баки расчесывает.

— Это она мышу съела, — объясняю я.

— Ладно тебе, не стращай ребенка. — Мать пригнула мою голову к столу, чтобы я впредь не умничал. А Нинку, переменив голос, медово увещевала: — Потерпи чуть. Потерпи, моя голубынюшка! Давай еще поиграемся. — Мать зачерпнула из тарелки горсть неразобранных талонов, приподняла над столом и разжала пальцы: — Смотри, какие красивые талончики: красненькие, желтенькие, зелененькие.

Нинка вяло посмотрела в расщелок волос на пестро мелькавшие квадратики.

— Какие твои? — заискивающе радовалась мать. — Твои же-о-л-тенькие! Иждиве-е-енческие! Ни у кого таких красивых нету. На вот тебе бумажечку. Намазывай клейком, намазывай, детка...

— Не хочу ижди-венские! — капризничала поникшая Нинка.

— А какие ты хочешь?

— Никакие не хочу...

— Как же так? — Мать растерянно оглядела темные углы комнаты, и глаза ее налились оловянной влагой. — Как же я завтра, если не поклеимся?

Теперь Нинка, встречая вечером мать и глядя на ее брюхатую сумку, уже не спрашивала о хлебе, а покорно и горестно говорила:

— Опять клеить...

Мне же эти талоны начали даже сниться. Среди ночи проснусь, сбегаю по-маленькому, думаю, ну все, теперь больше не привидятся. Но только уластюсь, прикрою глаза — вот тебе опять: красное, желтое, зеленое...

Хлеб появился в доме лишь на второй неделе, когда мать понемногу освоилась, обтерлась за прилавком, перестала пугаться гирек. Да и то какой хлеб: почему-то одни куски да обрезки, будто навыпрашивала по дворам.

— А какая разница, — утешала она. — Даже резать не надо: бери да ешь.

Ну, нам с Нинкой, желтым иждивенцам, действительно какая разница! Нам лучше такой, чем никакого.

Вскоре, однако, отец опять в ночи на корточках перед печуркой тянул свою «козью ножку» и озабоченно сипел сдавленным голосом:

— Ну ладно, ладно, буде реветь! Не могу я переносить, когда ты вот так вот... Хватит, говорю!

Тому причиной послужило вот что.

Как-то мать, прибрав магазин и сдав инкассатору выручку, направилась было через проходную домой, как на призаводской улице к ней подошли двое, предъявили корочки и попросили показать сумку. В ней, как всегда, находился халат, пачка старых завкомовских газет, мешочек с талонами, а надо всем этим — початая тогдашняя пятифунтовая буханка черного хлеба да еще сколько-то обрези. Спросили, что за хлеб. Мать ответила, что это ее паек за два дня. Попросили карточки, повертели, поразглядывали, сказали, что хлеб надо взвесить, соответствует ли он вырезанным талонам...

Велено было возвращаться в магазин к весам. Мать, конечно, обомлела. И даже не оттого, что будут хлеб перевешивать, с карточками сличать, сколь оттого, что ее, недавнюю ситопробойщицу-ударницу, принародно повели по улице, зорко обступив один слева, другой справа, как под арестом. Сжавшись душой, мать, однако, не противилась, не перечила, а покорно побрела назад, стараясь только не встречаться глазами с прохожими, которые, как ей казалось, останавливались и с осуждением глядели ей вслед.

То ли они, эти двое, хотели припугнуть, посмотреть лишь, как поведет себя задержанная, не выдаст ли себя чем-нибудь, а может, оттого, что мать не вырывалась, не поднимала шума и будто была со всем согласна, ее довели только до проходной и там, у самого порога, внезапно отпустили.

— Ладно, — сказали, — иди пока...

Этот обыск на улице окончательно подрубил мать. Домой она пришла бледная, молчаливая, даже не стала разбирать свою сумку, а молча легла и отвернулась к стене.

А ночью из темной кухни опять доносился возбужденный шепот, и отец, горячась, сердито сдувая с цигарки пепел, прокуренно сипел:

— Не хочешь — увольняйся давай. Иди опять на сита... Раз такое дело...

В общем, пока было решено так, что она больше не станет носить с собой хлеба, а возлагается это на меня. А чтобы не бегать в магазин ежедневно, мать будет отоваривать карточки за двое суток.

— Донесешь-то сразу за два дня? — оценивающе и горестно оглядывала она меня с нестриженых вихров до пят. Разговор этот состоялся на следующий день вечером.

— Да чего там нести!.. — Мне тогда шел уже восьмой год, осенью отправляться в школу, и слышать такое было обидно, будто я и вовсе зачуханный доходяга, не способный донести домой буханку хлеба. Есть, конечно, хотелось все время, едва проснешься — и сразу рубанул бы чего ни попадя: хоть кислой капусты из бочки, хоть того самого фруктового чаю или магазинных дрожжей. Чего уж: тощий был, суставы на коленках проступали, как головки болтов на два дюйма, но чтобы не допереть домой пайковую ковригу — эт-та дудки!

— Ты только отпускай поболе, — хорохорился я.

— А дорогу-то хоть знаешь? — допытывалась мать.

— На завод?

— А то куда ж...

— Ха! Да мы с пацанами сколь раз туда бегали гудок слушать.

— То ли его отсюда не слышно...

— Отсюда — что! Вот там — как даванет!

— Ну ладно. Завтра, как проснешься, так сразу и подходи. Возьмешь вот эту кошелку. Открыто хлеб нести нельзя: в городе полно бродяг, враз выхватят. Слышишь меня?

— Слышу...

— А в магазин надо заходить не через проходную, а прямо с улицы. Да ко мне не лезь, а станешь в очередь. Войдешь и скажешь: кто последний? Как все...

— Ладно.

— ...а когда очередь подойдет — подашь мне карточки и деньги. Кошелек на дне кошелки лежит. Не потеряй смотри!

И вот утром, хватив теплой водицы из чайника, бегу я на завод. Пустая зануда-кошелка из чакана болтается в руке, путается в ногах, мешает бежать, а так все хорошо: прокапал небольшой дождишко, пришиб пыль, освежил квелую, запоздалую зелень, выглянувшее из серой кашицы облаков умытое солнышко приятно обнимает плечи, и только босым ногам еще прохладно шлепать по лобастым уличным булыжникам.

Бежал, поглядывая на дерева, высматривая себе липу, чтобы пощипать молодых листьев. Они без всякого вкуса и даже ничем не пахнут, но зато нежны, легко жуются, полнят рот пресной пенистой массой, и двумя-тремя жменями вполне можно приглушить голодное нытье в животе. А скоро зацветет акация, и тогда в ход пойдут белые, медово пахнущие гроздья соцветий. Вкуснотища! Но если пожадничать, перебрать лишку, то может стошнить: таится в них какая-то рвотная добавка. А там пойдут незамысловатые подзаборные калачики, те можно есть сколько хочешь, безо всякой опаски. Недаром их еще просвирками называют, церковными плюшками. А еще — лопушьи корни, надо только не пропустить, чтоб не переросли, не превратились в лыко. А пока молодые — ничего, даже маленько сластят. Правда, губы пачкаются цепкой желтой краской, потом плохо отмываются, так что ходишь желторотиком, как иждивенец...

Еще издали начинало тянуть угольным дымком, железной окалиной, разогретым машинным маслом. Так пах наш завод. Не знаю, может быть, в моем организме чего-то не хватало, но я до упоения любил эти запахи, так же, как потом всю жизнь наслаждался креозотовым веяньем шпал и ни с чем не сравнимым духом чугунных мостов. А если угадать ко времени, то можно вблизи услышать оглушительный рев заводского гудка, от которого закладывало уши, и мы, пацаны, ничего больше не слыша, даже собственных слов, обалдело и счастливо таращились друг на друга.

Перед магазином я все-таки не удержался и сбегал посмотреть в окна заводских цехов, выходивших прямо на улицу. Нагородив под ноги тройку кирпичей и припав к пыльным стеклам, дребезжавшим от внутренней работы, я завороженно созерцал, как сумасшедше неслись трансмиссионные ремни, чем-то шлепая и мелькая на стыках, и как перед самым моим носом нескончаемо и кучеряво вилась металлическая стружка, легко, безо всякой натуги устремлявшаяся из-под толстого и как бы равнодушно-тупого резца, сперва сверкая дорогой позолотой, но сразу же густо синея, а затем и бурея от перекала.

На эти чудеса можно было смотреть бесконечно, но рядом были еще и другие окна, и я перетаскивал кирпичи к соседним проемам, за которыми открывалась иная работа: подбадриваемые воздуходувками, непрерывно гудели горны, полыхавшие синими коронами огня, брызгавшие синими колкими искрами и озарявшие все и всех вокруг синими мерцающими бликами.

А еще хотелось подглядеть отца и чтобы он увидел меня тоже и, воссияв, сконфуженно заулыбавшись, сказал бы друзьям-молотобойцам, что, дескать, это его сорванец, вон какой вымахал, осенью в школу отдаст. И все оставили бы работу и одобрительно закивали бы в мою сторону, выставили бы большой палец. А отец подошел бы к окну и сквозь шум горнов спросил бы знаками, мол, ну как дела, а я бы кивнул ему, как равный равному, как трудящийся трудящемуся, мол, все нормально, иду вот карточки отоваривать сразу за два дня. Однако отец на глаза что-то не попадался, должно, как он говорил, «пребывал на территории», что означало: возился в куче железа, отбирая нужные листы для раскроя. Молодой чубатый молотобоец, обнаженный до пояса и влажно блестевший огненными бликами, погрозил мне пальцем. В ответ я высунул ему язык, и тогда он щипцами выхватил из горна раскаленную, бело светящуюся железяку и сунул ее под самое стекло. Я мигом лепетнул прочь. Конечно, можно было еще возле цехов в мертвой зашлакованной заводской земле поискать блескучих шариков от тракторных подшипников — высший класс для рогаток! — ну да ладно, в другой раз, а то теперь мать, поди, все глаза проглядела. Вот войду, а она строгими глазами спросит, мол, где шлялся, язва моей души, а не ребенок?

Очередь за хлебом видна была еще издали. Не спрашивая, кто последний, я пристроился позади какой-то тучной техи-растетехи в жарком цветастом халате. Около получаса разглядывал я на ее попе разлапистые хризантемы, разившие керосинкой, прежде чем очередь втянулась в дверной проем. Сзади меня подпирала еще одна тетка, лица которой я так и не увидел за все стояние.

Едва я ступил за порог, разом шибануло густым бражным настоем теплого хлеба, от которого меня изморно шатнуло и рот переполнился чуткой на еду слюной.

— Мальчик, не толкайся! Стой, пожалуйста, смирно, — одернула меня тетеха, не оборачиваясь, потому как повернуться ей стоило немалых усилий, все равно что повернуть шкаф.

Я вспомнил про остатки липовых листьев, прилипших под майкой к моему взопревшему телу, и, дабы сбить голодную слюну, принялся вытаскивать по одному из-за пазухи и заталкивать в рот. Но жевать обмякшие, пропотелые листья, глядя на ряды хлебных ковриг, источавших умопомрачительный запах, было просто противно, и я тихонько выплюнул пресную зелень себе под ноги и растер голыми пятками.

— Да что ты там все ворочаешься? — опять рассерчала тетеха, разившая керосином. — Ты с кем, где твоя мать?

Я взглянул в узкий прощелок между сдавившими меня телами, где по ту сторону прилавка бело мелькала моя мать, но она все еще меня не видела, и я промолчал.

— Это ваш беспокойный ребенок? — спросила тетеха, повернув голову к правому плечу, что означало, что она обращалась к позади меня стоявшей женщине.

— Вы — меня? — почему-то испугалась женщина, лица которой я не видел из-за сильно выступавшего бюста.

— Да-да! Я вас спрашиваю! Своей ужасной корзиной он совершенно издергал мои чулки!

— Нет-нет, это не мой мальчик.

— А чей же еще?

— Я сам... — глухо пробормотал я.

— Что значит сам... Ты что, один тут?

— Ну, один...

— Ты тоже за хлебом? — поинтересовалась женщина, стоявшая сзади.

— Ну, тоже...

— Может, тебе душно? — спросила она же, должно, заметив по моему лицу, что меня подташнивало. — Пошел бы да погулял пока...

— Не надо мне гулять. Я тут буду.

— Ну, тогда стой и не вертись, — задом потребовала тетеха.

В общем продвижении очереди вдоль застекленной витрины, заполненной папье-машевыми калачами и сушками, я постепенно протиснулся к открытому участку прилавка, служившему проходом для продавца, и наконец хорошо, без помех увидел свою мать за рабочим местом. В пылу непрерывного и расторопного дела, где конец одного движения сразу становился началом другого, и так без роздыха, без передышки, пока не опустеют хлебные стеллажи, мать, должно, все еще не успела заметить меня, мои вихры за краем прилавка, ибо, сколь я ни вглядывался в ее сосредоточенное и строгое лицо под белым, по самые брови надвинутым чепцом, она ни разу не взглянула на меня узнавающе, будто я был чужой и ничейный. «Это же я! — подмывало меня сделать о себе знак, подать голос. — Ты что, не узнаешь меня? Это же я пришел, как договорились...» Но я все не находил подходящего случая: то она отворачивалась, чтобы взять с полки буханку, то сосредоточивалась на утиных носиках весов, то пересчитывала денежную мелочь. И я, припав подбородком к холодному жестяному листу, обнимавшему прилавок, выжидающе следил за каждым ее жестом, наклоном и поворотом.

Иногда она нагибалась, доставала из-под прилавка точильный брусок и торопливо вжикала по нему широченной плахой хлебного ножа. Дома она жаловалась на одолевшую крошку. Это — от тупого ножа, который лохматил и крошил хлеб, особенно свежий. «Крошка — она ведь невосполнима, — говорила мать. — Хлебный обрезок еще можно в зачет пайка положить. А крошку покупателю не навяжешь. Все это хотя и граммушки, да день велик...» В первые дни она приносила точить нож домой. Но его хватало всего на несколько буханок. Оказалось, жесткая зажаристая верхняя корка тупила нож не хуже кирпича. И вот теперь она наловчилась править нож сама. И делала это мгновенно, несколькими взмахами проводя по бруску то правой стороной, то левой, точно так, как правят бритву в парикмахерской. И верно, после точки мягкая теплая буханка переставала прогибаться под освеженным лезвием, а главное — не сорила крошевом.

А еще мне нравилось, когда мать удачно разрезала буханку надвое. Скажем, надо отхватить полкило — чик! — и точно: полкило! Без повторных перевесов. Но больше, конечно, мазала, и постепенно вокруг хлебной доски накоплялись куски и кусочки. Она сбывала их, как могла, порой нарываясь на раздраженное сопротивление, исходившее главным образом от женщин, а мужчины, особенно старички, брали безропотно.

Тем временем плотно стиснутая, распаренная, разящая потом и старым тряпьем очередь постепенно перемещалась, волоча внутри и меня, как влипшую муху. Чтобы было чем дышать, я прижимался подбородком к железной обивке прилавка, на котором на уровне моих глаз совсем близко виднелась россыпь хлебных кусков и кусочков. До самых близких можно было запросто втихую дотянуться рукой. Тем паче что тетки, облеплявшие меня спереди и сзади, вовсе не видели меня и не заметили бы, как я, улучив момент, мигом цапну совсем маленький обрезочек. Не тот вон, за который потребуется, может, целый иждивенческий, а то и рабочий талон, а вот этот — махотулишный и никому не нужный, в полспичечного коробка. А уж если на то пошло, то и нечего мне озираться на бабуль. Если бы за прилавком стояла какая-то чужая тетка, тогда другое дело... А то ведь мамка моя! Разве она сможет сказать что-нибудь против, если я потянусь и просто так возьму кусочек черного хлебца?! Ведь мы же с ней вечерами вместе все эти талоны клеили! А если что, то пожалуйста: будет отпускать мою норму, может вычесть этот кусок из моего пайка. Чтоб все по совести.

Последний довод показался мне настолько убедительным, что я, привстав на цыпочки, не спеша посунулся рукой по железу к облюбованному кусочку. При этом я смотрел не на хлеб, а в лицо матери, ища ее взгляда и покровительства. Она заметила-таки мое движение, и я в ответ заискивающе приветно заулыбался, как бы давая знать, что это я, а не какой-нибудь пакостник и воришка. Мать, кажется, наконец-то узнала меня, и сердце мое от негласного одобрения пролилось чем-то сладким и теплым, и я, благодарный, накрыл ладонью хлебушек, как если бы бережно накрыл зазевавшегося на крыше воробья.

И тут что-то холодно взблеснуло над прилавком, и вмиг я почувствовал резкий удар плоско развернутого хлеборезного ножа. Острая ожоговая боль полыхнула по всему запястью. Но я почему-то не отдернул руки — может, потому, что, еще весь полный счастливого доверия к материнскому взгляду, вовсе не был готов к этому, полагая, что произошла ужасная ошибка. С недоумением глядя в лицо матери, пытаясь уловить в нем признаки вины и сожаления, я все еще продолжал сжимать в кулаке теплый хлебный мякиш.

Но она жестко, отчужденно крикнула:

— Убери руку!

«Ты чего? — вопрошал я ее одним только смятенным взглядом. — Это же я, я!»

— Убери руку, сказала!

От этих ее тяжких, рубящих наотмашь слов я растерялся.

Стиснутый очередью, сомлевший в ее духоте, я окончательно был раздавлен и растерт этими тяжкими, бьющими наотмашь словами и почувствовал, как ослабли и ватно обмякли мои ноги. И, утрачивая реальность, ощущая в глазах радужное мелькание какого-то размолотого стекла, я выпустил из онемевших пальцев измятый кусочек хлеба, оттянул руку и, присев на корточки, спрятался от всех у подножия прилавка.

— Да, но и так тоже нельзя — ножом! — ужаснулась задняя женщина. — Мало ли что, нож все-таки...

— Ножом, это, конечно... — тоже не одобрил кто-то из мужчин. — Это ты зря, Лексевна. Надо для таких случаев палку при себе иметь. Как в других магазинах.

— Каков, однако! — развернула-таки свой шкаф теха-тетеха. — Небось и по карманам горазд? Ну-ка, проверю, цел ли кошелек...

— Давай сюда твои карточки, — наконец раздался из-за прилавка посеревший материн голос. — Где твоя кошелка? Слышишь, мальчик? Давай, я...

— Не надо! Не надо мне ничего! — срываясь на визг, выкрикнул я и, зашвырнув пустую плоскую кошелку за прилавок, захлебываясь обидой, головой раздвигая лес ног, ринулся к выходу.

1992

ЯБЛОЧНЫЙ СПАС

Утро клубилось молодыми августовскими туманами, еще легкими, не виснущими на кустах и травах, а кисейно парящими поверх изб и свежих сенных стогов, поля собой все остальное небесное пространство, уже отепленное незримым солнцем, отчего казалось, будто перезвоны какого-то большого празднества сами по себе зарождались в мглистом таинстве встающего погожего дня.

Под этот благовест, то отдаленный, приглушенный туманом, то явственный, со всеми подробностями ликующих подголосков, было мне ново, необычно и радостно колесить в моей старенькой «Ниве» по прежде безмолвной округе, сопричастно глядя на русые скошенные поля в блестках оброненной соломы, на шумные выводки грачей, облепивших свежие наметы, на забагряневшие верхи степных яруг, опоясанных синеющими ягодами терновника. А пуще гляделось на табунки изнова заведшихся молодых коней — сытых, ладно округлившихся крупами, закосматевших долгими русалочьими гривами, с диковатым поглядом темных сливовых глаз, дурашливых от всей этой справы и вольницы, гораздых незлобиво куснуть, вскинуться на дыбки друг перед дружкой и огласить пажити забытым ликующим кликом, отдающим данью запредельной Русью.

Иногда же из таившихся в межгорьях садов, уже созревших, обремененных плодами, вдруг опахнет волнами теплого яблочного ветра, и ты невольно неудержимо вдохнешь этот скопившийся за ночь пьянящий аромат с примесью душицы, полынка и еще чего-то волнующего и родного, потянешь в себя со всей жадностью, насколько позволяют пуговицы на рубахе.

В Малых Ухналях, в попутном сельце по дороге на Ливны, колокол, вновь отлитый, едва поболе шапки, бойко, истово названивал прямо промеж свежеошкуренных столбов, заменявших звонницу. Долгий, хлыстоватый малый с подвязанным хвостиком волос на затылке, должно, пребывавший в послухе, со строгим, озабоченным лицом дергал за веревку, но поскольку колокол был один, без своих разноголосых собратьев, то из него ничего нельзя было выколотить, кроме однообразного частозвона, тем не менее привлекшего немало народа. Тут же из муравы высился сварной, обшитый жестью куполок с кованым ажурным перекрестием, которому после очистки от ржавчины и покраски порошковой бронзой надлежало стать православным крестом. Однако проходившие мимо старушки готово крестились на эту незавершенную конструкцию, не дожидаясь, пока ее доведут до ума, покрасят и возведут на церковную кровлю. Сам же храмец — обезглавленный, изрядно обветшалый, с порослью березок по карнизу, хранивший прежде бумажные кули с химикатами, побелочный мел и негашеную известь, ныне пребывал в лесах, весь в цементных помазках и пластырях, и, как всякий больной, безучастно и равнодушно глядел сквозь поржавевшие решетки на узких незастекленных оконцах, так что приходской священник отправлял свою службу прямо на паперти, возле кем-то принесенного стула, застланного черным цветастым платком. К спинке стула была прислонена икона с обратом Спаса, строго взиравшего из фольгового оклада. Перед иконой на подносе горело десятка полтора разновеликих свечек, трепетавших на открытом воздухе долгими заострившимися язычками огней и слезно ронявших к обножью капли горячего полупрозрачного воска.

Перед папертью толпился сельский темнолицый люд, неловко прихорошенный обновами, все больше местные доброжители Малых Ухналей, промышлявшие прежде подковным ремеслом. Были здесь и пришлые из окрестных выселков и хуторов, а также, судя по веренице автомашин у обочины, всякие проезжие россияне, остановившиеся поглазеть, попритворяться верующими, а заодно и прикупить чего ни то по дешевке. Во всем этом сходе чаще других головных покровов белели бабьи платки, заведенные по такому случаю православной обрядностью, И лишь кое-где, а больше у пивной залетной бочки, мелькали холщовые козырчатые кепарики, проникшие в российскую глубинку с зарубежных олимпиад и пальмовых пляжей.

Между тем люди все подваливали, протискивались к священнику, разверстали перед ним авоськи и узелки с яблоками, и молодой раскрасневшийся иерей в праздничной парчовой фелони и свежей камилавке макал вересковый веничек в детское голубое ведерко с ушастым Гурвинеком на боку и вдохновенно, с видимым удовольствием, хлестко окроплял плоды, а заодно и самих соискателей благодати, подставляя затем запястье для поцелуя.

На роившемся пустыре тоже пахло яблоками, но не легкими дуновениями, как в открытом поле, а густо, настоянно, будто из большого закрома, в который ссыпали плоды со всех деревень. Яблоки округло, золотисто выпирали и выглядывали почти из каждой шитой и плетеной емкости в руках, и каждая поклажа сочилась своим собственным ароматом анисовки, свечовки, крапчатки всяких новых штрифелей и бельфлёров, которые все вместе и создавали этот пряный праздничный настой.

По небывалому многообразию яблок, радовавших ребятишек, шкодливо пулявших друг в друга окусками, по тому, как встрепанный мужичонка в новой, глыбисто измятой рубахе сипло выкрикивал, не договаривая слов, какие-то куплеты, пытаясь обнять и облобызать всякого встречного, по бесшабашному вскрику ливенки в каком-то ближнем дворе, а также по тому, как приходской священник, поди, тоже пропустивший рюмочку церковного, готово и вдохновенно, с некоторой картинностью исполнял свое необременительное действо, оставлявшее впечатление, будто от взмаха его мокрого веника и рождалось это румяное и ароматное изобилие, грех было не догадаться, что в Малых Ухналях, как и во всей святой Руси, начался Яблочный Спас.

Неподалеку, под старыми церковными липами, расположился яблочный базарчик. Десятка два женщин восседало рядком перед наполненными ведрами. Торговля была рассчитана в основном на приезжих, поскольку этого добра местному жителю не надобно и задаром.

Я тоже прошелся вдоль рядка, приглядываясь к веселому, бодрящему товару, при одном виде которого молодеет и радуется душа.

Яблоки и в самом деле были на загляденье: свежи, румяны, подернуты первозданной матовостью осевшего туманца и вообще веяли отменным здоровьем хорошо вызревших плодов. Да и сами женщины, по-праздничному добродушные, гораздые погомонить, оживленно встречали заглянувшего к ним человека и наперебой расхваливали свою продажу бодрыми возгласами: «Кому ранней антоновки? Ранней антоновки кому?» или: «Вот анисовка! Только что с ветки! Нигде такой нет, кроме наших Ухналей!»

Неспешно проходя сквозь эти веселые зазывания, в конце концов я минул весь рядок и оказался перед самым крайним ведерком, замыкавшим торговлю. Перед ним на стопке красных кирпичей молча сидела маленькая щупленькая бабулька. На ней был серый прорезиненный плащик, укрывавший ее заостренную, как бы двускатную спину от капели, время от времени падавшей из затуманенных вершин старых деревьев. Насунутый серый козий платок застил ее лицо, оставляя видимыми лишь кончик острого носа и жесткий, будто из пемзы, серый подбородок, поросший сизыми завитками грубых волос. Всей этой серостью, угловатостью и отрешенной недвижностью она напоминала мне болотную птицу выпь, терпеливо поджидавшую свою случайную поживу.

— Баба Пуля! — окликнула ее соседка.— Слышь, баба Пуля! К тебе кавалер!

Старушка продолжала сидеть недвижно, нахохленно, втянув обмотанную голову в жесткий отвернутый ворот, и будто не воспринимала моего присутствия, не замечала представших пред ней моих замшевых кроссовок.

— Лукьяновна! Баба Пу-у-ля! — соседка тронула старушкино плечо.— Спишь, что ли? Покупатель к тебе!

Бабуля, будто испугавшись, встрепенулась вся, зашуршала плащом и вскинула на меня красноватые, словно по живому прорезанные прощелки глаз, заполненные влагой.

— Продаешь? — спросил я с непокидавшей меня веселостью.

В ответ она извлекла из-под полы мелко дрожащую от старческого тика ладошку и зачем-то переставила на ведерке самое верхнее яблоко красным боком ко мне.

Кроме этого заглавного яблока, крупного и румяного, видно, исполнявшего роль рекламы, остальные были так себе: выглядели вяловато, даже чуть приморщенно, на иных бурели пятнышки червоточин. Было очевидно, что яблоки вовсе не с ветки, и подобраны с земли, где пролежали невесть сколько времени.

Никто не неволил меня покупать именно эти яблоки, рядом продавалось много свежих и крепких плодов. Но, глядя на ее держащуюся за край ведерка дрожащую руку, обтянутую сухой, ломкой кожей, со вздутыми сизыми прожилками и узловатыми косточками пальцев, похожими на мелкие нитяные катушки, я решил, что сперва куплю у нее, и твердо спросил:

— Почем?

Старушка было открыла сморщенный, измятый рот, готовясь ответить, но слово мое было слишком коротко, так что она, кажется, не успела понять вопроса.

— Вы ей погромче,— подсказала соседка.— Колокол звякает, не слышно ей.

Я напряг голос и спросил попросторней:

— Хочу, мать, купить твои яблоки. Почем продаешь?

— Продам, продам...— закивала она, оттопыривая платок над ухом.

— И почем же? Что, говорю, просишь за ведерко?

— А-а, что просить-то... Сколь дашь, милай.

— Надо ведь знать, что давать.

Разумеется, цена для меня не имела значения, и я спрашивал о ней только затем, чтобы дать старушке кроме денег еще и некое удовлетворение от ее убогой торговельки.

— На свечку дашь, дак и на том — спаси тя Господь,— положила она цену.

— Что так мало?

— Будя... Душа малостью живет, у нее своя пища.

— Свечку я тебе и за так куплю,— сказал я с веселой щедростью.— А поди душа не только свечек, но и хлеба просит?

— Ну, ежли мать свою помнишь, добавь и на хлебушко,— она заглянула мне в глаза, и ее измятое временем лицо степлилось слабой улыбкой.— Уж и не знаю, каких они сортов, а яблоки хорошие, не кислые. Возьми, попробуй.

Я пробовать не стал, а только сказал шутливо:

— Как же так: продаешь, а сортов не знаешь?

— Ась? — напряглась она, но потом поворотилась к соседке: — Чево он говорит?

— Говорю, яблоки свои ли? А то, может, подобрала где?

— Свои, свои! — вступилась за нее соседка.— Ба Пуль! Слышишь? У тебя сколь яблонь-то?

Старушка показала два скрюченных пальца.

— Две? Как — две? У тебя ж больше было...

— Было-то больше, да все истопила. Зимы нынче эвон какие, а — ни угля, ни дров... Обещали, обещали, да потом и сам сельсовет куда-то подевался, замок висит... Я и попилила.

— Ну и Бог с ними,— согласилась соседка.— Зачем тебе столько? Ты и с этих сорвать не можешь — ждешь, пока сами падут. Ну а пали, то и пропали... У тебя ж — ни поросенка, ни внуков, некому подбирать. Так, поди, и валяются — то гниль нападет, то слизень... И продать — не товар.

— Ладно тебе! — одернули бабы говорливую соседку.— Придержи язык. Не отпугивай клиента. А то подумает, и впрямь не товар... Яблоки как яблоки... Таких в своей Москве небось и не видал...

Яблоки я все-таки взял, отнес в багажник и, воротясь с пустым ведром, спросил обрадованную Лукьяновну, не продаст ли она еще сколько-то.

— Ой, мила-ай! Да хоть все забери! — готово согласилась старушка, однако предупредила, что хотя живет она и не так далеко, но туда, за ручей, проезду теперь нет, так что, если я согласен, то к ней идти надобно пешки.

Я согласился, взял в машине порожний рюкзак, и мы пошли.

Утро к тому времени окончательно выпуталось из тумана, вокруг стало солнечно и пестро от проступивших теней. Звеневший колокол иногда, как и теперь, примолкал на сколько-то минут, должно, молодой пономарь уставал непрерывно дергать за веревку, и после звяканья меди становилось слышно, как в вершинах старых лип, озарившихся солнцем, весело, чеканно щелкали отогревшиеся молодые галки, поддерживая легкое, безмятежное настроение.

Лукьяновна торила дорогу впереди меня. Она сперва покряхтывала, придерживала свободной рукой поясницу, но потом разошлась, зашмыгала растоптанными шлепанцами, заворачивая носки внутрь и раскачиваясь из стороны в сторону. Воротник жесткого плаща по-прежнему оставался торчать, скрывая пригнутую голову, отчего казалось, будто впереди меня бежал один только плащ на кривулистых ходулях. Я попытался отобрать у нее порожнее ведро, но она упрямо не отпускала дужку, говоря, что с пустыми руками идти непривычно, неловко, будет думать, что забыла чего... Когда я спрашивал ее о чем-либо, она останавливалась, часто дыша, хватая воздух распахнутым ртом, и, отдышавшись, переспрашивала меня своим встречным вопросом:

— Ась? Про что ты говоришь?

Недолгим проулком выбрели к переправе через шуструю речушку, взбудораженную утками, всплески и довольное кряканье которых доносилось из-под нависших зарослей ивняка. Вниз по течению проносило разворошенную ряску, измятую осоку, оброненные утиные перья. Сама переправа состояла из двух провисших тросов, поперек которых были прикреплены тесины, похожие на клавиши.

— Господи Иисуси...— перекрестилась Лукьяновна и, выставив перед собой ведро и переставляя его с клавиши на клавишу, этаким замысловатым манером проскондыбала на ту сторону. Я подождал, пока она, наконец, перебралась, после чего и сам с замиранием души одолел это зыбкое сооружение, не терпевшее никакой размеренности и тут же начинавшее раскачиваться из стороны в сторону.

Ступив на твердь противоположного берега, Лукьяновна присела на опрокинутое ведро и задышливо завозмущалась:

— А ить был же тут езжий мосток... Ан весь разворовали. И даже... сваи повыдергивали... Это еще при Горбачеве... когда начали все перестраивать... Навезли было плит, хотели поставить мост из бетону, дак Хотей расхотел, а плиты тоже порастаскали... Заместо моста повесили эту люльку — голова кругом от нее, опосля никак не отдышишься, хоть капли с сотой носи... Оно и не глыбко, да один тут, Гаврюшка, что от меня через двор, спьяну свалился да и утоп. Нес на горбу тумбочку под челевизер, тумбочка и перевесила, он мордой в ил и угораздил. Утром люди пошли, глядят, а вороны уже Гаврюшкин зад долбят...

Выровняв дыхание, Лукьяновна продолжала:

— Трактор, дак тот прямо через речку прет, а машинам не стало ходу. Со мной ить, милай, из-за этого тоже оказия была...

— Что за оказия?

— А вот пока сижу — расскажу.

Лукьяновна сдвинула на затылок толстый шерстяной платок, обнажив серые свалявшиеся волосы.

Пережидая молчание Лукьяновны, я поглядел окрест, радуясь тихому безветренному теплу и какому-то воцарившемуся благоденствию, сопровождаемому звоном ухналевского колокола. Здесь, на лужку, над доцветающими клеверами разомлело погудывали медлительные шмели, не по сезону одетые в теплые плюшевые шубки. Над темной кофейной водой ломко промелькивала лимонно-желтая бабочка, невесть откуда и куда летевшая и невольно заставлявшая переживать, что не долетит при этом своем робком и неумелом полете или вот-вот схватит ее затаившийся под лозами большеротый голавль. А на узволоке, на заречных выселках, куда мы шли, под темными купами ракит, приютивших несколько разрозненных дворов, учились петь молодые тонкоголосые петушки. Оттуда же тянуло яблочной прелью, будто где-то там пролили на землю старое закисшее вино.

Лукьяновна поворотилась на своем ведерке лицом к выселкам:

— Вон, вишь, дом на краю починка?

— Куда глядеть — направо или налево? — не понял я.

— Налево который.

— А который налево — он без крыши...

— Ну да, ну да...— закивала Лукьяновна.— Он самый.

— И окна пустые, без рам... Нежилой, что ли?

— Как это не жилой? — обернулась Лукьяновна.— Я в ём и живу.

— Он что, горел, поди: бревна черные?

— Я вот и рассказываю...— она снова повернулась на ведерке, будто на винтовом сиденье.— Ну, милай, живу я в этом доме, годки бегут... Схоронила матушку, одна осталась... Вот те, приезжает дочь Сима. Она тади в Хрустальном Гусе жила, работала главным булгактером. Отворяет дверь и еще с чемоданом в руке сразу в слезы: «Мама, пропадаю, выручай!» — «Что такое?» — «Сильно я растратилась, большой за мной недочет. Вот приехала, спасай, чем можешь. А не то — десять лет мне дадут».— «Да чем же я тебя спасу, говорю я ей, шутки, что ли?» — «Ой, да какие шутки, какие шутки? Я дома уже все продала, что можно, и все равно не хватает».— «Да я-то что продам — ничего нетути». А она мне: «Давай, мама, продадим часть дома. Ты себе кухоньку с печкой оставь, тебе, главное, чтоб печка, а на остальное покупателей поищем...» Жалко мне дочку стало: а ну и вправду посадят, да и продала я две чистых комнаты проезжим цыганам. Как раз зима надвигалась, они хорошие деньги дали.

Все получилось удачливо. Сима уехала в Гусь расплачиваться, а днями вот они — новые хозяева в двух кибитках. Сколь их понаехало, аж в глазах рябко... Мал мала меньше и все босые да чернявые, как таракашки. Кто чугунки волокет, кто подушки. Тут же из окна сделали себе отдельную дверь, а в другое окно вывели трубу от буржуйки. Всю неделю праздновали новоселье, одни приезжали, другие уезжали... За стенкой дни и ночи бил барабан, бубны звякали, стекла в окне дребезжали. Однова просыпаюсь — чтой-то дымом пахнет? Я бы и ничего, да прежняя моя кошка вот как забегала — то под кровать, то на печку, места не находит. Выбежала я на улицу, гляжу, цыгане тоже повыскакивали, галдят, руками машут, а из их окон красные петухи выпрыгивают... Хорошо, добрые люди в пожарку сообщили. У нас, в Ухналях, прежде своя пожарная машина была. Машина-то была, а моста уже не было. Пока кругалём объезжали, уже и крыша занялась. Так что от всего дома одна моя каморка и осталась. Успели отбить ее от огня.

— А что же цыгане?

— И-и, милай! Запрягли лошадей — и с концами!

— И что, разве дом уже нельзя поправить?

— Да где же я возьму столько капиталу?! — Лукьяновна в сердцах опять насунула на голову платок и, кряхтя, упершись руками в коленки, тяжело поднялась со своей сижи.— Это ж сколь надоть денег-то? Крышу покрыть, стены от горелого образить, да полы с потолками, а еще рамы на окна... Теперь гвозди небось сто рублей штука, а у меня пенсия с гулькин носок, да и ту не всяк месяц дают...

— Да-а... Ну а власть? Разве ее не коробит пожарище? Должна бы помочь...

— Какая власть, мила-ай! — Лукьяновна воздела кверху пустое ведро.— Теперь в Ухналях нетути никакой власти. На том месте замок повешен. Уж и поржавел, поди...

Она побрела на узволок едва приметной тропкой, валко раскачиваясь при каждом переступе шлепанцев. Я пошел следом, все еще прикидывая всякие ходы что-либо сделать.

— Ну хорошо, а дочь? — сказал я громко и убежденно.— Разве она не обещала помочь? Было бы справедливо... Ведь ты же ей помогла?

— Ничего я не помогла. Все было впустую. И дом извела зазря, и деньги цыганские суда не упредили,— задышливо отозвалась Лукьяновна.— А теперь и самой Серафимы нету...

— Как — нету?

— А так вот... Признали Симу виноватой... Дак и она сама не отказывалась, виноватой была... Деньги у нее взяли, а скостили ей только половину: не десять, как она боялась, а дали пять годов лагерей... Валяла лес на Урале. А потом поставили ее учетчицей. Все б ничего, можно б и отсидеть, да вот придавило ее деревом. Сук аж насквозь пронизал...

— Да как же так?!

— Писала мне одна, которая отбывала с ними, будто свои же подружки и сотворили. Кому-то не так учла... Нету теперь Серафимы..

— Да, печально,— посочувствовал я. — Наверное, семья осталась?

— А-а! — махнула рукой Лукьяновна, и в ее голосе проглянула какая-то бесшабашность.— Слава Богу, безмужняя она! Налегке жила, как и я.

— Что так?

— Не выпало ей короля. Одни только пустые валеты. Ну и то ладно: некому печалиться. Вот Зимина дочка первая в нашем роду расписанная. Все по закону. И свадьба была: она вся в белом, он — в черном.

— Бывает в Ухналях? Навещает бабку?

— Не-е! Ей до меня далеко! Гдей-то в Африке живет. Вышла за негра, с ним и уехала. Не назову тебе ту землю. Запамятовала. Писала как-то Симе, что когда в Гусе зима, то у них там лето, а когда в Гусе лето, то у них дожди непросветные. Обезьян полно, прямо по базару бегают, из кошелок воруют. А где это — не могу сказать.

Дом пострадал больше всего с фасада, будто обгорело его лицо. На выселковую улицу, на луг и речку, на все Ухнали из обугленного ребрастного сруба пусто глядели проемы окон, сквозь которые виделась поросль молодых кленов и безоблачная синева. Перед обгорелым срубом в самоделковом палисадничке, забранном подручным материалом — лотками от старой бочки, полосками жестяной выколотки и еще чем-то ненужным,— в предчувствии близкой осени скудно, устало доцветали оранжевые коготки, уже начавшие жухнуть и осыпаться блеклыми семенами, и вправду похожими на выпущенные кошачьи когти. Меж коготков поднималось несколько кленовых прутиков, уже достигших верхнего края руин и посаженных Лукьяновной, должно, для того, чтобы хоть чем-то сокрыть уличное уродство ее жилья.

Уцелевшая часть дома, кое-как прикрытая толем, с долгой оголившейся трубой, все же выглядела не так разорно, как представлялось. Стены были обмазаны глиной и побелены известью, единственное оконце, выходившее во двор, окрашено голубеньким, так же как и входная дверь, перед которой на тесовом крыльце был постелен круглый веревочный обтирничек для ног. Под толевой застрехой, на белой глади стены медовели ожерелки нарезанных яблок, а на подоконнике под сенью колючего цветка алоэ калачиком самозабвенно спал кот, укрывший морду от мух полосатым хвостом.

Лукьяновна покопалась за пазухой, достала ключ и принялась ковыряться в большом висячем замке, тоже окрашенном голубеньким. Заслышав металлическое царапанье, кот вскинулся на лапы и, подняв хвост, встряхивая самым его кончиком, пронизываюше вызрелся на возившиеся с замком руки хозяйки... он был прелюбопытного окраса: один глаз голубой, а другой — желтый, голубой глядел из белой половины мордашки, а желтый — из черной. И только пипка носа, разделявшая обе половины, оставалась нейтрального колера — цвета молочной топленой пенки.

— Сичас, сичас... — говорила Лукьяновна не то мне, не то терпеливо ожидавшему коту.

Кроме дровяного сарайки, осевшего на один угол, ничем не огороженное подворье обозначалось полоской отяжелевших подсолнухов, склоненно, будто под хмельком, шептавших что-то один другому в развесистые шершавые уши, остальное пограничье занимали то подзаборная бузина, вся в рубиновых гроздьях никому не нужных ягод, то рослые многоярусные мальвы, похожие на китайские пагоды, а то куртины полуодичавших георгинов, разбросавших, как фейерверк, свои золотые соцветия. В этой живой огороже, опутанной еще и вьюнком с повеликой, однако неспособной никого удержать, кроме совестливого человека, радуясь пришествию теплого дня, самозабвенно цвиркали и зинзикали подросшие за лето кузнечики, навевая иллюзию блаженного и вечного бытия.

— Может, помочь? — спросил я Лукьяновну.

— Сичас... Это я, сдуревши, сарайный ключ засунула... Совсем опешила, старая...

На открытой середине двора высилась летняя глинобитная печка, из которой буквой «Г» торчала вмазанная самоварная труба, делавшая все сооружение похожим на лежащего гуся. Птица-печка вскинутой трубой нацеленно глядела в небо, будто тяготясь своей обескрыленностью и неволей.

— А хорошо тут у тебя! — с городской завистью оценил я. — И не подумаешь, что за черными руинами вдруг такой пригожий уголок.

— Ась? Чего говоришь?

— Говорю, у тебя тут два дома: один черный, а другой — белый...

— Ага, ага... — согласно закивала она. — Куда ж денешься... Один от другого не оттащишь. Одна стена между ними. Дак и вся моя жизнь такая: черно-белая.... Вот и кот у меня где черный, где белый... Небось одним глазом глядит днем, а другим — ночью.

— Откуда такой? — я дружески протянул к нему руку, но кот, зашипев, спрыгнул с подоконника.

— Сам пришел. Еще писклёнком... Сидел на обгорелом бревне и пикал... а может, и не кот это?..

— А кто же?

— А-а... — отмахнулась она. — Это я так...

Замок наконец открылся, и я вслед за Лукьяновной машинально вошел в жилье, на большей части которого располагалась обширная печь прежних времен, занавешенная посконью. Оставшегося места хватало лишь на топчан, сундук и двустворчатый стол у оконца. Единственную табуретку приткнуть уже не было куда, и она неприкаянно обитала на середине келейки. Поверху же, на уровне глаз, разместились: над сундуком — подвесной посудничек, в углу, за лампадкой, темная иконка Смоленской Одигитрии, а над топчаном, в общей раме за стеклом, — с десяток разновеликих фотографий. Все здесь впору лишь для одного человека, другой был бы уже лишним. Таковым и почувствовал я себя, когда присел на предложенную табуретку, сразу заняв все кубы и квадратные метры.

Тем временем Лукьяновна сняла плащ, размотала платок, повесила одежку у двери на гвоздик и осталась в каком-то казенного вида сером халате, кои нашивали уборщицы, разнорабочие и прочие подсобники, отчего стала похожей уже не на выпь, а на какую-то еще меньшую серенькую птаху, привыкшую к тесноте своей клетки, наперстку воды и щепотке проса.

— Погоди, чаю согрею, — сказала она, распахнув посудничек.

От чаепития я отказался, сославшись на брошенную у обочины машину.

— Ну, тади покури, — она заискивающе заглянула мне в глаза. — Я люблю, когда папироской пахнет. У меня ить в доме давно никого не бывало...

Еще раз оглядев каморку и набредя взглядом на рамку с фотографиями, я поинтересовался, есть ли она на этих снимках.

— Я-то теперь не вижу, кто где... Гляди сам... Мы там трое на карточке.

— Здесь втроем только какие-то военные...

— Ну, дак это и есть мы... Я с подружками.

— Ты разве и на фронте побывала? — изумился я.

— Была, была я, милай, а то как же... Была-а.

Я приблизился лицом к давней пожелтевшей открытке: в самом деле, это были три девушки, которых я сперва принял за парней. Все трое — коротко подстриженные, в сдвинутых на висок пилотках, просторные воротники гимнастерок обнимали тонкие подростковые шеи.

— И которая из них ты? — спросил я, не узнавая молодую Лукьяновну.

— А вот гляди: справа — Зина Крохина, слева — Хабиба... забыла фамилию... а промеж ими — я, востроносая...

— А тебя-то как звать? Я слыхал, женщины тебя бабой Пулей окликали. Это что — имя такое?

— Да не-е... — отмахнулась Лукьяновна, будто отстранила ненужное.— Не Пуля я... Меня в девках Дусей звали... Евдокией, стало быть. А Пуля — это по-уличному. Ежели пойду куда, а меня — Пуля да Пуля... Правильно уж и не зовут... Небось забыли, что я по крещению-то Евдокия. Дак я и сама иногда забываю, кто я. На Пуло здравкаюсь... Это ребятишки, охальники, такое прозвище прилепили, да и пошло…

— Что так?

Лукьяновна сидела на краю топчана, расслабленно опустив руки на колени. Ее правая кисть мелко подрагивала, и она бережно, как ушибленную, оглаживала ее левой ладонью.

— Ить я на фронте снайперкой была... — сказала она, глядя на свои руки.

— Снайпером?! Да ну! — изумился я такой неожиданности. — И как же так получилось?

— Да вот так и получилось... Я девкой и ружья-то близко не видела, не то чтоб стрелять... А тут собралась учиться. Спроворила торбочку, попрощалась с Ухналями, с отцом-матерью и укатила в Тамбов. Там тади был техникум работников пищеблока. Подала учиться на повара. Проучилась я девять месяцев, вот тебе война. Ученье наше порушилось, годных учителей позабирали, практику отменили... Говорили, всех на окопы повезут. А немец уж от Москвы близко. Тут приехал какой-то дядька. Собрали нас, а он и спрашивает, кто из девушек хочет на радистку учиться? Сичас, говорит, очень радистки нужны. Многие стали записываться, ну и я с ними. Отобрал он двадцать человек, с каждой в отдельной комнате поговорил, про отца-мать расспрашивал, про членов политбюро... Выдали нам хлеба с консервами, повезли аж в Казань. Там поместили в каком-то пустом складе, оконца под потолком. День сидим, другой — никто ничего. А потом приходит тот дядька и говорит, что радисток уже набрали, больше не требуются, а нас направят учиться на снайперок... Ну, остригли нас коротко, сводили в баню, дали все военное. Сперва винтовку разбирали, учили залезать на дерево, ползать по-пластунски, чтоб ни одна ветка не хрустнула. Потом стали по бумажным фашистам стрелять. Я сперва сильно мазала; больно винтовка тяжелая. А которые хорошо попадали, те свои мишени на память берегли, чтоб потом домой переслать. А на ту карточку мы снялись перед самой отправкой. Зина Крохина, я и Хабиба... Я — которая посередке, востроносенькая. Ну, дак совсем сыроежки зеленые... Крохину вскорости на позиции убило, и месяца не пробыла. А с Хабибой — вот не вспомню фамилию — вместе аж до Лук дошли. А уже там она пропала без вести. Пошла на свою снайперскую скрадку и не вернулась. Меня потом в особый отдел вызывали, все про нее допытывались: не замечала ли я чего за ней... Небось думали, Хабиба сама к немцам ушла... Да как же девчонка сама пойдет? Ить на ней живой тряпки не оставят, до смерти замызгают... Не-е, сама не пойдет, ее ихние егеря выкрали, его уж на девку напраслину выдумывать. Они ить за нами крепко охотились. Кто кого... Мне тоже досталось.

Лукьяновна крюковатыми пальцами оттребла с левой стороны клок пожелтелой седины и повернулась ко мне виском:

— Во, вишь?

Под откинутой прядью я с содроганием увидел багровые лохмотья уха.

— Это меня ихний снайпер. Промахнулся малость. Далековато было...

Она снова опустила вихор и ворчливо посетовала:

— Вот, не стала слышать... Звоны в голове... Другой раз ночью проснусь, а воробьи уже чирикают. Этак свиристят, ровно не поделили чего. Думаю, какие ж воробьи, ежли за окном темень? Да и смекну: это же у меня в голове птушки чирикают. А мне наш хвершал говорит, это, мол, от старости. За выплатное ранение не признают. Нету, говорят, состава членовредительства. Поранетое ухо, дескать, ни на чего не влияет... Да как же не влияет? Из-за этого я всю жизнь в платках проходила. Потому, может, и замуж не вышла. Кому я без уха нужна-то? Ну, вот ты — взял бы бабу без уха? А-а, отводишь глаза! То-то! А тади, опосля войны, не такие в нетелях остались.

— Но ведь дочь-то у тебя была? Значит, кому-то ты нравилась?

— А-а! — отмахнулась Лукьяновна. — То всё впопыхах да в лопухах...

Она ногтем поскребла что-то на халате, пообтряхивала то место ладошкой.

— И в каких же местах тебя ранило? — спросил я, чтобы отвести разговор от неприятной темы ее семейного неустройства. На каком фронте?

— А всё под Луками... А какой фронт, уж и не упомню. Многое из головы повыдуло. Где была, по каким местам на брюхе ползала... Тади, как ухо мне отшибло, всего-то и поошивалась я в санчасти недели две. Печки топила, старые бинты стирала, картошку чистила, пока ухо не засохло шкварками, да и опять — за винтовку. Взводный смеется: «Ты, Дуська, хоть в бинтах не высовывайся, намотай сверху обмотку, она зеленая, не так заметна. А то прошлый раз немец дуру дал, а теперь аккурат под бинты вмажет».

— Ну а сама-то много нащелкала?

— Немцев-то? А леший их знает...

— Ты что же, счет не вела?

— А-а... — привычно отмахнулась Лукьяновна.

— Ну как же... Говорят, многие снайпера на приклале зарубки делали. Кокнул немца — чик ножичком, кокнул другого — еще раз чикнул.

— Пустое! — поморщилась Лукьяновна. — То все газеты брехали. Откудова знать, попала пуля или промазала? Это тебе не в тире: не пойдешь потом проверять.

— Немец упал — значит, попала...

— Ну да! Немец те по передовой дуриком не ходит. Тем паче, когда фронт намертво упрется: ни туда ни суда. Тади все в землю лезут, закапываются. Немец — где повыше, посуше, а наши — где пониже, пожиже...

— А почему ж — где пожиже?

— Чего ж тут понимать? Ить немец на случай отступления загодя себе запасные высотки метит. Там и окапывается. А раз высотка его, стало быть, твоя низина. А где низина, там бывает так: на два штыка копнул — вот уже и зачавкало. Не нравится тебе водица под ногами — иди в атаку, гони немца с высотки. А он уже изготовился, в землю зарылся. А окапывается он так, будто век тут жить собирается. Струмент у него ладный: грабарки, штыковки, кайлы, топоры на саженных ручках—два раза рубанул — и сосна свалена... Опять же лебедки, подрывные шашки, просмоленная бумага в рулонах — потолки в землянках перекрывать, чтобы песок в котелок не сыпался — все по делу предусмотрено. Ну и чужого леса не жалеет: блиндажи накатывает с запасом, ходы забирает вершинником или молодняком, а то и деревню на блиндажи раскатает. А где сыро — полики настилает, сапоги не желает пачкать.

— А что, у наших разве не так?

— И-и, родима-ай! Откудова оно, когда наш солдатик ширканьем огонь добывал? Ну, дак таковы у нас топоры и лопаты. Что у населения добудут, тем и ковыряются... Да наш брат лишнего и не копнет, бревно выберет, чтоб пилить поменьше, тащить полегче. А большего харч не позволяет. Да еще «авось»: ладно, авось пронесет... Дак потому у нас и братские могилы на каждом шагу...

— М-да... — потрогал я затылок.

— Так-то и стояли один против другого. В иных местах метров двести между окопами. Когда ветер в нашу сторону, уже знаем: нынче у них суп гороховый или капуста тушеная... От нас больше махрой тянуло. Днем мертво, ничего не шелохнется, ни одной цели. Вот и ждешь, радикулит наживаешь... Под Лугой сыро, полно болотин, стоялых бучил, от комарья продыху нету, кондёр хлебаем пополам с мошкарой. Особенно достается, когда лежишь в выдвинутом скрадке. Под носом у немца чесаться, отмахиваться не станешь, лежи, терпи, иначе засекут — подстрелят. Или минами закидают... Вернешься из потайки — морда, что бычий пузырь, налитая, собственной кровью измазанная... А назавтра чуть свет — опять в наряд...

— И что же ты высматривала?

— А все, что шевельнется. Но больше огневые точки, анбразуры... Застрочит пулемет — сразу бьешь по вспышке. Потому как знаешь: ежли строчит пулемет, то у пулемета обязательно немец. Я его, конечно, не вижу, бью наугад, но ежли пулемет замолчит, считается, что огневая точка подавлена. А то таишься возле низин, где у немцев тоже вода в ходах сообщения. Немцы всегда там что-то делают: наращивают бровку, забирают стенки, натыкают сосенки... Вот и ждешь, кто зазевается... Или ждешь ихнего обеда — тоже подходящее время для оплошки. А больше — пустой номер.

Лукьяновна опять бережно, поочередно огладила руки. От ее переносья по изрытому лбу пролегла поперечина, обремененная раздумьем.

— А бывало, — заговорила она опять, — глядишь-глядишь, да и выглядишь... Сердце так и вскинется: ну, девка, это твой! Всего только касочка над урезом окопа. Едва маячит, обтыканная бурьянком. А из-под каски — совьи глаза: в бинокль смотрит. Будто на одну меня глядит... Ну да самой страшно, а руки делают. Еле-еле, по самой малости двигаю мушку, подвожу крестик под каску, аккурат между очками бинокля. А сама думаю: должно, новый лейтенантик с обстановкой знакомится. Ну-ну, давай знакомься, подбадриваю себя, побудь так еще маленько, сичас, голубь, я тя умою... Затаиваю дыхание, аж лифик врезается, мягонько так жму на спуск. Приклад садно толкает в ключицу, запашисто, сладко ополаскивает порохом. Выглядываю по-над прицелом, а там никого. Ни каски, ни бурьянка... Попала, ай нет? А может, только чиркнула по каске? А он теперь на дне окопа сидит, с перепугу сигаретку закуривает... Черт его знает: попала — не попала. Я тоже опускаюсь на дно затайки. Меня всю пронимает какой-то колотун. Трясет до самых пяток, будто озябла я. Несвоими пальцами кручу махорку, курю в рукав, покамест колотьё не уймется. И весь остатный день в голове: попала — не попала? Потом старший отделения спросит: какие успехи? А ты что ему скажешь? А то так: пальну и сразу чувствую, что попала! Даже вроде слыхала, будто пуля шпокнула, как в спелую тыкву. Попала и все! Хоть сама и не видела. Такая вера находит! Радоваться б удаче, как, бывало, радовались на стрельбище, а радости нету. Муторно на душе, липко как-то. Ешь — кусок дерет, от людей воротит... Наверно, бабу нельзя этому обучать. Ее нутро не принимает, чтой-то в ней обламывается.... Иная, может, потом отойдет, а у которой душа так и останется комком... А про зарубки на прикладе — это дело такое... Ить снайперка работает без свидетелей. Мало ли ты чего наговоришь. Все зависит от начальства: как ты с ним увязана, такие твои и зарубки, такие и медали.

— А у тебя много ли медалей?

— Да вот Симка — главная моя медаль. За оборону Великих Лук. А на другие вроде бы посылали, да что-то не дошли.

Из-под топчана высунулся взъерошенный кот, вызрелся на меня разноглазо. Полный ко мне недоверия, он пригнуто поспешил к Лукьяновне, запрыгнул на ее колени и только там опал шерстью, не спуская, однако, с меня пристальных суженных зрачков. Лукьяновна огладила его, и кот благодарно потерся черно-белой макушкой о костяшки ее вздрагивающих пальцев.

— Что ж, Евдокия Лукьяновна, до логова удалось ли дойти? — спросил я, снова принимаясь разглядывать ее военную фотографию.

— Чего говоришь?

— В Германии, говорю, удалось побывать?

— А-а, в Германии... Не, милай, этого не пришлось.

— Что так?

— Да была причина. Не сдюжала я... Дошла токмо до Литвы не то до Латвии, никак не запомню, которая из них. Помню разве городок, где стояли. Я, стало быть, Лукьяновна, а город — Лукияны. Через то и запомнился. Не знаешь, где это?

— Нет, не слыхал.

— Места там глухие, безлюдные, болота пуще, чем под Луками. Вода торфяная, в пузырях, все чтой-то булькает, чавкает, воздыхает. По кочкам курослепы в человечий рост, камыши наравне с ольхами, сивый мох бородами на стволах висит, дерева душит. Тамошние ездят по гатям да по лежняку. А больше ступить некуда.

Там я уже не снайперила... В болотах бродили недобитые немцы, так что меня перевели в охрану штаба полка. Ну, там, конечно, полегче, хоть и тоже постреливали... А так — и постирать, и помыться, и чистое надеть. Это ж первая бабья потреба... Да и весь полк отвели в резерв, на пополнение: от самых Лук с большими боями шли, много народу потеряли... Во втором ашалоне солдаты от окопов отдыхали, учились ходить не на четверях, а на своих двоих, как в гражданке. В лесу черники полно, у всех пальцы, губы от нее синие. Гляжу, а у командира полка губы тоже в чернике... А то рыбу глушили, а потом на костре пекли, на прутиках. Без соли, правда, а все ж не пшенка. Одно плохо — много трупов по болотинам. Иные повсплывали, смердят. Там и наши, и немцы... Да кто ж их полезет доставать?

Лукияны — городок в одну улицу с церковью. Домочки махотные, плющем покрытые, крыши черепяные. Вроде и городок, и когда приехали, то на постой стать негде. Штаб полка занял церковную школу, а стрелковые роты — те стали за городом, по хозяйским мызам. Однова велено было доставить в роты какие-то бумаги. Чтоб из рук в руки. Перекинула через плечо свою винтовку, села на ничейный велик и порулила. Свезла бумаги в одну роту, в другую, заодно передала письма, а третья, где я прежде числилась, расположилась верстах в трех, за лесом. Поехала туда. Погода серенькая, мелкий дождик принимался капать. Заехала в лес, начались болотные мшары, черные засохшие дерева по кочкам. Дорога замокрела, захлюпала, вскорости начались деревянные гати. Пришлось велик спрятать в кустах. Сломала себе батожок, побрела пешки. В одном месте сверзилась с бревна, черпнула за голяшку. Села перематывать портянку. Вокруг воронье каркает, носится над болотиной. Шевельнет ветерок, а из кочек этак нехорошо потянет... Меня и без того с утра мутило. По дороге в первую роту поела немытой черники, щипала прямо с куста. А в двух шагах немец убитый валялся... А тут и вовсе от вони с души воротит... Едва сапог переобула. Вот тебе впереди бабахнуло... Потом еще раз... Звук, слышу, короткий, не винтовочный. Вспугнутое воронье поднялось над пустолесьем, закаркало... Вот опять пальнуло. Прислушалась: кто бы это? Уж не фрицы ли? Ну а идти-то надо... Пошла от кустика к кустику, осторожничаю, верчу головой, на всяк случай сняла винтовку с плеча. Вот тебе опять бабахнуло раз за разом... Совсем близко. Даже голоса послышались. А когда кто-то матерком запустил, тут стало ясно: наши это! Свернула за поворот и верно: наши! Кучкой стоят на краю болотины: два солдата и старший сержант Феликс, прежний мой помкомвзвод. Его больше Фелей звали: молодой, а уж с животиком. Один солдат почему-то в мокрых подштанниках, у другого в руках моток телефонного шнура. Феля в самый раз стрельнул куда-то в болото и глядит туда из-под зажатого в руке пистолета. Увидел меня и вроде обрадовался: во, Кузина идет! Давай сюда, Кузина! Винтовка с тобой? Подхожу, ничего не понимаю. А в чем дело, спрашиваю. Да вот, говорит, там немец затоп, по самую хрючку. Кидали ему телефонный провод — не берет. Чухин пробовал доплыть — ничего не вышло, говорит, больно топко, коряг полно... Вишь, говорит, поваленное дерево? Метрах в тридцати отсюдова? Так вот там... А вода черная, жуткая, в желтых пузырях, как в болячках. И там, под мертвым деревом, в сам деле торчит что-то непонятное, тиной опутанное. Дак то, говорю, пень небось? Поди, поблазнилось... А Феля досадует: какой пень? Он за сук вытянутой рукой держался. А сичас бросил ветку и сам в воду осел. Слушай, пугаюсь я, а если это не немец, а ты стреляешь? Это же трибунал... Да немец это, злится Феля, я ему кричал — ничего не понимает. Наш бы сказал чего-нибудь... Мало ли чего он молчит, не соглашаюсь я, а он: да точно, немец! На нем только что кепка была с козырьком и белым орлом спереди. Вот на, погляди лучше... Феля дает мне биноколь. Я принялась шариться по мшаре. В стеклах все рябит, шатается, никак не найду это место, а Феля дергает за рукав: ты, Кузина, давай, жахни из винтовки.

Я пробовал из тэтэ — далековато. А у тебя получится с одного разу. Как это жахни? — спрашиваю. Ты что, Феля? А он: дак чего ж он будет так-то? Лучше уж сразу... Все равно не достать, уже пробовали. Давай, а? А чего делать? По мне, говорит, черт бы с ним, нехай топнет, я его сюда не звал... А вот не уйдешь: что-то не пускает... Так что, давай, Дусь. А то я мажу: далековато для тэтэ. Палял, палял — одну только шапку сшиб. А ты сразу бы... Феля еще чтой-то кричал, а мне будто заложило уши: увидела я его! Через биноколь немец очутился совсем вот он! Аж сердце споткнулось, когда он замелькал в такой близости. Гляжу: весь заляпан ряской, должно, пулями напорскало. Сперва показалось, будто тина на голове, а это бинты позеленелые. Грязная тряпка мстила ему один глаз, а другой выжидаючи уставился на меня... Так, бывало, в голодню глядел на меня нищий, подам ли я чего или ист. Такой это был страшный зрак из глубины черепа! А что я ему могу дать, окромя пули? А он, вижу, еще и говорит чтой-то, губами шевелит... А губы вровень с водой и слов у него не получается, а вылупляются одни только пузыри. Выплывают изо рта и лопаются, выплывают и лопаются... И тут меня вымутило. Видно, подошел мой край: вот как по этим черепам настрелялась я! Бросила я биноколь, зажала рот и кинулась в кусты... Что потом было — ничего не помню. Очнулась аж в Лукиянах. Поместили меня в лазарет, а там и открылось, что я третий месяц в положении...

Поймав мой недоуменный взгляд, Лукьяновна неожиданно повысила голос, запричётывала с укоризной:

— Чего глядишь так-то? Что было, то и говорю. Девке трудно сохраниться на войне. Всяк вокруг тебя трется. Кто травку протянет, кто норовит лапануть, а кто сальным анекдотом отмычку подбирает... А их, охочих,— ступить негде. В кустики пойдешь, а они вот они: бегут подглядывать... Дак и я была молодая, не из колоды сделанная. Тоже хотелось верить... Отмахивалась, отмахивалась, да и выбрала себе охранщика, чтоб хоть и остальные б не липли. А мово охранщика взяло да и убило тем же летом под Опочкой. И убило-то нехорошо — бомбой, прямым попаданием. Токмо сапог от него нашла. Выковырнула оторванную ногу, схоронила в утайке, а сапог отмыла и себе взяла на память. Такие вот окопные переглядки...

— Да я ничего, — смутился я таким поворотом нашей беседы. — Это тебе, Евдокия Лукьяновна, показалось, будто я чего-то…

— Ну, доскажу уж... — Лукьяновна умиротворенно погладила кота. — Оклемалась я в лазарете, выписали мне литер, дали два куска мыла, пять пачек перловки, запихнула все в вещмешок, туда же положила тот его сапог и покатила в свои Ухнали Симку донашивать, сама будто подстреленная... А, да ладно про то... Чего уж: жизнь миновала... А сапог я и доси берегу, там вон, в сундуке. Достану когда, поплачу, поразговариваю... Хочешь, покажу?

— Да нет, не стоит.

— Ну тади, голубь, пошли яблоки собирать.

И вставая, запричетывала:

— Ой ти, ой ти, о-хо-хо, ноженьки мои несмазанные!

Натрусить рюкзак яблок большой сноровки не надобно. Через какие-то полчаса я уже попрощался с Лукьяновной.

Шел вниз и оглядывался: что-то мешало ровному ходу...

Перед мостком я еще раз оглянулся.

От переправы к каждому заречному двору по узволоку вела своя тропа — белесая лента по кудрявой мураве. Какая пошире, а какая — поуже. Смотря, сколько людей по ней ежедень хаживало. Поискал я и тропу Евдокии Лукьяновны, но на зеленом сукне косогора виднелись одни только редкие стежки... Сама же баба Пуля все еще стояла возле свой опаленной избы, держа на руках черно-белого кота, ближайшего родственника, имя которого я не сподобился спросить.

А над речкой, над ее притененными водами, опять мелькала ярко-желтая бабочка — наверняка другая, но мне казалось, будто она все еще та, утренняя, потерявшая что-то в поречных ивняках...

Или она сама чья-то потерявшаяся душа...

1997

УХА НА ТРОИХ

Частный опыт коллективного ужения

1

У непроезжей дренажной канавы, пересохшей до вязкого дна, машину остановили, выгрузили из нее все, что предназначалось для ночевки, пожали руку шоферу и отпустили его в деревню окучивать картошку, радуясь, что остаются совсем одни: водитель, конечно, надежный, преданный человек, но без него все же лучше — полная свобода!

Большой грузный Иванов бодро взвалил на себя брезентовый кряж четырехместной палатки. Петров также готово впрягся в объемистый рюкзак, округлый от набитого скарба. Несмелому Сидорову достался общий пучок удочек да собственная цветастая авоська, в которой он носил кусок полиэтиленовой пленки от непогоды, пару закидушек, запас курева, манерку с поварской приправой и четвертинку на случай, если опять разболится зуб мудрости, который давал о себе знать почти каждую такую поездку…

Из-за этого зуба Сидорова пожаливали, старались не перегружать поклажей и общественными работами. Брали же его с собой скорее ради поддержания всеобщей бодрости, поскольку без Сидорова не над кем было подтрунить и добродушно посмеяться. Не будет же Иванов подшучивать над Петровым или Петров — над Ивановым, когда оба равновелики и по столоначалию, и по своим внеслужебным привычкам, и по степени обидчивости на неудачное слово, из-за чего Иванов (или Петров) может мрачно надуться, замолчать у костра, а потом подолгу не звонить. Другое дело — Сидоров, никак не реагировавший на словесную резвость приятелей и всегда строго, как бы внахлест, прикрывавший верхней губой нижнюю, подобно тому, как запираются у хорошего хозяина дубовые ворота. Такой створ придавал его профилю вид углубленной озабоченности, который сам собой сложился, пока он долгие годы служил привратником на одном солидном предприятии.

За канавой, которую так и не смогли одолеть вездесущие автомобилисты, начинались глуховатые непроезжие места. Некогда сведенный под морское лоно пойменный лес возродился заново, берега реки опять зачащобились ивняком и черемушником, сама же река похорошела, стала казаться таинственней и глубже из-за того только, что над ней нависли тенистые ракитовые шатры.

Едва заметная тропа промелькивала в густом прямостое дудника, который превышал человека на вытянутую руку и походил на парковые фонари с округлыми зеленоватыми плафонами соцветий.

Тучные растения таили в себе прохладу сокрытой земли и терпкие приправные запахи разомлевших шершавых листьев.

— Сидоров! Идешь? — на всякий случай спрашивал Петров, ломившийся вслед за Ивановым.

— Само собой, — откликался Сидоров, держа в поле зрения пухлый рюкзак, похожий на слоновий зад.

— Как зуб?

— В норме!

Все это бодрило, возбуждало ходоков и обостряло предвкушение той минуты, когда, сбросив наконец ношу, переведя дух, попив с ладоней хрустальной на песочке речной водицы, не спеша натянут палатку, настелют под нее пружинистого аирного листа, от которого полотняное пространство вкрадчиво наполнится тугим таинственным запахом, навевающим крепкий безмятежный сон до первого птичьего всклика.

А на вечерней заре, когда река как бы замедлит свое струение и вберет в себя все растворенные в небе позолоты, откуда-то из-за лесного Коренского уберёжья вдруг грянут и, сплавясь в благовест, медово разольются колокольные звоны. В ответ речная гладь тотчас подернется блинцами, тихо всколыхнутыми рыбой, что от мала до велика поднимается из глубин к последнему предвечернему озарению.

— А укроп взяли? — озаботился Иванов и даже поворотился к Петрову.

— Взяли, взяли… — утеряся панамой Петров. — С укропом — уха, а без укропа — рыбий суп…

— Ценная травка! — согласился Иванов. — Я тоже это заметил.

— Уха бывает только с рыбой, — не согласился Сидоров.

— Это тебе зуб мудрости подсказал?

— Я и сам знаю: нет рыбы — нет ухи.

В общем, все у них шло, как хотелось. Еще засветло на хорошем месте с песчаным спуском к воде устроили лагерь, насобирали дров, нарезали аира, после чего выбрали себе укромные сижи недалеко друг от друга, так что Петрову было слышно, как тучный Иванов, пыхтя, замешивал приманку из каши и береговой глины и даже потянуло оттуда анисовыми каплями… Петров тоже поделал себе колобков и покидал их веером вокруг своего места, чтобы рыба брала широким фронтом, сразу на все три удочки. Два удилища попрочнее он наживил пареным горохом на крупную рыбу, третьей, полегче, поизящней, японского производства, мыслил действовать, не выпуская из рук, и подлавливать мелочовку, без которой тоже не получится наваристой ухи.

Сидоров тем временем тоже определился, расположившись на открытой песчаной отмели — самом подходящем месте для закидушечника. Он распустил свою двухкрючковую закидуху с чеховской гайкой на конце, нанизал на крючки сизых, каких-то равнодушных червей, которых он насобирал тут же на лужку за палаткой под коровьими полуиссохшими лепешками.

Вообще ничего мужик, этот Сидоров, с ним не заскучаешь, но одно в нем не нравилось: не было у него любовного отношения к снастям. Даже и поговорить с ним на эту тему как-то не получалось. Иной раз Иванов позвонит Петрову (или, наоборот, Петров — Иванову) и спросит: «Слушай, читал в последнем выпуске "На реке, на озере"? Опять дает этот Зиборов…» И пошло-поехало… И час, и другой… начали с очередной газетной байки, а ушли невесть куда, в этакие тактические и технологические рыбацкие дебри…

Да вот же наглядное свидетельство этому необратимому пристрастию: недавно Иванов купил под рыболовную оснастку пятиящичный комод. «Никаких, никаких, — сказал он жене, — это все только мое!» В верхнем ящике он сложил рыбацкие «деликатесы» — всевозможные баночки, коробочки и прочие емкости с крючками — начиная со шведских двоечек (кто представляет себе нумерацию крючков, тот сразу проникнется, о чем речь), которые, эти самые шведские номер два, столь малы и миниатюрны, что сами подпрыгивают от возбуждения и липнут к поднесенному пальцу, и кончая филиппинскими тунцовыми крючками, таинственно мерцающими своей вороненостью, и которые вполне выдержат «жигуля», если его поддеть под бампер…

Во втором ящике… Но не буду, не буду… В самом деле… Это же сколь понадобилось бы времени и бумаги, чтобы только бегло перечислить все предметы второго ящика, а вовсе даже не обрисовывать и не обсказывать все особенности и свойства этих шедевров, как того хотелось бы.

А, думаете, у Петрова этого добра меньше? Нисколько! А может, даже и побольше. По крайней мере по чистому весу. Он ведь отдал под рыбацкие бебехи весь дачный чердак!

После всего этого о чем же можно поговорить с Сидоровым, если все свои крючки он содержит в подкладке полотняного кепарика, а все мормышки — в издерганном днище заячьего малахая?..

Обустроившись, Иванов пошел посмотреть, как застолбился Петров, какое у него местечко, какие глуби, на сколько удочек собирается ловить…

Потом оба пошли навестить Сидорова: как у него…

А как у него? Да никак… Подкормку не бросал, глубин не отмерял, поплавков не настораживал… всего и дела: воткнул вербинку в песок, через нее пропустил закидную лесу, а в полуметре от вербинки на жилку нацепил круглый, еще цветущий красным казачьим сукном репей. Это у него сторожок вместо колокольчика. Сам же сидит возле на корточках, как китаец-мелкоторговец, глядит на заречный обрыв, на шныряющих в гнезде береговых ласточек, а может, вовсе не на них, а внутрь себя. Он неспешно попыхивает «Примой» в самодельном жасминовом мундштуке. «Прима» у него особенная: она в два-три раза дольше обычной, пачечной. Это курево ему приносит на дом одна работница с табачки. Она несколько раз обматывает себя неразрезанной сигаретной кишочкой, которую потом Сидоров режет на четвертные палочки и складывает в круглый ученический пенал для ручек и карандашей. Простые, короткие сигареты он не курит, в них, как он говорит, не хватает «цимусу».

Аккуратно смотав с работницы все ее приношения, Сидоров разжигает старый всамделишный самовар, выставляет чашки, и они садятся пить чай… Но это уже не по рыболовной теме.

— Ну, какие дела? — подсаживаются на песок его со товарищи.

— А какие надо? — не меняя взгляда, попыхивает «Примой» Сидоров.

— Не клюет?

— Рано… Еще Коренная не звонила.

— Тогда так… — сказал Иванов. — Пока суд да дело, пока подкормка заработает, пока рыба на нее подойдет, пошли малость перекусим… По бутербродику… А то я за целый день сегодня ни разу не присел…

Дискуссия на этот счет не состоялась. Все трое молча встали с песка, молча отряхнули штанины и гуськом, протаптывая в песке стежку, побрели к палатке — Иванов, Петров, Сидоров…

Из рюкзака были извлечены: хлеб, кусок толстой вареной колбасы, мягкие белые стаканчики, которые тоже были встречены молча, с пониманием, как само собой разумеющееся. Они и на самом деле собирались перекусить просто так вот, стоя, чтобы сразу же вернуться к своим снастям. Сидоров даже отказался от бутерброда, а двумя жесткими непослушными пальцами, будто крабьей клешней, деликатно обжал легкую, воздушную посудинку, пробормотав в объяснение, что примет тридцать граммов из одной лишь профилактики, чтобы упредить свой глоточный зуб.

— Да, — усмехнулся Петров, обнося всех коньяком, — в твоем деле, брат, лучше переупредить, чем недоупредить…

— Совершенно с этим согласен, — подтвердил Сидоров. Бутылочка каким-то образом в один момент разошлась, как будто ее и не было. В каждом осталось ощущение какой-то недосказанности, что ли, так что пришлось достать еще одну… Тут же вспомнили, что где-то должны быть свежие огурцы и даже белая редька... Потом отыскался большой оранжевый пласт копченого сала, еще лоснящийся свежими, налитыми оплывами, которое Иванов сам же и коптил на днях в дачной приспособке, но как-то про то в суматохе запамятовал. Тут и не могло быть двух мнений: не есть же это все стоя, а потому Петров выволок из палатки брезент и распластал его на чабрецовой прогалинке, куда сразу же плюхнулся Иванов, и даже преклонил колено Сидоров, чтобы сподручнее было принимать предупреждение...

Разговор сам собой перешел на оценку выпитого. Было определено, что нынешние коньяки — это и не коньяки даже, а скорее столярная морилка, которой пропитаны бледные ноги липовых стульев, чтобы придать им ореховый шик. Прежде коньяк выдерживали в дубовых емкостях, которые и придавали виноградному спирту специфический запах и вкус. А теперь в спирт просто валят дубовую стружку, три месяца — и готово! Такое, конечно, никуда не годится. Теперь — смотри да смотри, а то этакое всучат... На что был армянский коньяк, а и тот потерял всякую совесть...

— А у меня в отделе, — сказал Иванов,— один армянин работает, Степа Геворкян. Так он, как таможенный спаниель, коньяки по запаху распознает. Без всякой дегустации.

— Сквозь стекло, что ли? — усомнился Петров.

— Через пробку. Завязывает платком глаза, чтобы этикетку не видеть, и начинает обнюхивать, туда-сюда водить горлышком перед носом. И точно, все сходится: и чей розлив, и сколько звездочек.

— Было б чево нюхать... — хмыкнул Сидоров.

— У него дед был виноделом. Имел свою небольшую компашку. Занималась она только коньяками. Холила их по своим фамильным рецептам. Под строгим секретом. Там, оказывается, большие тонкости... Подай-ка, Сидоров, редечки. А то у меня тут уже кончилась.

Сидоров пошарился вокруг себя и, нащупав в складках брезента уцелевшую редьку, подбросил ее в лапищи Иванова. Тот, шоркнув о штанину, отправил редьку в рот, с утробным хрустом раздавил ее за толстой щекой и продолжил разглашать секреты коньячной фирмы.

— Ну, конечно, сперва выбирается сам виноград. Старый Аршак признавал только «Золотую Ларису». Почти утраченный сорт еще времен шумных никейских застолий. Эта древняя лоза еще сохранилась в некоторых селеньях по Араксу, говорят, видели ее также на молдавском белогорье. Пришедшие потом турки заменили ее никейское название, нарушили чистоту, и она, рожденная на анатолийских склонах, окончательно потерялась в своих исконных местах. Но араратская «Лариса» — это вовсе не то же самое, что «Лариса» молдавская. Смотря что за земля, каковы ее минералогические и биогенные компоненты. Бывает, в соседних селеньях и то заметна разница: название сорта одно, а вкус, аромат не совпадают. В самой малости, но разнятся. Но даже если и совпадают, то есть есть что-то помимо вкуса и запаха, нечто сокровенное, неизъяснимое и единственное. Старый Аршак называл это душой лозы. Она так же неповторима, как и душа человека.

— Ну, ты поёшь, будто сам пробки нюхал. — Петров почесал затылок совсем так, как чешут потылицу на охотничьей картине Перова.

— А ведь Иванов верно говорит! — расчувствовался Сидоров.— У меня в деревне два брата. У Веньки картошка одна, а у Егора совсем другая. А семена — общие. Что за причина? А та, что у Егорки — усадьба на горке, поливай не поливай, все едино: вода там не держится. А у Веньки участок на ровноте, земля, как барыня, и картошка во какая, кажная по кулаку. Дак аж вон куда доходит эта разница: у Егора самогон с дуриной, отрыгаешь — аж мухи падают, а у Веньки — чист да светел и в питье, как сокол. А ты говоришь — Армения... Армения — это черт-те где, а тут — вот оно, Выхулевы выселки, вовсе рядом, а тоже чудеса!

— Такие чудеса у нас за каждым бугром, — отрезонил Петров, — скажи своему Егору, пусть марганцовку добавляет: всю заразу начисто вытравляет.

— Да уже пробовал...

— И что?

— Все равно разит...

— А противогазный уголь?

— Про это не знаю...

— Пусть попробует.

— А почему противогазный?

— Можно и просто уголь. Только не сосновый, скипидаром отдает, и не березовый — тот пахнет дегтем. Лучше черемуховый, вкуснее. Или от боярки.

— Ну, ладно вам про Выхулевы дворы, — обиделся Иванов.— Я вам стратегические секреты выдаю. Нигде же больше не услышите такого... Человек на этих тонкостях состояние нажил...

— Ладно, валяй дальше, — согласился Сидоров. — Только как-то нескладно получается. Все про чужой коньяк да про коньяк, а у нас свое добро пропадает.

— Умные слова! — одобрил Петров. — Чем журавль в небе, лучше своя синица в руках. Давайте и мы по капочке...

Все трое живо сдвинули свои полиэтиленовые бесшумные стаканчики. И хотя должного звона не получилось, зато единство душ было воочию подтверждено. Давно минули сдерживающие угрызения, когда поначалу намеревались выпить только по единой, ну пусть по две, от силы — по три рюмахи. Незаметно, за дружеской беседой, в счастливом ощущении воли и простора, водного освобождения от городских дел и хлопот, в предвкушении таинства вечерней рыбалки счет стаканчикам был утрачен, пилось хорошо, легко, непринужденно, без перехвата дыхания, без обрыва мыслей, без подспудного возражения, совсем так, как если бы вкушали ключевую водицу, что неиссякаемо струилась на той стороне, под святой крутизной Коренной обители.

— Оказывается, главное в коньячном деле, — тучно лоснящийся Иванов пророчески воздел палец в вечернее небо,— вовсе не лоза и даже не земля, а — что бы вы думали?

— Солнце?

— Солнце — это само собой...

— Тайное слово?

— И не оно...

— А тогда что же?

— А вот покумекайте... Оно совсем близко...

— Ладно, не мурыжь.— Сидорову не понравился менторски вознесенный палец Иванова — Говори давай...

— Бочка! — победно провозгласил Иванов. — Ее Величество Бочка!

— Тоже мне секрет, — разочаровался Петров.

— А вот не скажи! Оказывается, главное таится в бочке. Как мне толковал Степа из нашего отдела, а ему — старый Аршак, а тому — многолетие прежнего опыта, бочка для будущего напитка все равно, что материнская утроба. Это под ее сводами в парах долгого дубильного процесса и таинственной дремы зарождается, взрослеет, набирается зрелости и благородства гордый напиток, чтобы потом, во всем своем совершенстве выйти в свет, к дружескому столу и вдохновить на братство и нерасторжимое соединение собравшихся вместе людей. Берет дед Аршак маленький топорик, идет в горы выбирать материал. Оглядывает, какой дуб как обогрет солнцем. Иной с утра на свету, а иной — на заходе. Тоже — разница… На какой высоте первые сучья, то есть как идут древесные волокна, ровно или взавив… Так вот и ходит, метит топориком: это дерево срубить, это не надо. Меченые деревья потом повалят, свезут вниз, распилят, выдержат под навесом, наделают клепки, соберут бочки… А дед Аршак все шастает по мастерской, все принюхивается: по клепке туда-сюда носом поводит, в готовые бочки с головой залезает.

— Так оно, конечно, — соглашается Петров.

— Погоди, это еще не все… Бочку заливают коньячным спиртом и свозят в порт. Там дед Аршак договаривается с каким-нибудь шкипером-каботажником, тот забирает груз на шхуну и отчаливает по своим делам. Шхуна плавает туда-сюда: то в Поти, то в Бердянск, а бочки тоже катаются туда-сюда, качают свое содержимое, доводят его до ума. Перед зимними штормами спиртовые бочки спускают в подвал на полный покой. А весной опять на палубу, на солнечный обогрев, на мерную волну. Так и нагуливаются коньячные звезды: один сезон — одна звездочка, пять сезонов — пять звездочек…

— Ну, это совсем другое дело, — одобрил Петров. — Тут уже без дураков.

Все было бы славно, если бы не этот Сидоров, который возьми да сплюнь:

— А, ерунда!

— Что ерунда?

— Да ерунда все это…

— Да что — ерунда-то?

— Всякие там коньяки…

— Как это — ерунда?

— Ерунда — и все, — стоял на своем Сидоров.

— Не понимаю… Тогда зачем пил?

— Ну дак я… это… Я ведь не для себя… У меня — зуб…

— А что же, по-твоему, не ерунда? — допытывался Иванов.

— А не ерунда — вот!

Сидоров достал из авоськи и выставил свою перцовую. Два огненных стручка на этикетке выглядели как скрещенные мечи. Это производило магическое впечатление. Иванов тут же облапил посудину, зубами сдернул с нее головной убор и разлил по стаканчикам.

— А ну, посмотрим…

Пока дегустировали, опять полыхнул спор. Иванов обозвал перцовку тоже ерундой и даже хуже — жидкостью для удаления ржавчины, на что Сидоров однотонно твердил:

— Нет, я с ним не согласен. Перцовка — это вещь.

Петров постепенно стал принимать сторону Сидорова, соглашаясь, что некоторые настойки действительно хороши. Он не может ничего сказать о перцовой, но вот калгановая!..

— Будь лопата, — сказал Петров, — пошел бы сейчас и накопал этих чудодейственных корней.

— А на чем настаивать? — усомнился Сидоров.

— Да есть у меня! — сказал Петров, доставая со дна рюкзака бутылочку белой.

Тут же засомневались, растет ли где-либо в окрестностях этот самый калган, которого, как оказалось, никто никогда не видел — ни Иванов, ни Петров и ни Сидоров, в конце концов решили водку выпить без калгана, тем паче что это была особая — коренская, на святой основе — кто же бежит от добра искать другое добро, которого, может, и нет в здешних местах!

В небе зависла огромная луна, слегка притуманенная земной теплынью. Оказалось, что была уже глубокая ночь, что никто так и не услыхал вечерних звонов, на фоне которых мечталось поудить.

Перед палаткой над ворошком незажженных дров холодно мерцал котелок с водой, приготовленный для ухи…

Петров еще успел добраться до палатки и там отключился сразу же, облепленный комарами. Иванов же сник прямо на чабрецовом бугорке и басово, с примесью тонких подголосков захрапел, будто растягивал и опять сводил прохудившуюся гармонь…

А, в общем-то, ничего особенного и не случилось. Наоборот, событие это весьма типичное и распространенное среди нашего брата-удильщика. Отъезжая на природу на два-три дня, Иванов с Петровым да Сидоровым взяли на два-три дня и этого самого дела… Чтобы по граммушке за обедом и ужином хватило на все время поездки, а выпили за один прием… Вот и вышло: хотели как лучше, а получилось как всегда…

Оно и неудивительно: ведь какая свобода, какая воля, какой воздух! А — поговорить?..

И только Сидоров, уйдя к своей закидушке, к закрывшемуся на ночь репью на светлой озаренной леске, остался сидеть на пустынном голубом песке, под сощуренным взором плосколицей половецкой луны.

Закурив свою долгую «Приму», он изготовился ожидать роковой час зуба…

2

Утром, уже при солнце, Иванова растолкали.

Он с трудом разлепил не желающие ничего видеть глаза.

Над ним стоял Сидоров.

Его раздувшаяся правая щека была перевязана не очень свежим носовым платком с желтыми табачными полосами на сгибах. Но событием оказалось не это, а то, что в высоко поднятой руке он удерживал сетчатый садок, в котором, тяжело обвисая, хапал утренний воздух огромный, ну ей-бо, килограмма на два с половиной, не язь даже, а яз-зище! Он был так туго сбит, так тучен, так стеснен своей бронзовой кольчугой, каждая чешуя которой гораздо превышала три копейки, что и не подпрыгивал даже, не старался как-либо высвободиться из садка, а только пускал розовые пузыри и вяло шлепал огромным темно-бордовым хвостом.

— Ух ты! — наконец дошло до Иванова, и он враз подскочил на ноги.

Таким же способом был извлечен из палатки заспанный и погрызанный комарами Петров.

— Вот это да-а! — воскликнул он обалдело. — Вот это начальни-и-ик! На что попался-то? На закидуху?

— На что же еще?..

— Ты скажи… На эту узлявую леску с железной забабахой? Никогда не угадаешь. А я все японские телескопы покупаю… Давно поймался?

— Да вот только что…

— Сильно дернул?

— Да нет, — сказал Сидоров. — Слегка репьем пошевелил… Подумал — ерш, а это вон какая чуха… Потом как попер! Как давай сальты выделывать! Думал, сойдет…

— Ну, брат Сидоров, — потер ладони Петров. — С тебя бутыленция…

— Фигушки, — сказал Сидоров. — Это с вас бутылка. Вы всю ночь дрыхли, а я вот видишь… Все бутылки оглядел — нигде ничего. Хоть бы граммушку оставили. Все подчистую… А зуб, как назло. Щеку разнесло… Только солнце встало, а он как давай… Так что с вас причитается, если по полной справедливости. Вы в сельпо мотайте, а я ушицей займусь… Лады?

Идти на поселок, по правде говоря, никому не хотелось. Неизвестно, как у Сидорова, а у Петрова и особенно у грузного Иванова со вчерашнего было чертовски нагажено в голове.

Тем временем, по всему было видно, разгорался ярый удушливый день без единого облачка, а до поселка, считалось, около трех километров пересеченной местности. Но и Сидорова тоже не пошлешь: с раздутой щекой, перевязанной чумазым платком, местные осадмилы вполне примут за типа без определенного места жительства. Но идти все равно кому-то надо: в лагере не осталось ни куска хлеба, ни даже соли, баночку с которой кто-то вчера опрокинул и раздавил. А шофер заедет за ними только вечером, так что весь день предстояло просидеть «на бобах».

С другой же стороны в предстоящем походе были и плюсовые моменты: возле поселкового моста можно выкупаться и освежиться, а на самом поселке поискать пива…

Попив из котелка холодной водицы, Иванов с Петровым отчалили.

Часа через полтора они благополучно доплелись до поселка, одолели крутой взъем и, расспросив, где тут и что, наконец набрели на прохладную изнутри сельповскую лавчонку, не имевшую окон и освещающуюся лишь открытой дверью. Они купили бутылку какой-то невзрачной водки (другой не было), ковригу хлеба местной выпечки, три минералки, две из которых тут же выпили, и вернули пустые бутылки, а третью оставили Сидорову. Пришлось также купить кирпич слежалой соли. Для ухи требовалась какая-то щепоть, но соль щепотями не продавалась, из-за чего, выйдя из магазина, Иванов постучал пачкой об угол, отсыпал сколько-то в целлофановый кулечек, а остальное оставил на сельповских ступенях.

Выпитая минералка нисколько не помогла. Побродив по поселку, они возле автобусного пустыря все же выглядели пивную будку, еще издали развившую кроличьей подстилкой. Они взяли две стеклянные банки бочкового пива и отошли в тенек под лохматую ракиту, по низу объеденную козами. Козы и сейчас ошивались тут. Петров, хватая их за раскосые рога, вытолкал всех на солнцепек. Под деревом оказалось несколько тарных ящиков, видимо, местные пивники устроили тут свой вертепчик. Не присаживаясь, выпили по первой банке жадно, с булькающим заглотом, чувствуя, как в голове, будто в разгромленной забегаловке, кто-то начал передвигать и ставить на место опрокинутую мебель, распахивать в Божий мир ссохшиеся створки окон. После второй банки в попрохладневшей голове-забегаловке приятно замурлыкала Лайза Миннелли…

Покидая поселок, они поплескались в реке, возле моста и, окончательно обновленные, азартно гнали перед собой пустой пластиковый бачок из-под машинного масла, перепасовывая его друг другу.

За дренажной канавой легко минули заросли дудника и как-то незаметно выбрели на луговину с куртинками молодой лозы, за которыми обозначалась река и проступил острый скос палатки.

— Что-то дыма не видно, — насторожился Иванов. — Обещался же сварить уху к нашему приходу.

— Поди, сварил уже…

— Ну да! — поморщился Иванов. — Завалился и спит.

— Сейчас увидим.

— Слушай, Петров, — оживился Иванов. — У меня идея!

— Что за идея?

— Давай Сидорова разыграем.

— То есть?

— Скажем, что магазин закрыт на учет. Во взовьется!..

— Давай… — одобрил Петров.

Они поставили бутылку под ивовый куст так, чтобы не очень застилась травой, со стороны, противоположной реке, заломили веточку, потом еще оглянулись, чтобы самим не потерять ориентиры. Похожих лозняковых куртин на лужку было множество, но если смотреть по азимуту от палатки, то на этой прямой тайный кустик оказался четвертым. Через несколько шагов они решили спрятать и ковригу хлеба.

Сидоров увидел их еще на подходе и вышел из-за палатки навстречу.

Иванов вдохновенно помахал ему минералкой, и тот приподнял сжатый кулак над перевязанной щекой в духе «Но пасаран!».

— Слушай, Сидоров, — все так же бодро при встрече воскликнул Иванов, дружески кладя ему руку на плечо. — Куда ты нас посылал?

— А что?

— Там же сплошной сандень.

Сидоров покосился на бутылку в руке Иванова.

— Вот, — перехватив взгляд Сидорова, сказал Иванов. — В аптеке едва выпросили. И то одну штуку.

Сидоров еще некоторое время шел рядом с Ивановым, но потом снял с плеча его руку и зашагал один. Верхняя его губа как-то непроизвольно увеличилась и, будто большая садовая улитка, наползла на нижнюю и как бы поглотила ее. Это означало, что Сидоров отрешился и замкнул вход в собственное «я»…

— Ты что — обиделся? — недоумевал Иванов. — Обиделся, да?

Сидоров не ответил и только прибавил ходу.

— Ну, это ты напрасно! А что, зуб по-прежнему донимает? Слушай, может, минералочка поможет. А? Попробуй с солью… Вот, у одной бабки разжились. Ты, поди, уху без соли варил? Или еще не брался?

Сидоров резко повернул влево и зашагал прочь, сделав первые два-три шажка резвой пробежкой.

— Ну, Сидоров! — укоризненно покачал панамой Иванов. — Это ты зря!

Сделав по прибрежной отмели зигзаг, обозначившийся его следами на белом раскаленном песке, Сидоров сбежал вниз, к реке, и решительно сел возле своей закидушки, будто воткнулся острым задом в песок.

— Что будем делать? — осведомился Иванов у Петрова.

— Не надо было ему про минералку. — Петров задумчиво поскреб отросшую щетину (замечено, что после выпивки борода отрастает вдвое быстрее).

— А что тут такого? — усомнился Иванов, созерцая недвижную фигуру закидушника.

— Он из-за минералки обиделся. Человек три часа ждал облегчительный глоток, а ты ему боржом суешь… Он и оскорбился.

Иванов озабоченно обошел Петрова по песчаному кругу, и от его следов сами собой получились древнеегипетские часы, стоя в центре которых Петров отбрасывал тень на полдень или около того.

В лагере наступила тягостная бессловесная тишина, усугубляемая зноем.

Выдержать это было невозможно, и через полчаса Иванов сошел к реке и тихо подсел к Сидорову. По другую сторону присоединился Петров.

Некоторое время пришельцы сосредоточенно следили за висевшим на леске репьем, который, воспринимая сообщенное леской движение водной массы, слегка вздрагивал, а иногда плавно опускался и поднимался на едва заметные доли.

Колебания репья интриговали и завораживали, и в этом, надо полагать, и заключалась прелесть закидного ужения, которое Иванов и Петров, пожелавшие идти в ногу с современными склонностями, весьма и весьма недооценили.

— Слушай, Сидоров, — смиренно проговорил Иванов. — Ты способен на милосердие?

В ответ — знойно звенящее молчание.

— Ну прости нас, а? Меня и Петрова.

Сидоров продолжал молчать.

— Простишь, да? Пошутили мы… Ну, нетонко, неудачно пошутили… И над кем? Над нездоровым человеком… Его вон как разнесло без профилактики, а мы к нему — с минералкой… Нехорошо, конечно, получилось…

Сидоров резко шевельнул задом, еще глубже якорясь в песок. Иванов вкрадчиво положил руку на Сидорово плечо.

— А бутылку-то мы все-таки принесли, — сказал он ему на ухо. — Честное пионерское. Петров, подтверди!

Петров ковырнул ногтем большого пальца по передним зубам.

Сидоров не прореагировал и на это, но руки с плеча не сбросил.

— Правда, бутылка была не очень высокой родословной. Но зато наша, земляческая. Из родимых грунтовых вод.

— Покажи! — резко пальнул из своей крепости Сидоров.

— Да видишь ли… Мы показать ее не можем… — сказал Иванов.

— Не понял… — опять непримиримо пальнул из башни Сидоров.

— Видишь, какое дело… Мы ее под кустом спрятали. Хотели маленько пошутить… Ты знаешь… Мы всегда шутим…

— Ничего себе шуточки! — глухо проворчал Сидоров, как бы отпирая свои внутренние засовы. — Нашли чем шутить. Их по-людски ждут, а они шутят. А у человека — зуб…

— Ну все, все, Сидоров, — смягчился Иванов. — Давай, кончай свои закидоны. Пойдем, покажем, где она стоит. Или лучше один сходи, сам убедишься, своими руками потрогаешь. Можешь там же отхлебнуть маленько…

Сидоров, недобро сощурясь, измерил сверху донизу сперва Иванова, потом Петрова и, сделав какой-то вывод, поднялся с песка.

— Пошли, — сказал он решенно.

За палаткой Сидорову рассказали и показали, под каким кустом следует искать бутылку.

— Вон, гляди, на том кусте только что сорока сидела. Усёк?

— Ладно, схожу.

Сидоров побрел сутулой походкой минера, как бы готовый к непредвиденному.

Он прошел первые кустики, не обращая на них внимания, минул вторые и только на третьей опояске оглянулся на Иванова и Петрова.

— Давай, Сидоров, — подбадривали те. — Старайся! Вспомни, где сорока сидела…

Сидоров принялся ходить от куста к кусту. Возле некоторых куртинок он останавливался, поднимал нависавшие ветви, шуровал под ними хлобыстинкой.

Наконец он зашвырнул прут и повернул обратно.

На полпути к палатке он вдруг опустился на траву и сел в своей типичной позе, когда ненужные руки свисают с воздетых колен.

— Слушай, Сидоров, — крикнул ему Петров. — Ты чего вернулся?

— Да нету там ни хрена!

— Я ж тебе кричал: где сорока сидела…

— Какая там сорока? Врете вы всё…

— Ну, не врем, не врем… Просто ты не там смотрел.

— Где сказали, там и смотрел…

— Вот слушай внимательно, — возвысил голос Иванов.

— Никуда я больше не пойду, — уперся Сидоров.

— Ну, как хочешь… А она, сердешная, все-таки существует. Ты тут сидишь, а она там стоит. В тридцати шагах от тебя. Вот ведь какая диалектика, Сидоров. Такая природа вещей!

— Пошел ты…

3

Все, однако, разрешилось как нельзя лучше.

Поостыв, сидя в траве, Сидоров согласился еще на одну попытку и отыскал-таки искомое! Бутылка оказалась вовсе не там, куда прежде посылали его, но, несмотря на это явное коварство, Сидоров впервые просиял улыбкой младенца, в руки которого попала потерянная было пустышка.

— Вот она! — потряс он окрестности торжествующим кличем аборигенов с Атабаски и приподнял над белым кепарем посудину, испустившую на солнце слепящие зайчиковые блики.

Однако искать запрятанную ковригу он решительно отказался, предпочтя заняться костром.

К слову сказать, хлеб был замаскирован так искусно, что даже сам Иванов, прятавший ковригу, не смог вспомнить, куда он ее девал, он вынужден был позвать на помощь Петрова.

А пока те двое шарились в кустах, вдохновленный Сидоров успел раздуть теплинку, подвесить на рогатинках котелок со свежей водой, почистить картошечки, ошкурить луковицу, ополоснуть пучок укропа. Все это было положено в котелок еще до кипения, как и дюжина душистого перца, столбик гвоздики и самую чуть сушеной кинзы, и только пару лавровых листиков Сидоров подоткнул над ухом под кепарик, дожидаясь нужного момента.

— Ух ты! — потянули носами вернувшиеся поисковики. — Все сороки на дух слетелись. Вон, смотри: одна, две… вон еще одна подлетает… Сороку дух пленил…

— Какой дух… — возразил Сидоров, прикуривая «Приму» от горящей веточки. — Я еще рыбу не клал.

— А что, разве еще не пора? — голодно осведомился Петров.

— Да оно пора: вон как булькает! — директивно высказался Иванов.

— Пора-то пора… Да мне нельзя в воду. Я теперь с «плюсом». А за рыбой надо в воду лезть. Я садок аж вон куда — на глубокое поставил, чтобы солнце рыбу не томило… Из снулого язя и уха сонная, без живинки…

— А в чем дело? Петров, давай…

— Что — давай?

— Лезь за рыбой. А то картошка переварится…

— Что значит — лезь… Я с поселка всю дорогу кошель нес, а ты луговые цветочки нюхал… и потом: мне вода по грудь, а тебе — по коленки, тебе и лезть. Надо все по-разумному.

— Так вода теплая! Лето же! — настаивал Иванов. — Заодно и ополоснешься.

— Вот ты и ополоснись, от тебя жаром несет, как от калорифера. А у меня еще на кеде шнурок затянулся. Это тоже надо учитывать.

— Я таких жлобов еще не видел, — возмутился Иванов и решительно сбросил джинсы. — В таком случае — рыбья голова моя!

— Фигушки!

— А что — твоя? Ну, ты — наха-а-ал!

— Будем тянуть спички, — не согласился Петров. — Чтобы все по путю.

Песок уже полдневно обжигал. Спускаясь к воде, Иванов непроизвольно поддергивал ступни, будто шагал по раскаленной сковородке. Следом бежал Петров — просто так: поболеть, поглядеть, чтобы все по-разумному...

Отмель полого и светло уходила под зеленоватую воду. Было видно, как за ночь беззубки нарыли замысловатых лабиринтов, напоминавших древние орнаменты. В нескольких шагах от береговой кромки торчала ивовая рогатина, на которую горловиной был надет плетеный садок с пойманным язем. Речная стрекозка, эта крошечная балеринка в синей прозрачной юбочке, как ни в чем не бывало взлетала и вновь садилась на ивовый торчак, нисколько не боясь огромной рыбины, таившейся в объятиях садка. Будь язь на свободе и в такой близости, он не преминул бы поцеловать беспечную балеринку в разлетную юбочку...

— А вода!.. — возликовал Иванов, войдя по колени. — Дурак ты, Петров, со своим таким же кедом! На, гляди и завидуй!

Не дойдя малость до садка, Иванов вдруг по-тюленьи, всем своим розовым пузцом вломился в изумрудное зеркало реки. Над ним вскинулся сверкающий взрыв обрушенной воды, рассыпавшейся на пирамиды брызг и солнцесверканий. Глядя на этот блаженный хаос, Петров наверняка подумал, что именно так где-нибудь на берегах Танганьики плюхаются в озерную прохладу перегревшиеся гиппопо и другие подобные кубатуры.

— Ого-го-го! — взревел Иванов, высовывая из воды одну только кругло обсосанную голову, и от его утробного клича тут и там выпрыгнуло из воды сразу несколько перепуганных плотиц и даже нечто покрупнее...

Воспрянув в полный рост, Иванов отер лицо сразу обеими ластами, и показал Петрову самодовольно загнутый большой палец, и лишь после этого приступил к главному делу.

А дело состояло в том, чтобы снять с рогульки садок и доставить его на берег. Иванов так и сделал: ухватил садок за дужку и осторожно приподнял.

Садок оказался...

Ну что там говорить при виде такого… Даже у меня, стороннего и непричастного человека, перо вздрогнуло и пошло писать не в ту сторону…

Что же говорить о непосредственных свидетелях этого события?!

Больше всего оно схоже с тем, когда оказывается вскрытым сейф, а его обладатель враз становится нищим…

Садок тоже был как бы вскрыт, потому что в самом его днище зияла огромная рваная дыра, в которую можно было просунуть голову…

— Ты что натворил?.. — заорал потрясенный Петров и, набрав сырого песку, запустил ком в обескураженного Иванова. — Ты что наделал, ханыга?!

— А что я?

— Как это — что? Тебя за это линчевать мало!

— Я же ничего не делал… — оправдывался Иванов. — Ты же все видел…

— Да, я все видел и поклянусь на любой Библии, что это ты, несчастный, натворил.

— Да что? Что?

— Как — что? Смотрите на него. Он еще не понял!.. До него не дошло! Да ты же у рыбы под самым носом шарахнулся со всего маху! А у тебя сырого мяса — сто восемнадцать килограммчиков!.. Этакого стихийного бедствия ни один садок не выдержит, тем более твой — давно прогнивший, который ты, накопитель японских телескопов, почему-то упорно не хотел заменить. Может, оттого, что никогда ничего не ловил, несчастный?

— Как это — не ловил?! — взмахнул пустым садком Иванов, все еще стоящий по трусики в воде.

— А-а! — вспомнил Петров. — Извиняюсь: ловил, ловил. Камбалу!

Лучше бы Петров такого не говорил, потому что это было равносильно удару ниже ватерлинии…

Да, действительно, случай такой был. Вот так же, втроем, ловили на песчаном карьере. У Иванова стояли тогда три превосходных черных японских спиннинга. Один — с колокольцем. Было безветренно, душно, особенно под обрывистым берегом. Иванова разморило, и он, насунув панаму, задремал на своем стульчике. Пользуясь этим,

Петров пробрался в лагерь Иванова, снял со спиннинга бдительный колоколец, смотал снасть, вместо живца-малявки нацепил сырокопченую камбалу, которые тогда входили в праздничный спецпаек. Камбалу удалось бесшумно спровадить на дно, колокольчик был водворен на прежнее место, а чтобы он пробил «полундру», то есть — «все наверх!» — Петров из укрытия принялся пулять в него мелкими камешками. В какой-то раз он все-таки попал, колокольчик обиженно пожаловался спящему Иванову, тот вскочил, сделал энергичную подсечку и принялся нетерпеливо накручивать катушку, и вот тебе — камбала!.. Остальное представить нетрудно. Иванов долго гонялся за Петровым, разумеется, так и не заловив его по причине разности веса.

На этот раз дело дошло до того, что Иванов, взъярясь напоминанием о камбале, кинулся преследовать Петрова, но тот так резво стреканул в дикое половецкое подстепье, что Иванову осталось только издали погрозить ему кулаком.

— А в чем дело? — озаботился Сидоров, подходя к возмущенному Иванову с деревянной ложкой, которую успел выстругать из ракитовой коряжки. От ложки остро, возбуждающе пахло варевом. — В чем, спрашиваю, дело?

— Рыба ушла! — возопил Иванов.

— Как — ушла? Куда ушла?

— Куда, куда… В одно место.

— Погоди, Иванов. А кто говорил, что уха бывает только с укропом? Если с укропом — то пожалуйте к столу.

— Ты что, не понял? — побагровел Иванов. — Ры-ба ушла! Язь! Накрылась уха! Дошло?

— А-а… — как-то равнодушно кивнул Сидоров. — Дак это я ее накрыл… Вот пойдем…

Он отвел Иванова в сторону, под навес старой береговой ракиты, и там приподнял с травы огромный лист лопуха с торчащим кверху стеблем.

Под лопухом, на таком же зеленом листе, важно возлежал начальственно взиравший язь, не подозревая, что его уже выпотрошили и слегка посолили.

Иванов для убедительности потрогал рыбий глаз пальцем, почувствовал его прохладную очевидность и, выпрямившись и поднеся ко рту ладони, прокричал убежавшему в пойму Петрову:

— Ладно, выходи… Не трону! Всё — по нулям!

4

Я не стану далее описывать само пиршество: как в тенечке и прохладе молодых ивиц разостлали видавшую виды самобранку, против каждого положили по лопушку — для сплевывания рыбных косточек, а также выставили белые легкие стаканчики; как был торжественно доставлен черный, с пепловой сединой старый рыбацкий котелок, уже давно ставший всеобщим дружком и сегодня источавший потрясающий запах, от которого нетерпеливо вздрагивали ноздри и который приводил к мысли, что истинная свобода должна пахнуть рыбацкой ухой; как кто-то сходил к вырытому в песке колодчику, где до поры охлаждались две подружки — водочка и минералочка, которые и были водружены середь честной компании и обозначили собой кульминацию момента...

Я только под конец замечу, что, когда водка была при полном молчании налита в приподнятые бокальчики и было произнесено неувядаемое гагаринское «Поехали!», Петров, прежде чем поднести к губам свою чарку, едва заметной скошенностью глаз задержался на Иванове. А тот в самый раз вскинул руку и с каким-то неудержимым замахом и вдохновением опрокинул в розовый рот содержимое своего стаканчика. Но Петрова интересовал не этот момент, а как после выпитого Иванов вдруг выпучил глаза и на какое-то время замер в страдальческой гримасе.

— Это же вода-а! — вымолвил он наконец потрясенно.

После такого известия Петров благоразумно опустил свой стаканчик. Сидоров, понюхав посудину, тоже повременил.

— Какой же это мерзавец...

Петров и Сидоров переглянулись: мерзавцев не было.

Просто все произошло само собой. С охлаждавшихся бутылок слетели этикетки. Кто-то попытался вернуть их на прежнее место, но, видимо, не совсем удачно: на боржомовую бутылку попала этикетка водочная, а на водочную — боржомовая. Бывает!

Зато потом, когда разобрались, вновь искренне и дружески зазвучало:

— Ну, будь, Иванов!

— Будь, Петров!

— Будь здоров, Сидоров!

Тогда же всем участникам торжества было вручено по самой крупной язевой чешуе, каждая из которых, право, превышала пять копеек...

1998

ЖАНИХ

Если захочется побывать в Малых Репицах, где неплохо берет ныне редкий подуст, то следует высматривать не саму деревеньку, а тамошнее сельпо, возле которого и обозначена автобусная остановка. Магазин в Репицах новый, построенный из силиката, будто из кубиков пиленого сахара, так что хорошо виден издали.

По причине торговли различным керосином магазин поставили не в уличном ряду, как до пожара, а вынесли за деревню, за телячий выгон. К тому же прежняя торговая точка располагалась как-то не по справедливости. Кто жил рядом или через дорогу, тому явная выгода. Стоило отодвинуть оконную занавесочку, как сразу видать, на месте ли Васючиха, какой товар разгружает: ежели хорошее чего, то можно и подскочить на босу ногу, занять очередь в первом десятке. А кто живал по дальним концам, те оставались в накладе: «Бывало, развезет, а ты прись, не ведая, открыто или нет. А ежли дехвицит какой, то завсегда — к самым одоньям… А теперь ладно: с любого двора магазин видать. Снует по выгону народ — стало быть, открыто; густо повалил или побежал — значит, новый товар поступил: стиральный порошок или пачечная вермишеля…»

И продавщица Васючиха (по паспорту — Васильевна) тоже довольна: вот тебе в полсоте шагов — асфальтовое шоссе, подвезти чего не по грязи, опять же товарооборот влияет и даже на культуру местного пайщика. Прежде иная репицкая покупательница — и неумытая, и непричесанная: дескать, таковское дело, все свои, некого стесняться. Теперь же спрохвала не пойдешь, потому как в магазин проезжие люди заглядывают, а то и зарубежные туристы. Натуральный мед берут, летом — яблоки, тыквенные семечки для послабления… Того гляди на фотоаппарат защелкнут…

Одним словом, удачный получился магазинчик: приветливый и место — никому не в обиду. Вот только вокруг — ни кустика, ни деревца, голимый пустырь, выгоравший в иное лето до бурой неприглядности и скуки.

— Что же такая промашка? — сетовали приезжие. — Посадили бы чего…

— Мы и хотели, — соглашались местные, — да бабы воспротивились.

— Отчего же?

— Кричат: вам, мужичью, абы кусты да заслоны. А нам ничего этого не надобно. Нам чтобы торговлю не застило.

На знойном полуденном выгоне все же обитала кое-какая живность. Семейками, во главе с петухами, бродили разномастные куры. Возле пересохшей болотины толокся гусиный выводок. Недремные папаша и мамаша зорко поглядывали с высоты своих шей-перископов, тогда как голенастые гуськи-подростки, все еще в своих светло-желтых мохерах, тыкались морковными носами в сухое, растрескавшееся днище. Они будто недоумевали: куда подевалась желанная вода, та, похожая на зеленый кисель майская лужа, на просторах которой они еще недавно весело резвились, играли в салочки? Встряхивая ушами и вяло взмыкивая, бесцельно туда-сюда переходил рыжий кудлатый бычок, волоча за собой на веревке железный шкворень, от которого искрометно брызгали возросшие в числе кузнечики. За бычком неотступно настороже следовали две молодые белые курочки, еще без взрослых зубчатых гребней, с округлыми голубиными головками. Едва шкворень принимался ерошить траву, как обе курочки, вздрогнув крыльями, пускались вдогонку за разлетавшимися стрекунами, которые, ликуя от солнца и льющегося зноя, блаженно звенели и тирликали по всей зыбившейся маревом луговой округе.

Время от времени обитатели выгона навещали Васючихино торговое заведение. Особенно любили бывать здесь деревенские куры, которые, собрав все просыпанное на крылечке и около него, забивались под застреху керосиновой землянки, где, улегшись в уже готовые лунки, выбитые предшественницами, принимались за излюбленное банное дело. Топорща перья, чтобы открывался доступ к самому телу, они короткими вскидками то одного крыла, то другого азартно нагребали на себя горячую сухую пыль и, утолясь и обессилев, медленно опадая крыльями, блаженно замирали в сладостном забытьи, задергивая серым шершавым веком оранжево-янтарные глаза.

Молодые же курочки, как бы оберегая еще мало ношенные, ладно пригнанные платьица, всей своей новизной и легким облегающим кроем делавшие их похожими на школьных выпускниц, предпочитали более опрятное и необременительное занятие, впрочем, как и вся теперешняя молодежь. Будто на конкурсном подиуме, картинно, долговязо прохаживаясь вдоль стены, как бы демонстрируя эту свою долговязость в желтых колготках, они в какой-то момент высоко подпрыгивали, склевывая с теплых магазинных кирпичей зазевавшихся мух.

Что до гусей, то большелапые, бесперые подростки, телами все еще обгонявшие свои умственные способности, многозначительно интересовались всякой ненужностью, даже зубчатыми пивными крышками или пустыми конфетными фантиками, перебирали их клювами, поворачивая так и этак, переговариваясь и обсуждая находки детскими подпискивающими голосками, заставлявшими умиленных родителей зорко бдеть задержавшееся детство.

Тем временем рыжий бычок с неотступным шкворнем на веревке, сопя и выфыркивая зеленые травяные пузыри, увлеченно обнюхивая тарные ящики, возбуждавшие крепкими незнакомыми запахами, чесался о них боком, расшатывая и руша на себя ящичные штабеля, нимало не пугаясь этой порухи, а, напротив, как бы довольный содеянным, побрел к сельповским ступеням, чтобы полизать солоноватые перила и в знак удовлетворенности оставить Васючихе теплую, парящую лепешку.

Чем заметнее калился выгон, тем все реже появлялись на нем репицкие покупатели. Васючиха уже несколько раз выходила на крыльцо, глядела из-под руки на замершую пустошь: не идет ли кто... По случаю наступившего безлюдья она уже было собралась накинуть замок, чтобы слетать по неотложному делу в родное Абалмасово (всего-то в двух верстах по шоссе и в десяти минутах на велике), как на одной из троп, что от репицких дворов во множестве сбегались к торговому центру, замаячила белым платком согбенная старушенция, сосчитывая свои дробные пришлепистые шажки долгой клюкой.

— Здрасьте! — подбоченилась Васючиха. — Леший несет эту Павловну. Небось за пустяком или так, потрепаться...

Впереди Павловны, бойко шустрил по дорожке, выныривая из кашек и полынков, мохнатый белый завиток, из чего следовало, что Павловна жалует не одна, а в сопровождении некой живой души ростом не выше окрестного травостоя. Этакий крутой крендель способен сотворить только собачонок, пребывающий в добром расположении духа от своего беспечного путешествия в летний погожий день, да еще бегущий впереди хозяйки!

Перед магазином собачонок, далеко опередивший Павловну, внезапно оказался на открытом бестравном пространстве, выбитом машинами. Смущенный такой нерасполагающей переменой, а еще тем, что под стеной магазина сидели заезжие байдарочники с устрашающе вздутыми рюкзаками, испускавшими терпкий, пронзительный запах затиснутой в них перегретой резины, он настороженно замер на своих коротких и кривых ножках, и его добродушно закрученный кренделек поникло сполз со спины. Не зная, что ему делать, песик присел и вопрошающе оглянулся на Павловну, но та, приуставшая от зноя и долгопутья, продолжала сосредоточенно и невидяще тыкать тропу костяно навощенным батогом.

— Жучок! Жучок! — знакомо поманил собачонка мужик-репчанин, вместе с байдарочниками тоже дожидавшийся автобуса. — Чего застеснялся, хвост поджал? Тут все свои. Иди, дурак, покурим. Ну-ка, давай сюда лапу!

Жучок, узнавая и не узнавая мужика, неуверенно перебрал передними лапками, словно обутыми в белые пинетки. Склонив голову, он бочком поглядел на репчанина, продолжавшего хрипло манить и щелкать пальцами, и, не поверив в его панибратство, на всякий случай зашмыгнул за широкую юбку Павловны, в самый раз поравнявшейся с ним.

— Зачем пожаловала-то? — с высоты крыльца, будто с трона, спросила Павловну Васючиха, мельницей вертевшая на пальце большой магазинный ключ. — Уж не за помадой ли? Я намедни целый короб «Ванды» завезла. Еще не открывала, будешь первою.

— Ой, девка! — издали причетно откликнулась Павловна, останавливаясь и передыхая. — Какие помады, какие помады?.. Насмехаешься, што ль? Мне бы постного маслица. А то чибирики затеяла, глядь — а в бутылке муть одна. Масло-то есть, али зря бежала?

— Еще есть малость, заходи…

— Да вот пропасть какая, совсем никуда стала: посудку-то я забыла! Порожня приперлась. У тебя, Васильна, не найдется ли куда б налить?

— Найдем, уважим…

— Ну, слава те… А то ить не ближний свет обратно за бутылкой вертаться. Дак и пряников хотела маненько…

— И пряники имеются. Глазурованные.

— Не засохлые?

— Третьего дня завезла. Хоть губами ешь.

— Эко ладно-то. Ты, Васильна, дай-ка мне штуки три в счет пенсии…

— А почему три?

— Тот раз я у тебя семь штук одолжила. Для ровного счета дала б троечку…

— Ладно, заходи…

Павловна пересекла толоку и с оханьем и кряком взнеслась на крыльцо. Застясь бабкиной юбкой, боязно озираясь то на байдарочные рюкзаки, то на матерого гусака, вызревшегося угрозным зраком, Жучок проследовал за Павловной и неумело, косолапо, задевая писей ступени, вскарабкался на высокий помост. Он вознамерился тоже нырнуть в сумеречную прохладу помещения, но Павловна не позволила, выставила в дверной прощелок свой протертый кед и назидательно, словно на паперти, сказала:

— Низя, низя нехристю. Погодь тут, я скоро.

Жучок истово поскреб захлопнувшуюся дверь и, убедившись в ее неприступности, тоненько и слезно заскулил. Но никто не внял его горестным «воплям», и он потерянно и смиренно припал боком к кованому подножию двери.

Известно, однако, что беда не ходит одна: в самый этот момент в дырку меж крылечных балясин проснулся рыжий Быча. Он тупо, бодуче уставился на Жучка, должно, пытаясь понять, взаправдашняя ли это собака или просто оброненная собачья шапка. Бычина морда с широким плоским межглазьем, поросшим упрямыми завитками, в которых запутались цеплючие катышки дурнишника, придвинулась так жутко близко, что Жучка обдало отвратительным духом сброженной травы, шумно вырывавшимся из влажных бычачьих ноздрей.

Самообладание вконец покинуло Жучка, тем паче что отодвинуться от этой мерзкой морды было некуда, и он опрометью бросился с крыльца, оставляя на ступенях мокрое многоточие…

Бдительный гусак, разумеется, не упустил случая припугнуть удирающую собачонку: изогнувшись шеей, он зашипел ядовито, распахнул ветрила и, подняв взмахами сухую перетертую траву, сделал устрашающую пробежку вдогон. Потерявшийся Жучок метнул белками скошенных глаз и, поджав хвост под самый голый живот, постанывая и повизгивая взрыдно, наддал еще пуще и, пытаясь укрыться, найти защитное место, лохматой шаровой молнией влетел под навес керосинки.

Но лучше бы Жучок этого не делал: едва он заскочил под земляной навес, как там, в терпкой пещерной прокеросиненной спертости, вдруг что-то не то взорвалось, не то обрушилось. В клубящемся перьями пыльном сумраке истошно закудахтали всполошенные куры. Суматошно толкаясь, тесня друг дружку, они с воплями выметывались наружу, больно наступая когтистыми лапами на опрокинутого Жучка. Его и самого будто вышвырнуло какой-то землетрясной силой, и он, нахлестанный крыльями и осыпанный банной пылью, очутился в жарких и жестких зарослях чертополоха, с боков обступавших керосиновое хранилище.

Все эти злоключения стряслись с Жучком в тот миг вращения планеты, когда Павловна пребывала в ублажающей душу магазинной прохладе, напоенной благоговейной вкрадчивой кофейно-ванильной пряностью и перечно-горчичной острецой выставленных съестных товаров, снадобий к ним и приправ, тогда как от противоположного прилавка веяло кожано и шубно, клеенчато и одеколонно, отчего размягченной Павловне никуда не хотелось уходить, возвращаться в знойное полуденное репицкое бытие, в обветшалую избу с опревшим углом, к помятой алюминиевой кастрюле на лавке, в которой пузырилась наскобленная на терке серая картофельная дрегва. А еще было у нее желание если не потрогать всю эту магазинную благодать, тем паче — испробовать по самой малости, то хотя бы неспешно потолковать с Васючихой, поведать ей свое, выпытать ейное, особенно если вынесет из подсобки стакан настоящего заварного чая с конфеткой, как иногда случалось в прошлые разы.

Оно, может, и к лучшему, что Павловна замешкалась в магазине и ничего не видела. За это ее отсутствие Жучок постепенно отдышался в своем заколоченном чертополоховом вертепе, убрал тряпично свисавший язык и несколько раз сотрясся всей шкурой, выколачивая из нее пыль и щепной мусор. Для окончательного успокоения он поскреб сперва за правым ухом, потом за левым и, сложив перед собой обе передние лапки — белое к белому, коготок к коготку, — смиренно приник к ним головой и сквозь колючки принялся следить за магазинной дверью.

Тем временем жизнь окрест магазина приняла свое прежнее беспечное течение.

Рыжий Быча, должно быть, привлеченный запахом цветочного мыла, пытался сдернуть с бельевой веревки меж двух врытых столбов какую-то Васючихину постирушку, тоже весело раскрашенную колокольцами и васильками. Но поскольку тряпица была прочно схвачена прищепками, а веревка после каждой потяжки натужно пружинила, то постирушка, резко взлетая, всякий раз нахлестывала Бычу по упрямой морде, тем самым доставляя ему занятное удовольствие.

Рядом молодые гуськи, раздобыв кем-то оброненную сушку, азартно гоняли ее по двору. Каждый норовил ухватить и съесть находку, но сушка, выветренная до одеревенения, не поддавалась никаким поклевкам и щипкам. Своей неуязвимостью она еще больше возбуждала долговязых несмышленышей, и те, толкая друг друга, недозволенно отпихивая противника крепким шишковатым закрылком, совсем по-хоккейному носились за дырявой шайбой, орудуя долгими шеями с оранжевыми наконечниками, очень похожими на фирменные клюшки. Старший Гусь Гусич со всей строгостью и неподкупностью следил за этой игрой, и на его белой, важно выпяченной груди весьма не хватало судейского свистка.

Любительницы же земляных бань, отбежав в сторону и сбившись в табунок, некоторое время испуганно тянули шеи, озирались и, квохча, обсуждали случившееся, так и не поняв, что же произошло... Но все вокруг оставалось без изменений, даже откуда-то появился оранжевоперый молодцеватый петух с золотистой прошвой по вороту — а-ля Ришелье, — сразу же некстати принявшийся ухаживать за неприбранными, всклокоченными дамами, писать по земле выпущенным крылом и совершать кавалерские загибоны, уверяя цокающей скороговоркой, будто он знает, где запрятано жемчужное зерно, и предлагает лучшей из лучших последовать за ним. От этого ловеласничанья петуха куры окончательно успокоились, но не последовали за ним искать обещанный клад, а начали одна за другой, сторожко поднимая лапы, снова пробираться к своему банному заведению.

На все это смиренно поглядывал Жучок, ему тоже хотелось побегать на свободе, но он не смел и время от времени горестно вздыхал и, опадая боками, выпускал из себя глухое, похожее на жалобу ворчание.

А Павловна все не выходила от Васючихи, зеленая магазинная дверь по-прежнему оставалась запертой, и от ее равнодушной недвижности делалось еще тоскливей.

Жучок уже подумывал отправиться домой один: сперва отползти на брюхе сколько-то, чтобы никто не заметил, а потом вскочить и припустить что есть духу. Но осуществить это все как-то не решался. А скорее ему мешал невнятный навязчивый запах, иногда слабо наплывавший откуда-то издалека, с выгона. Жучок приподнял голову с лап и пошевелил закрылками ноздрей, согласно старой собачьей пословице: лучше один раз учуять, чем десять раз увидеть. Сквозь керосиновый флерок, привычно витавший над врытым железным баком, пробивалось нечто приятное, мясное. У проголодавшегося Жучка с языка побежала слюна. Он нетерпеливо вскочил и принял охотничью позу: спрямил хвост и прижал к груди переднюю лапу. Этому его никто не учил, в его роду не было ни пойнтеров, ни легавых, поисковая стойка получилась как-то сама собой. Сразу же подтвердилось: пахло действительно мясом, и не просто мясом, а мясной сладковатой томленостью. Так однажды пахла ливерная колбаса, которой, почему-то поморщась и обозвав себя старой беспамятной вороной, угостила его Павловна. Она без сожаления отдала ему порядочный кусок. Бережно и благодарно принимая угощение, он тогда боязливо вскинул глаза на Павловну: не ошиблась ли? Жучок никак не мог взять в толк, почему Павловна не стала есть свою половину, как бывало прежде, ведь та колбаса показалась Жучку особенно запашистой. Она пахла точно так же, как теперь тянуло с выгона. И, окончательно выверив направление, Жучок сделал несколько осторожных, бесшумных шажков…

Манившее место оказалось ворохом строительного мусора, оставленного здесь после открытия магазина. Куча уже задернилась и поросла мелкой сорной ромашкой. У подножия этой «исторической» пирамиды, будто часовой, стоял навытяжку долговязый гриб, ростом гораздо превышающий Жучка. Он-то и навевал на округу этот душный ливерный аромат.

За долгое стояние гриб состарился, остроконечная морщинистая шапка, похожая на атаманскую папаху, съехала набок, а единственная штанина пожелтела и лопнула по всей длине. В этой разверстой ране, сочившейся липкой дегтярной жижей, упоенно бражничали какие-то черные сутулые козявы.

Жадно внюхиваясь, Жучок изучающе обошел вокруг грибной ножки и наконец убедился, что крепко пахнущая штуковина — вовсе не ливерная колбаса, а нечто несъедобное и вообще непонятное. Но запах пробирал до самого нутра, так что уступить находку он никому не хотел, а потому решительно поднял заднюю лапу и старательно побрызгал прямо на честную компанию козяв. От этого мероприятия гриб сронил свою смушковую папаху, а его нога переломилась пополам и тоже не устояла…

Павший великан испустил такой густой, обволакивающий ливерный букет, что не выдержавший искушения Жучок с глухим урчанием припал к грибным останкам и несколько раз потерся о них белым шелковистым горлом. Но, не удовлетворившись этим, он опрокинулся навзничь и, постанывая самозабвенно, вертляво ерзая крестцом, принялся вмазывать в себя размятую кашицу.

Накатавшись вдосталь, Жучок бодро вскочил и, счастливо лучась глазами, возбужденно пробежался туда-сюда, испытывая необыкновенный подъем духа и желание немедленно, сию же минуту пересмотреть все отношения и восстановить справедливость. От внезапного прилива бодрости он лихо царапнул землю позади, далеко отшвырнув крошево старой штукатурки, и резво обежал мусорную кучу. Его черные ушки вскинулись острыми косячками, а хвост снова воспрял крепко закрученным бубликом.

В таком вознесшемся самочувствии пребывать на месте не было возможности, и Жучок, оставляя за собой шлейф грибного аромата, гордясь им и сам себе нравясь, пустился в пробежку по более широкому кругу, неожиданно повстречав на его периметре оранжевого петуха, ошивавшегося возле куриных бань. Петух вскинулся восклицательным знаком, вздорно, возмущенно закокословил: «Кто таков? Кто таков?» Жучок не стал представляться, заискивающе вертеть хвостом, а решительно ринулся на кочета, так что тот перестал чиниться, надменно встряхивать гребнем, закрывавшим то один, то другой глаз, а совсем простецки побежал прочь, промелькивая сзади оголившимися подштанниками: «Не имеешь права!..»

«Н-гаф!» — вдогонку пальнул Жучок и, опять царапнув землю задними лапами, вернулся к грибному месту.

Вторую пробежку он совершил против часовой стрелки и оказался на толоке возле байдарочных мешков. Жучок с лаем пробежал так близко, что мог их куснуть, но мешки даже не шевельнулись, наверно, спали, и он лишь полаял на них незлобно, с разбега.

— Жучок! Жучок! — опять поманил репицкий мужик, шлепая ладонями по колену. — Чего шумишь? Выпил, что ли? Иди сюда, обормот.

Жучок чуть задержался, признал в мужике соседа Николая и приветно дернул хвостом. Присутствие знакомого человека придало ему еще больше решимости, и он, зачастив звончатым лаем, бесстрашно подлетел к рыжему Быче.

«Н-гай! Н-гай! Н-гай!» — колокольцем залился Жучок, припав перед Бычей на передние лапы и задорно потряхивая над собой закрученным хвостиком.

Быча разморенно уставился на собачонка туманно-синими глазами, не понимая, чего от него хотят. А когда понял, что ему предлагают что-то веселенькое, то в ответ охотно мотнул лобастой башкой с двумя рожками по сторонам, похожими на бабулины наперстки, тем самым как бы говоря: «Ты — так, а я — так!»

Жучок ловко отпрянул, забежал сбоку и добавил лаю. Быча, путаясь в собственных четырех ногах и вездесущей веревке, не очень проворно развернулся, но собачонка там уже не было. А лай раздавался с другого бока. Быча задвигал большими шерстистыми ушами, но в этот миг его больно дернули за хвост.

«Э-э!» — обиженно замычал Быча: я так не хочу… ты вот как…

«Н-гаф! Н-гаф!»

«М-ма-ма-а…»

Этот лопоухий увалень, еще не научившийся бодаться и всех принимающий за своих приятелей, однако своим добродушным сопением так напугавший тогда Жучка, вдруг отвернулся от бестолковой собаки, не пожелавшей весело попрыгать друг перед другом, и обиженно потрусил в луговую скуку, волоча за собой царапавший землю шкворень. Жучок догнал и цапнул зубами эту убегавшую забабаху, но она оказалась железной и раскаленной солнцем подобно той сковороде, которую он однажды по молодости лизнул, когда Павловна, жарившая свои чибрики на дворовой загнетке, отвернулась по какой-то потребе.

«Н-гаф! Н-гаф!» — погрозил Жучок недругу за такой подвох, но тут же плюхнулся наземь, чтобы пугнуть блоху, некстати куснувшую за самый крендель. Однако хвост оказался недосягаемым, чего Жучок прежде не знал, и он со все возрастающим азартом завертелся вокруг самого себя, щелкая зубами совсем в малости от укушенного места.

Мудрый Гусь Гусич словно вычислил этот благоприятнейший момент, когда Жучок, вертясь, потеряет всякую ориентировку на местности. Крадучись, низко пластаясь, чиркая по земле дородным подбородком, Гусь Гусич дотянулся-таки до собачонка и ущипнул его за штанину так, что набил себе рот черной собачьей шерстью. Жучок ойкнул от неожиданности, но не пустился наутек, как полагал Гусь Гусич, а, напротив, цапнул его за крыло и вырвал большущее, с косой оторочкой перо, похожее на то, каким писал еще Пушкин. Пера было очень жаль, тем более что таких дорогих экземпляров имелось у него всего несколько, и вознегодовавший Гусь Гусич больно хлестнул Жучка вскинутым крылом, что вызвало у того прилив возмущенного лая, небывалой звонкостью заполнившего, казалось, всю округу от Абалмасова до нижних Репиц и все воздушное пространство между ними до высоты птичьего полета.

«Тфай! Тфай! Тфай-тфай-ай!»

Его белые пинетки мелькали то слева, то справа перед опешившим Гусь Гусичем, который уже начал остерегаться держать голову у земли и шипеть с этой приземленной позиции, а его угрозное шипение все чаще перебивалось обескураженным гортанным кегеком.

Дворовый шум и гам наконец принудили распахнуться кованую дверь. На крыльце запальчиво объявилась Васючиха, следом, поотстав, выбралась и Павловна.

— Что за содом?! — Васючиха перегнулась через перила. — Это чей же такой заливастый? Аж уши закладывает. Не твой ли?

— А то чей жа… — Павловна, укрываясь от солнца, потянула на себя застреху белого платка.

— Нет, ты погляди на него! — изумилась Васючиха. — Четырехлапая варежка, а гусака напрочь затуркал. Аж перо у него выпало. У меня в магазине такие же перья, только со стержнем. Ну молодец! Ну парень! И правильно! Так их, ошивал! Гони всех взашей! Сладу с ними никакого нету. То вон ящики вверх тормашками перевернут, то лепех наделают… Третьего дня один заезжий — наш ли, чужой ли, сейчас их не разберешь, вижу, машина с восемью фарами, — дак он-то нечайно ступил каблуком на куриную завитушку да и поехал с порожка и так жахнулся, что до машины едва доволокся. Вот жду из района неприятностей: мол, не чищу, не посыпаю… А мне на кой все это? Слушай, Павловна, отдай-ка мне кобелька! Ну хорош! Ну шустер! Отдай, а?

— Насовсем, что ли? — не поняла Павловна.

— Ну хоть до зимы. Пока снег падет.

Павловна переобняла клюку, но промолчала.

— Дак а на что он тебе? Чего охранять-то? А у меня сама видела, сколько всего… Да хоть бы и на двор иждивенцев не пускать… Это сегодня еще Никульшиных коз не было. Те, подлые, аж на крышу по ящикам залазят. Отдай, а?

— Не-е, девка… — не сошлась Павловна.

— А хочешь, я тебе за него бутылку масла за так налью?

— Не-е…

— Ну, вдобавок пряников насыплю? Целый кулек: ты же пряники уважаешь…

— Не надо и пряников. — Павловна, стесняясь своего отказа, прятала глаза от Васючихи, глядела куда-то далеко, за выгон.

— Такой пустяк уступить не хочешь, — напирала Васючиха. — Я ведь к тебе со всей душой… И наперед сгодится…

— А я с кем остануся? — Павловна опять поддернула платок. — Пустые углы съедят.

…Жучок, увлеченный потасовкой, наконец ухватил бабкину хрипотцу и, не раздумывая, расстался с Гусь Гусичем. Повизгивая от нетерпения, помогая себе подбородком, он единым порывом одолел высокие ступени и тотчас заподпрыгивал перед Павловной, заплясал на задних лапах. Потом заодно перекинулся и на Васючиху.

— Фу-у! — отняла руки Васючиха и сама отшатнулась. — Да от него чем-то несет!.. Нет-нет, не прыгай на меня… Фу, какая мерзость! Павловна! Да усмири ты его!

— Это у него вроде одеколона, — ровно сказала Павловна. — Для бодрости.

— Ничего себе одеколон!

— Дак от тебя, чую, тоже несет… Всем охота покрасоваться…

— Ну, сравнила! — всерьез обиделась Васючиха. — У меня — «Ванда»! Да убери ты его, честное слово!

— Ладно… — Павловна принялась ощупью спускать ногу с крыльца, цепко хватаясь за перила. — Спасибо за маслице, за чай-сахар.

— Да чего уж… — отозвалась Васючиха, все еще пряча руки за спину.

— Айда, Жаних! — Причмокнула губами Павловна, зазывая Жучка. — Пошли в бочке купаться.

Жучок походно уложил на крестце черно-белый кренделек и, заняв место впереди Павловны, бодро и споро зачастил бело опушенными лапками, время от времени оглядываясь на бабулю: идет ли?..

1998

АЛЮМИНИЕВОЕ СОЛНЦЕ

1

Миновав городок Обапол, а за ним — три полевых угора с лесными распадками да перейдя речку Егозку, аккурат выбредешь на хуторской посад из дюжины домов, где и спросить Кольшу — тамошнего любознатца. А то и спрашивать не надо: изба его сразу под тремя самодельными ветряками, которые лопоухо мельтешат и повиливают хвостами в угоду полевым ветрам. Глядя на эти мельницы, невольно думаешь, что если побольше наставить таких пропеллеров, то в напористый ветер они так взревут, что отделят избу от хуторского бугра и вознесут ее над Заегозьем.

И еще примета: вокруг слухового окошка блескучей серебрянкой намалевано солнце, испускающее в разные стороны лентовидные лучи. На утренней заре, когда Посад освещен с заречной стороны, серебрянковое солнце на Кольшиной избе сияет с особым старанием, будто и впрямь ночевало в этом веселом доме.

Но и без уличных примет Кольшу легко признать в лесу ли, на степной ли дороге, поскольку это единственная в округе душа на деревянной ноге. Тем паче нога не простая, а со счетным устройством: потикивая, сама сосчитывает шаги…

Потерял он ногу вовсе не на войне, как привычно думается при виде хромого человека, а из-за своей несколько смещенной натуры. Хотя он и родился крестьянским сыном, но сам крестьянином не стал: еще в малые годы грезил дальними странствиями и, едва встав на ноги, завербовался в неближний отсюда «Ветлугасплавлес» подручным плотогона. Душа ликовала: лес стеной, смолой пахнет, филины ухают… Сперва ходили поблизости, а потом все дальше и дальше и вот уж на Волгу стали заглядывать. На четвертом сплавном сезоне перед Козьмодемьянском ветреной ночью дровяные связки сели на мель, и лопнувшим буксирным тросом Кольше напрочь оттяпало ступню. Полгода пролежал в Чебоксарах, что-то долбили, подпиливали и допилились до самого колена. Вернулся домой на костылях, с полотняной котомкой за плечами, в которой вместе с дорожным обиходом хранилось главное богатство и услада — лоцманские карты речных участков от Вохмы до Астрахани.

Зиму отбыл в нахлебниках, а со следующего сентября напросился в местную семилетку в Верхних Кутырках. Рассказывал детишкам об устройстве Земли — про леса и воды, почему бывает снег, почему — лед. Кое-что сам повидал, кой о чем начитался в больницах. Школьное дело пошло душевно, вроде как снова поплыл на плоту, воскрешая в памяти извивы и повороты минувшего, а когда приобрел фабричный протез, позволявший носить нормальную обувь и отлаженные штаны, то и вовсе воспрял духом, возомнил себя полноправным педагогом и даже женился по обоюдному согласию на милой хуторской девушке Кате.

Однако жизнь неожиданно дала «право руля» и еще раз, как тогда под Козьмодемьянском, села на мель. Из школы его вскоре попросили, поскольку не имел свидетельства об образовании, а те лоцманские карты, которые разворачивал перед аттестационной комиссией в доказательство своей причастности к преподаваемому предмету, к нерукотворному устройству Земли, лишь вызвали недоуменные перегляды и шепоток за столом. В довершении он не совсем удачно, весьма по-своему ответил на некоторые дополнительные вопросы по конституционным основам и — что окончательно пресекло его учительскую карьеру — не назвал фамилии тогдашнего министра просвещения. Лоцманские карты у него тогда же отобрали как документы, не подлежащие никакой огласке, и Кольшу (тогда еще по-школьному: Николай Константинович) без цветов и даже без расхожего «спасибо», а, напротив, с молчаливой отстраненностью, как инфекционного больного, выпроводили в пожизненные колхозные сторожа.

Фабричный протез, в котором она начал было так счастливо учительствовать, не за долгим изломался вконец, его надо было куда-то везти на починку, но замешкался, а там и пообвыкся, тем паче в классы больше не ходить и брюки не гладить, и он окончательно опростился, отпустил душу, куда она просилась, да и пророс родным березовым обножьем, которое потом ни разу не подвело — ни в стынь, ни в хмарь, до самой старости одного хватило.

С годами он сделался теперешним Кольшей: перестал бриться, сронил с темени докучливые волосы, о чем выразился с усмешкой: «Мыслями открылся космосу!», по-стариковски заморщинился, и только прежними остались так и не отцветшие вглядчивые глаза цвета мелкой родниковой водицы, проблескивающей над желтоватым донным песком. Томимый хронической невостребованностью, Кольша не залег на печи, не затаился в обиде, а, напротив, открыто бурлил идеями и поисками ответов на вечные «как?» и «почему?».

— Я чего? Я не заскучаю… — повинно отводил глаза Кольша. — Глядеть бы, народ не заскучал… Страшна не та вода, что бежит, а та, что копится скукой.

Дети, даже повзрослев, продолжали почтительно здороваться с ним, а иногда, особенно в теплые весенние вечера, собирались напротив его избы и допоздна сидели на просохшем речном обрыве.

Взрослые усмешливо оживлялись:

— Кольша? Ну как же, знаем, знаем такого…

2

Счетное устройство на Кольшиной ноге появилось при следующих обстоятельствах.

Еще по расторопным годам, навестив Обапол, Кольша приметил в спортивном магазине некий прибор со спичечный коробок под названием «шагомер». Тяготеющий к науке и распознаванию ее тайн, Кольша истово загорелся приобрести этот портативный измеритель пространств, страдающих пересеченностью. Дрожащими пальцами («Хватит — не хватит?») он выложил на прилавок всю наличность, прибавил сверху помятый троячок из заначки, и все же средств на покупку недостало. Горестное это обстоятельство повергло Кольшу в уныние: продать с себя ничего не нашлось, кроме захватанной балбески, которую и за так вряд ли кто приобрел бы... И тогда, взяв с продавщицы слово, что никому другому не продаст, Кольша на первопопавшейся попутке рванул на хутор, одолжил недостающую сумму и успел-таки тютелька в тютельку.

Обратно шел, счастливо расслабясь и добро заглядывая в глаза встречных обаполчан. Он нес «шагомер» в бережно сложенной ладони, будто изловленную птаху, время от времени прикладывал коробок к уху и с замиранием вслушиваясь, как там, внутри, что-то размеренно жило и повстикивало...

Как ни торопился, домой он доехал уже при звездах на этапном комбайне, да и тот свернул в сторону еще до Егозки. Голодный, ужинать, однако, не стал, а тут же распеленал культю и на деревянной голени складным ножом принялся углублять нишку...

Катерина потом припоминала с добродушной ехидцей:

— Вижу, в ноге ковыряется, стружки летят... Может, думаю, затеял починку с дороги... Он частенько так вот возится. Ну, я без внимания, да и время позднее, пора ложиться. Просыпаюсь ночью, а мужика нет... Свет на кухне горит, на столе инструменты раскиданы, снятые брюки на табуретке лежат, а самого нету... Тут, конечно, не улежишь. В чем была, в долгой рубахе, босая, вышла на крыльцо. Подождала сколько-то — нету и нету... За то время мерклая луна обежала четверть дома: где было светло, там стемнелось, а где хоть глаз коли, там опять облунилось. А тут еще поперек двора тряпье на веревке развешано. Спросонья сразу и не разобрать всю эту лунную рябь. Вот вижу, за тряпьем ноги замелькали. Одна — с прискоком, другая — с притопом: он, Кольша! Проскондыбал до огородной вереи, постоял, согнутый в поясе, а потом — вдоль заплота, вдоль заплота... И опять пополам перегнулся... Забоялась я: что-то с мужиком неладное... Кричу шепотом: «Ты чего мечешься-то? Весь двор поистыкал?..» А он только выставил пятерню в мою сторону и пропрыгал мимо. Тут я не на шутку охолодала, опять спрашиваю: «Не схватило ли чего? Может, съел нехорошее?» А он как озернется, как сверкнет глазами: «Эт, пристала! "Шагомер" пробую!» — «Я-то чем мешаю — так-то шумишь на меня?» — «Он, — говорит, — должен звук подать. А ты со своими вопросами…»

К концу этой суматошной недели Кольша уже знал, сколько шагов в посадской улице, сколько до магазина в Верхних Кутырках, а также до тамошней почты, где Кольша сторожевал последние годы. И вот что занятно: почитай, каждый день туда хаживал, а до сих пор, пока не измерил, не знал, что до почтового порога ровно 3618 шагов! Пошел обратно — и опять почти столько же! Ну не тюк в тюк, шагов на шесть больше, ну так это он лужу с другой стороны обошел, вот и набежало.

Хуторские ребятишки, а следом и кутыринские, а еще понаехавшие на каникулы из разных мест быстро пронюхали про диковинную считалку. Кольшу наперебой просили измерить им и то, и это, и он, не чинясь, исполнял все ихние заказы, ну, скажем, сколько будет до моста через Егозку или «от этого дерева до вот того», и наука о местном землеустройстве пополнялась все новыми открытиями. А чтобы эти усердно добытые сведения не перепутались, Кольша тут же заносил их столбцами прямо на свою березовую опору специальным химическим карандашиком, который, если послюнить, писал въедливо, насовсем.

Ребятишкам, конечно, нравилось шагать рядом с Кольшей напрямки, по канавистым азимутам и переголам, но ликовали больше всего, когда через каждые сто шагов раздавался тонкий контрольный звячок, похожий на звон велосипедной спицы, услыхать который каждому хотелось как веху одоления.

— Ага, ударило! — ликовал услыхавший первым. — Пацаны, ударило!

Бывало и такое: еще Кольша схлебывает с блюдца свой утренний чай, как в окно уже кто-то тыкает хворостинкой. Кольша распахивает створки, и внизу, вровень с завалинкой, видит льняную маковку.

— Чего тебе?

— Деда Кольса… Сёдни ходить будем?

Землемерное поветрие будоражило Заегозье все тогдашнее лето. Загорелась даже идея создать отряд из добровольцев, запасти хлеба, огурцов, луку там, соли (картошку копать на месте), ведро для варева да с кострами, ночевками двинуться на обапол, чтобы раз и навсегда установить точное расстояние между Верхними Кутырками (начать от почты) и районным центром (закончить тоже у почты). А то ведь никто толком не знает, сколько же на самом деле. Летом называли одно, а осенью — другое: смотря как развезет. Сами же ребятишки обошли дворы, составили список охотников. Меньше семи годов не записывали, чтоб домой не просились, а и то — с Посаду, с самих Кутырок да с Новопоселеновки набралось аж на обе стороны тетрадочного листа. Чувствовалось, что одному Кольше не справиться с таким ополчением, а потому галочками были отмечены два помощника — хуторской Серега Гвоздиков и новопоселковский Пашка Синяк, первый каратист на Егозке, который сам и напросился на эту должность. Все складывалось отменно, даже провели в лесопосадке пробное построение. Кольша в чистой рубахе в сопровождении помощника Сереги (Пашка Синяк почему-то не явился) обошел разновеликий ряд посуровевших землепроходцев, перепроверил список, осведомился, нет ли у кого потертостей или каких других жалоб. Таковых не оказалось, но были обнаружены двое в небывалых цыпках на багровых икрах, кои под слезное несогласие были отправлены по домам мазаться топленым маслом и обкладываться капустным листом. Однако в решающий день, когда участники похода на обапол принялись запасать провиант, начались расспросы: «Зачем?», «За какой надобностью?» — а узнавши, куда и с кем, родители многих не выпустили за ворота, самых же строптивых и непокорных рассовали по местным «кутузкам» — кладовкам да темным запечьям.

Тем временем подступил срок собираться в школу, интерес к землемерию сам собой поиссяк. Пришлые ребятишки, гостившие у деревенских дедушек-бабушек, разъехались восвояси, а местные после дня знаний, цветов и речей на выгоне перед школой, не успевшие раскрыть тетрадей, на другое утро были отправлены на картошку, поскольку обаполский район считался передовым.

3

Но в Кольшиной голове, прикрытой полотняной баскеткой, уже свил гнездо новый замысел.

Той же осенью нашел он в поле четырехметровую секцию от поливальной системы. Самой системы нигде не было видно, а вот одинокая труба с фланцами на обоих концах осталась. Кольша прошел было мимо, но под кепочкой уже зажужжали колесики на предмет полезности этой трубы, и он воротился почти с полдороги, чтобы получше исследовать находку. Попробовал приподнять — труба подалась без особого сопротивления. Постучал по ней спинкой складничка — звук чистый, высокий, поскреб лезвием — светло, приветно блеснул алюминий. «Вещь хорошая! — оценил Кольша. — Но никто про нее не вспомнит, чтобы отвезти на хоздвор, так зазря и пропадет, зарастет полынью, а то и трактор потом наедет, сомнет, приведет в окончательную негодность». Кольша срезал ветку дикой боярки, воткнул возле трубы, для памяти, и отправился домой. И, уже подходя к подворью и увидев на заревом разливе силуэт своей избы, которая горбатостью кровли вдруг напомнила ему всплывшую подлодку, он осененно хлопнул себя по кепарю: «Ба-а! А где же перископ?» И сразу же само собой решилось, что из той поливальной секции он будет создавать перископ! Это же так ловко: оба фланца как будто затем только и приданы, чтобы к одному из них привинтить верхнюю зеркальную головку, а к другому — нижнюю светоприемную камеру.

Идея властно озарила Кольшу прекрасным чудодейственным свечением, он воспылал духом немедленного созидания, и потому, чувствуя это закипание внутри себя, которое уже нельзя было ничем погасить или отложить на завтра, он отыскал свою двухколесную надворную колымажку, сегодня же, в сумерках, отправился за трубой, всю дорогу будоражившей его воображение отменной прямизной, девственной округлостью и легким, певучим звоном.

Легко сказать: перископ. Но труд над ним долог, а главное — кропотлив, или, как говаривал Кольша, копотлив, что, пожалуй, точнее. Первым делом к нему нужны зеркала, которыми, впрочем, Кольша удачно разжился, обнаружив их в кутыринском сельпо, каждое — с ученическую тетрадку, каковые, собственно, и нужны были. К ним — две установочные камеры, которые, само собой, на поле не валяются, и над ними еще покумекать надо. Опять же — бандаж для устройства поворотного механизма. С этим делом надо топать в кузницу… В общем, много чего… Когда же осталось только пробить крышу да вырезать дыру в потолке, тут-то и подала голос Катерина:

— Чего-о? Какую такую дыру?

— Перископ вставить… — пояснил Кольша.

— Это еще что такое? На звезды смотреть? Так у нас крыша — и без того звезды видать.

— Ты, Катя, ошибаешься: то телескоп, а у нас с тобой — перископ. Это совсем даже разные приборы.

— А мне все едино: на дворе октябрь, люди топить начали, а ты — крышу дырявить.

— Дак я же опять заделаю!

Кольша усмехнулся непониманию жены и с этой усмешкой посмотрел туда-сюда, будто ища по углам избы вящей справедливости. И он снова попытался объяснить Катерине особенности своей конструкции:

— Вон на подводной лодке тоже перископ, в океане плавает, а не течет. А у нас какая вода? Дожжок иной раз набежит, да и то не каждый день. А ты панику поднимаешь. Вот поставлю перископ и опять заделаю начисто, чтоб нигде ничего. Только не знаю, где лучше. Думал, на печи… Оно, конечно, с одной стороны, удобно: лежишь себе и поглядываешь, не шкодят ли зайцы на капусте. Но с другой стороны — тебе на печь лазить несподручно. Чтобы вместе глядеть-то…

— Чего выдумываешь…

— Дак и я сомневаюсь… Поди, лучшее место — в горнице, над круглым столом…

— Там иконы Божьи… Я ить думала, ты в сарайке. А ты, глядикась, в дом метишь.

— Так ведь в доме-то лучше! — досадовал Кольша. — Ну что хорошего в сарае? Темно, зябко, куры всполошатся, пыль подымут. А перископу пыль вредная. Там же оптика! Экая без понятия! Выгоды своей не видишь! Я ведь как лучше…

— И понимать неча.

— Ну как же, сидим с тобой за столом — тепло, светло, самоварчик пошумливает, чаек пьем. И перископ — вот он, аккурат над самым столом. Хочешь — вправо поверни, хочешь — влево. Вся округа видна: кто куда поехал, кто куда пошел… Кто с грибами, кто — с дровами… Егозка-то наша синяя, осенняя, вся в палом листе. А в небе — облака бегучей чередой, луг то застят, то опять позолотят… Совсем как в песне:

> Отговорила роща золота-а-я
> Березовым веселым языком.
> И журавли…

Эх, девка! А ты не пущаешь!

Кольша отвернул занавеску, припал лбом к стеклу и уставился в луга, в свою точку схода, в то место, где небо встречается с землей и где, по его понятию, должна обитать истина.

Тяжба Кольши с Катериной за выход в небо разрешилась негаданно. Дня три спустя в избу серым бочонком вкатился весь налитой, округлый, пахнущий укропом участковый Сенька Хибот. Для начала он произнес с нажимом слово «так», каковым начинают разговор обаполские да и всея Руси участковые милиционеры.

— Так... — Сенька обозрел кухню, ее углы, рогачи и чапыги, потянул носом на известный предмет и только после этого произнес без всякой заинтересованности: — Ну, показывай, что ты тут... Дошло до нас кое-что...

Кольша все понял, молча напялил баскеточку, телогрейку внапашку и повел участкового во двор, где на двух стопках кирпичей, окрашенный в голубое, под цвет неба, сох уже подчистую смонтированный перископ.

— Так-так-так... — жестко произнес Сенька, будто передернул автоматный затвор. — Куда глядеть?

Кольша носком кеда указал на нижнюю камеру, в глубине которой по отраженным бликам угадывалось зеркало.

Сенька перевернул картуз кокардой на затылок, предубежденно опустился на четвереньки и заглянул в квадратный проем нижнего отдела. От напряженного смотрения Сенькины уши цветом уравнялись с околышем. Оставаясь на четверях, он недоуменно повернулся к автору конструкции:

— Слушай, ни хрена не видно... Может, чем закрыто?

— Нет, все нормально, — пояснил Кольша. — Просто он верхней камерой в лопухи глядит. А если поставит вертикально, то все будет как надо...

— И где же ты намерен его поставить? — Сенька поднялся на ноги и отер о штаны растопыренные пальцы: где-то все же цапнул краску.

— А вот... — кивнул Кольша на конек избы.

— Так-так... — опять «передернул затвор» участковый. — А ты знаешь, что перископ — дело секретное? Чтобы глазеть в него, нужно разрешение.

— Чего же тут секретного? — удивленно свел плечи Кольша. — Ить он ничего не увеличивает. А просто так... Показывает как есть.

— Показывает-то он показывает... Да смотря чего... Смотря куда направлять.. Это, брат, такое дело, подсудное...

— Куда хочешь, туда и направляй, — оживился Кольша. — Там для этого специальные правила есть, две ручки. Хочешь, давай приподнимем? Я потом перекрашу.

— Да нет, с этим все ясно... Все ясненько... — Сенька Хибот спихнул фуражку на сочно разомлевший нос, похожий на шпикачку, и произнес как-то резиново, с расстановкой: — Ну что, брат, будем делать? Сам разберешь? Или мне отволочь эту штуку в опорный пункт? Если сам — то писать ничего не будем, никакого протокола. Вроде ничего и не было... А то ж мне тогда машину вызывать... Бензин тратить... А с бензином — сам знаешь, уборочная... Ну как, разберем?

— Ну… Не знаю… Зачем же разбирать? — не согласился Кольша. — Ведь оно еще не просохло.

— Ага. — Сенька, засунув руки в штаны, озабоченно восстал над трубой. — Стало быть, не хочешь пачкать руки? Тогда сделаем так… Чтоб рук не марать…

И он неожиданно подпрыгнул и с возгласом «опля!» обеими подошвами ботинок и всем своим округлым бочковым весом обрушился на перископ, приподнятый над землей кирпичными подставками. Труба без сопротивления легонько шпокнула и коснулась земли заостренным надломом…

— Попить ничего нету? — удовлетворенно спросил Сенька.

— А? — не расслышал Кольша, все еще не понимая, как это произошло…

4

С того дня как Сенька Хибот изломал последнюю Кольшину мечту, Кольша и сам как бы изломался: попритих, засел дома, принялся вязать носки-варежки на продажу. Катерина за свою жизнь так надоярилась, что ее пальцы уже и не держали вязальных спиц…

За это время много воды утекло в Егозке, немалые перемены произошли и на ее берегах. Во-первых, в Верхних Кутырках переменилась власть: была твердая, с матерком — пришла помягче, с ветерком. Как ветром выдуло амбары и склады, сено тоже куда-то унесло со скотного двора, из-за чего пришлось порезать скотину и распродать на обапольском базаре. Не устояли и сами коровники: сперва ночью, а потом и в открытую посдирали с них шифер, сбросили латвины, поснимали с петель ворота. Колхозную контору тоже изрядно пощипали: не стало телевизора, радиолы, унесли председательский ковер, на который в прежние времена, не дай мать божья, было попасть. Приглянулись кому-то и кабинетные стулья, из коих остался один — только для самого председателя акционерного товарищества Ивана Сазонтовича Засевайло…

Нынешней зимой из дюжины посадских труб сколько-то еще дымилось, какая погуще, какая пожиже, остальные вовсе обездымели, так и торчали, обсыпанные снежком: молодые разъехались искать свою долю, ну а старые — известно куда…

Кольшина труба ноне тоже едва не пригасла: кончилось топливо. Раньше ведь как: еще август, а уже везут из Обапола орешек или брикет для стариков по заведенному списку. А нынче — дудки… Новые власти куда-то задевали список, а в Обаполе, сказывают, топливо разворовали чуть ли не с вагонных колес. Резвые мужики, видя такое, принялись сечь ветлу на Егозке, оголять реку, редить лесополосы. Ну а Кольша, как же это он — топором да по живому дереву?.. Да никак! Не смог себя пересилить, все ждал: может, список найдут…

Тщетно берегли прошлый запасец дров, тот без угля быстро уполыхал. Пошла в распыл всякая окрестная хмызь, чернобыл с незапаханных межей, с опустелых подворий. Катерина почти ползимы вьючилась вязанками. А когда навалило снегу, так что в поле не ступить, Кольша разобрал плетень вокруг нижнего огорода. С ним и дотянули до Сороков, до первых проталин. Но до настоящего тепла еще ого сколь печку топить!

Подумывали было горничную лавку спалить, паче теперь гостей ждать неоткуда, да негаданно выручила оказия.

По вечерним сумеркам мимо Кольшиной избы, трандыча и лязгая, волокся трактор. Дальний родственник — Посвистнев — вез со станции только что поступившие дрова: полные сани пиленых двухметровок! Кольша выскочил в чем был, замахал руками.

Посвистнев притормозил, открыл дверцу:

— Чего тебе?

— Слушай, Северьяныч, одолжи полешко!

— За каким делом? — не понял тот. — На черенок аль на топорище?

— Печь протопить! Сделай милость!

Неохота было Посвистневу вылезать из трактора, снаружи косо мело, секло по кабине, да и не с руки мешкать: хотел по свету добраться до своих Кутырок; однако он молча спрыгнул на землю, заступил на санный полок, выпихнул из-под цепной связки самый верхний обледенелый кругляш.

Кольша почесал осыпанный замятью затылок: мало спросил… Дак оно как: просишь два пуда, а дают один. Брать-то выгоднее, чем давать.

— Дай еще, а? — пересилил себя Кольша. — Чтоб на всю неделю потянуть. А я потом отквитаюсь.

— Не из чего давать, — как бы огрызнулся Посвистнев. — Ты теперь и на таганке сваришь, а мне еще и в хлеву топить: телята пошли…

— Ну да еще чурку — не убыток: вроде как по дороге обронил… — Озябший, в одной рубахе, Кольша мялся возле саней. — А я через неделю отдам… Тоже на станцию съезжу.

— Через неделю речка мосты зальет…

Насуплено поизучав концы дровин на возу, Посвистнев обеими руками натужно вытолкнул растопыренную корьем, забитую снегом толстую березовую кряжину. Та грохнулась о льдистую твердь с глухим утробным гулом, и Посвистнев торчком сапога отбросил ее с дороги. Охлопав ладони, он забрался в подрагивающую кабину.

— Вот как уважил! — закивал-закланялся босоголовый Кольша. — А то хочешь, у меня одна вещичка есть? Добро за добро!

Кольша, обрадованный, что вспомнил, кинулся к сеням, но Посвистнев остановил его недовольно:

— Что за вещица-то? А то мне некогда…

— Дак сейчас покажу. Кугикалки!

— Ладно, балабол! На кой они мне?

— Ну как же! Скоро праздники, с гор потоки… От неча зимой сделал. На двенадцать голосов! Воздуху совсем мало берут, а зато звучность — чистые лады. Иной раз гукну раз-другой — у Катерины глаза так затеплеют. Чую, будь ноги поздоровей, сию минуту б кругом пошла, как бывало в девках. Ты-то не помнишь, а я и доси не забыл.

— Да мне-то они зачем?!

— Когда ни то — кугикнешь. Не все ж работа да работа. А нет — детишкам отдашь…

— Мои детишки вместе со мной в четыре встают, некогда им дудеть… А то вроде твоего — все и прокугикаем…

— Ну тогда хоть так зайди, по-родственному. Чаю испей.

— Он у тебя холодный.

— Дак это я быстренько…

5

На другое утро, тихое и светлое, сам в добром настроении от вчерашней удачи, Кольша втащил обе дровины во двор, вынес две табуретки, перевернул их вверх ножками и, возложив на эти козелки малую двухметровку, кликнул Катерину, чтобы шла пособлять пилу дергать. Оно хоть и не велик кругляш, но поперечной пилой с крупными зубьями одному шмыгать неловко: пила начнет кобениться, мотать порожней ручкой, извивами полотна клинить распил.

— Катерина-а! Где ты там? Выходи гостинец делить: две чурочки — направо, две — налево.

Катерина вышла на крыльцо, обтирая о ватник мокрые руки, ступила к козелкам, заняла позицию.

— Начали! — скомандовал Кольша.

Пила весело звенькнула, но тут же изогнулась и ерзнула в сторону по сочной сосновой коре, оставляя косы задиры…

«А хоть и вдвоем, — думалось Кольше, — когда баба неумеха, тоже не разгонишься…»

— Да не дави ты на пилу! — направлял Катерину Кольша.

Туда-сюда, туда-сюда, вжик-скоргык, скоргык-вжик — вот тебе и поперхнулось дело.

— Не висни, не висни на пиле! Не препятствуй!

— А я и не препятствую, — отпиралась Катерина, часто взмаргивая.

— А что — я, что ли?

— Ну и не я.

— Ты пили, как дышишь. К себе — вдох, от себя — выдох.

— Я так не успеваю. Поди, пила такая никудышная.

— Пила-то кудышная… Да вот… вишь… сама заморилась… и меня… замаяла… Ладно, давай передохнём.

Стоят друг против друга, оба запыхались, округло зевали ртами. Кольша покосился на Катеринины руки: на пальцевых суставах безобразные шушляки, в кулак не согнуть. Не то что пилить — картошину очистить целая морока. А так глядеть — баба еще хоть куда: кровь с молоком!

Тем временем вызревало погожее утро — не то что вчера, с его низким, нахмуренным небом, готовым в любой миг просыпаться жесткой крупой. Солнца еще не было, оно по-прежнему оставалось под туманным миткалем, но свету уже — полным-полно. И свечение это сочилось с приветной теплинкой, от чего все вокруг было обласкано нежной молочной топленостью: и травяные проталины в затишках, и всякая заборная тесина, и острецы сосулек по карнизам, уже набрякшие, словно коровьи соски, накопленные талицей, готовой вот-вот побежать дробной чередой капели.

Покрутили головами, порадовались благодати и принялись за березу. Та, непутевая, сразу и воспротивилась, захрипела под зубьями закучерявленной берестой. Кольша сходил за топором, пообсек вспухшее корье, остучал обушком ледышки.

И опять: вжик-скоргык, вжик-скоргык…

— Давай… не дури… матушка… — уговаривал Кольша колодину. — Пошла… пошла, любезная…

Наконец-то почувствовалась настоящая древесная твердь, струйкой выплеснулись белейшие опилки: Катерине — на резиновые сапоги, Кольше — на адидасовые подштанники. Запашисто повеяло деготьком.

Однако березовая плоть через сколько-то протяжек пилы внезапно закончилась, полотно пусто провалилось вовнутрь и тотчас заплевалось затхлой трухой пополам с ледяной кашей.

— Ну Северьяныч уважил! — обиженно откинулась Катерина. — Пустую дровину спихнул… А ты ему — кугикалки… Всю зиму ладил, звук подгонял…

— Ладно, не кори напрасно… Не взял он нашей музыки.

Из второго распила вместе с прелью и снегом посыпались еще и какие-то черные барабашки. Все они были свернуты, а недвижные крючковатые лапки собраны пучком, тогда как телескопические усики прижимались к большим выпуклым глазам, похожим на пляжные очки. В темных стеклышках этих очков отражалось небо, а еще промелькивал и сам Кольша.

— Катерина! — изумился он, протягивая жене ладошку с опилками. — Да ведь это же мураши-и!! Глянь-кась! Ну чудеса!..

— Поди, пустые кожурки… — с опасливым неприятием отвела Кольшину руку Катерина. — Давай допилим да я метлой замету, а то стирку затеяла: сколь накопилось.

— Погоди, погоди… успеется со стиркой…. — озаботился своим Кольша. — А вдруг они только спят? Видишь, все лежат одинаково… Стало быть, сами так полегли. А во льдах оно все долго хранится. Недавно мамонта откопали, а у него во рту еще трава недоеденная…

6

Как ни противилась Катерина, как ни расставляла в дверях руки, не пуская Кольшу в святую горницу, тот, упорный, все же настоял на своем: набрал в миску опилок, побрызгал водицей, разложил по окружности муравьев, сверху обвязал марлечкой и весь этот инкубатор выставил на подоконник, на южную сторону, под солнечный обогрев.

— Ну вот! — наконец удовлетворился Кольша. — Будем наблюдать. Наука, поди, тоже не все знает. Вот опять нашли каких-то голых индейцев. Огонь круглой палочкой добывают, живых пауков едят. Наверное, и еще есть такие, но никто не знает. Сам Бог небось про них забыл, а может, никогда и не видел. А кто же станет доглядать муравьев? Они же вон какие малипусенькие: наступил и пошел дальше. А может, в нем тоже есть какие соображения? Чего-то он видит вокруг себя, что-то любит не любит, чего-то чурается. Так что интересно понаблюдать, как и что…

— Неча за дохлыми наблюдать, — противилась Катерина. — Ежли бы за то трудодень писали… Вот придет тепло, тогда и наблюдай. Летом их полон двор бегает.

— Дак то здешние, а эти — из дальних мест. Может, таких еще никто не видел. Охота узнать, что за порода. Вот бы высадить их в нашей местности!

Присутствие на подоконнике посудины с телами таинственных муравьев-иноземцев будоражило Кольшу до самозабвения. Катерина уже знала, что теперь он за весь день не попросит есть и ни разу не взглянет на ходики, чтобы определиться в своем бытие. На его впалом лице, поросшем редким, по-иночески чернявым очесом, проступила та его возбужденная улыбка с двойными складками на щеках, которая всякий раз появлялась и не сходила часами, когда он загорался внезапным интересом.

— Это сколь времени прошло, пока полено к нам на хутор попало, — размышлял вслух Кольша, прохаживаясь у окна. — Потому и сгнило, что небось долго в пачке лежало. У нас на Ветлуге, бывало, по два, по три года лесины не тронуты. В иные осеня месяцами морось висела. Грибы чуть ли не на крыше растут. Как тут бревну не затрухляветь? Да потом еще сплавом гонят. Подгнившая береза первая идет на дно. Но в дровяном плоту ее вяжут в един пакет с другими породами, и держится она за чужой счет. А сплав аж с Вохмы, потом в Ветлугу, а там и в Волгу. А Волга — вона велика!

Улучив момент, Катерина вошла в горницу с Кольшиными шапкой и телогрейкой:

— Сходи-ка поколи напиленное, печь запалим.

— Волга — это махина! По ней можно плыть аж до самых арбузов…

— Ладно, потом, потом, — не давала ходу Катерина, запихивая Кольшины руки в рукава. — День на убыль пошел, а мы еще не топили, не варили…

— Ага, ага… — соглашался Кольша, надевая свою старенькую кроличью шапку задом наперед.

Печь долго не занималась сырыми дровами, Катерина торчком ставила свеженарубленные полешки вокруг вялого огнища, понамучила дымом глаза, но в конце концов раззадорила пламя: печь, бабахая, будто патронами, лизнула рыжим языком забитое дымом устье, и вдруг высветилось изнутри, сразу воспламенившись всеми подсохшими дровяными концами.

Катерина замелькала рогачами, выставляя к огню все, что могло принять воду, — чугунки, горшки, молочные крынки. Намочив для стирки ношеное белье, она по второму заходу накипятила воды для купания и мочалкой с азартом выскребла и выполоскала в большой емкой лохани смиренно притихшего Кольшу. И уже намытый, облегченный, мокро приглаженный на висках, Кольша за кашей, а потом за веселым самоваром с баранками и вареньем опять вспомнил о Волге, о своем молодом, про все то, что всколыхнула в нем березовая колода, уже наполовину сгоревшая в голодной печи. Катерина слушала не слушала уже не раз слышанное, терпеливо кивала и удивлялась: «Скажи ты!», «Это надо же!».

— Дак вот — «издалека долго течет река Волга». К примеру сказать, до Астрахани плоты почти все лето в гоне. Аж молодью позарастают. Сосновый, строевой плот — чистый. А дровяной — чем больше березы, тем зеленей. Шумит, полощется свежий березняк! Выше колен молодые побежки. Иной раз птахи на зелень залетают. Особенно славки: «у-тю-лю, у-тю-лю...» День плывет, другой. И не понимает, что от отца-матери уже далеко. Тут же, в поросли, шалаш плотогонов. Или палатка. Но в палатке жарко, шалаш лучше. Рядом дымок курится, сетровой ухой пахнет. По Волге плыть да сетра не поймать — такого не бывает. А они на вечерней заре иной раз так разыграются, этакими чухами так повскидываются над водой, аж брызги на много сажен в обои стороны. А то как-то сижу на крайнем бревне, ноги в реку свесил, теплая струя подошвы щекочет. Тишина! Из буксирной трубы дым кверху, как из самовара... Вот тебе: как взбросится в двух шагах от плота, рот бубликом, все бляхи на боку видать, да ка-а-ак обдаст ливнем с головы до пят! Этак выпугает, баловник, аж от края навзничь отвалишься, ноги к бороде подберешь... Я ить на сплаве дудки, кугиклы, научился делать. Инструмент завел: резачки, коловоротцы. Летнее время долгое — сверлю да строгаю себе. А то змея запустим — летает, вертит хвостом. А еще медвежонок с нами плавал. Мы его плясать под дудку научили, через голову кувыркаться. Потом под Саратовом на встречную баржу за арбузы отдали. Нам ить все равно скоро было плоты разбирать. Но вот что занятно: сколь ни плавали, всегда с нами на плотах муравьи. Бегают себе по бревнам, как в своем лесу. Ведь где-то они гнездились, в каких-то пустых бревнах? Стало быть, и зимовали в них, вроде наших...

Не сдюжила Катерина, слушая Кольшу, сронила себе на плечо и отпустила на волю слюнку...

7

Озабоченный и торжественно отрешенный, с этой своей улыбочкой предчувствия откровения, Кольша почти не покидал инкубатор: развязывал для вентиляции марлечку, пальцем определял температуру и влажность подстилки, направлял на пострадавших увеличительное стеклышко… И утешался тем, что прошло еще совсем мало времени, чтобы ждать какого-то результата. А перекоротав еще одну ночь, чуть свет вскочил с запечного полка, примотал деревягу, по привычке выставил нули на счетчике и, не побудив Катерину, пожалев ее в утреннем сне, утрехал из дому по хрусткой подмороженной дороге.

Воротился он при свете посадких окон, пропахший талой полевой землей, захлестанный бездорожьем. Катерина стащила с него взопревший резиновый сапог, а деревянную опору, скованную железным ободом, омыла в тазике. И осуждающе бросила:

— Тонул, что ли?

— Тонуть не тонул, но в одном месте свою березу едва выдернул.

— Что за лихо по такой-то грязище?

— В Кутырки ходил, в библиотеку. Спросить что-нибудь про наш случай. А Тоська как зарегочет: «Про чего-чего-о?» Про муравьев, говорю. «Нет, дядь Коль, ты серьезно? Первый раз такое слышу. Или разводить собрался?» Интерес, говорю, имею. Так ты постарайся. «Ой, Николай Кстиныч, даже и не знаю, где искать… Я по декретному была, так тут без меня все перерыли. Люди копают, на место не кладут. Лучше прочитай про коневодство. Недавно получили. С картинками. Как запрягать, как самому телегу сделать. Сейчас на телегу спрос». Нет, говорю, Тося, мне про коневодство пока не надо. Ты мне про насекомых. «Ну, дядь Коль, тогда иди сам и копайся. Тебе для потехи, а я каждый день пылью дышу». Ну, полез я… А там книг — аж до потолка! До верха без лестницы не добраться. Да я туда и не осмелился. Только по низам посмотрел. То оглавление поглядишь, то какую страничку прочитаешь. Книжка — дело липучее. Да и не заметил, как день прополыхнул…

— Нашел чего?

— Нашел! — извлек из-за пазухи весело раскрашенную книжицу. — Глянь-кась какая. «Коленками назад» называется.

— Это про тебя, — усмехнулась Катерина. — Чего есть не просишь?

На ходу, причесывая вихорцы, замявшиеся под зимней шапкой, Кольша, по своему обыкновению, робко, будто в гостях, прискондыбал к столу, где уже стояла тарелка с хлебом, прикрытая рушником. Голодно пощипывая хлеб из-под накидки, он принялся перелистывать книгу сперва одним только уважительным пальцем, но вскоре уже объял обеими руками, и что-то там вычитывая, сам себе кивая, одобряя, соучастно вскидывал упавшую на лоб кудельку.

— Слушай, чего пишут! — восхищенно обратился он к Катерине, в самый раз подносившей тарелку паривших щей. — «Муравьиные постройки похожи на города с разумной планировкой, многоярусной этажностью, где всему и всем обозначено место. Система вентиляции такова, что, пока действует муравейник, ничто, ни единая хвоинка, не подвергается гнили, хотя на весь этот органический материал в условиях постоянной влажности неусыпно воздействуют бесчисленные гнилостные организмы». Чудеса! — Кольша восхищенно щелкнул по книге россыпью ногтей. — Никаких тебе дипломов, никаких академий! Спросить: кто их этому научил? А, Кать? Вот кто?..

Катерина пожала плечами, потому что действительно не знала такого ответа, а потому привычно, как заведено, приподняла указательный палец к потолку.

— Ой, вряд ли… — восторженно не согласился Кольша. — Не станет Он говорить каждой козявке: ты неси щепочку сюда, а ты — туда, ты клади так, а ты так… Их же миллионы, каждого не научишь…

— Не знаю, не знаю, Коля. По мне — куча да куча. Ты ешь давай, весь день в печи держала.

— Я так думаю, — не слушал Кольша. — Для такого артельного дела нужен один интерес. Чтоб у каждого с каждым совпадал. Тогда скопом до небес гору насыпешь… или своротишь…

Проснулась Катерина среди ночи, должно быть, от ощущения на веках излишнего света. И верно, предрассветно серело уличное окошко, а на столе желто теплилась переноска, приглушенная газеткой. И все так же сидел над книгой Кольша, туда-сюда ероша и путая волосы на затылке. Заметив ее шевеление, он тут же завосклицал:

— Ну да как же им гору-то до небес не насыпать?! У них все по совести: никто не ленится, перекуров не делает, за другого не прячется, материалы налево не тащит. Каждый вкалывает от души, изо всех сил. Вот, Катерина, опять же: кто их этому научил? А тогда почему нас не научат?

Катерина поспешила накрыться одеялом.

Между тем на хуторском угоре установились погожие плюсовые дни. Хрустел и рушился последний лед по закоулкам, слепили глаза взблески ликующих ручьев, устремившихся с посадских дворов в объятия Егозки. Та, всех принимая, налилась закрайками, неразрешенно вспучилась серым ноздреватым льдом с долгой трещиной посредине.

С улицы в окне замелькала вся новая, оранжевая, яркая, как огонек, крапивница, раз и другой припала к стеклу против муравьиной миски, как бы говоря: «Я уже вот она! А вы чего тянете? Живы ли? Пора, пора!..»

Появление бабочки подогрело Кольшино нетерпение, и он снова и снова брался за увеличительное стеклышко. А, как известно, страстное ожидание желаемого иногда лишает наблюдателя трезвого суждения, и он в конце концов перестает верить своим глазам. Был и у Кольши момент, когда однажды, после долгого и пристального вглядывания в это печальное поле павших лесных братьев, ему вдруг почудилось, будто у одного из муравьев, лежащего рядом с крошечной берестинкой, вроде бы пошевелился усик. Взволнованный Кольша направил туда свой микроскоп, который тотчас подтвердил, что да, левый усик действительно приподнят над большим выпуклым глазом, будто муравей решился наконец взглянуть на здешний белый свет. «Погоди, — окоротил себя Кольша. — А если так и было?»

Сколько потом ни подступался Кольша к заподозренному мурашу, левый усик по-прежнему оставался приподнятым.

Чтобы как-то пробежало время, Кольша отправился во двор, поковырял лед за погребицей, выпустил под забор застоявшуюся лужицу, а когда снова вернулся к своему реанимационному отделению, то со смущением убедился, что у того муравья, которого он назвал про себя Митяхой, левый усик снова был опущен, как и у всех остальных.

Кольша в раздумье потер лоб и на всякий случай сходил в сарайку, снял с полки банку белил и острой спичкой нанес белую метку на гузку запримеченного муравья. А утром, еще до солнца, еще без ноги, в одних трусах, допрыгал до подоконника и с замиранием принялся развязывать марлечку.

— Ты чего? — бдительно спросила с постели Катерина.

— Тут один, кажется, заморгал... — шепотом сообщил Кольша.

— Может, показалось?

— Вчера днем левый усик был кверху, а вечером — книзу.

— Какой там усик? Какой усик? — Катерина решительно приподнялась на локте. — Где ты и разглядел?

— Вот стеклышко, погляди сама... Я того белилом пометил...

— Ой, парень! Надо мерить температуру. Ты, кажись, того... Вот и спать перестал...

— Да я только поглядеть…

— Шел бы ты, Коля, на Егозку, проветрился бы… Мужики уже плавину всякую ловят, а у нас опять ни щепочки. Иди-иди, и мне руки развяжешь: днями Пасха, убираться надо, зимние рамы выставлять, окна мыть…

— А как же тут?

— Не бойся, у меня не разбегутся. Ну, подсунул Северьяныч мороки!

8

А на реке действительно было хорошо, привольно. По неузнаваемо широкой воде, празднично сверкавшей солнечной рябью, устремленно проносились большие и малые льды, иногда скапливаясь в недолгом заторе, где что-то подмыто рушилось, стеклянно хрустело, вскидывалось тяжкими всплесками, и наконец льдины, разобравшись друг с другом, снова устремлялись в свой последний бег. Над тихим же заречьем, где в тепле и спокойствии отстоялась полая вода, черно-белыми отметками крыл объявляли о своем прилете хлопотливые чибисы. А позади, за Кольшиной спиной, на весь околоток кричмя кричали ошалелые петухи, и Кольше казалось, будто его кочет Петруня, огонь с полымем, горланит так, что от него сыпятся искры: того и гляди полыхнет весь просохший и обогретый хуторской посад.

— Экое благо! — щурился Кольша на колкий блеск затопленных лугов, невольно увязывая эту благодать с близкой — через два — Пасхой, совпадавшей с Егозкиным половодьем.

Он устроился с багром на небольшом мысу, ниже которого ходила кругами обширная суводь. Набравшие скорость тяжелые льдины проносились дальше своим путем, но все, что было полегче, захватывалось суводью и до поры кружилось между берегом и главной речной струей. Кольше уже удалось кое-чего словить: пару заборных тесин, помятый тарный ящик и даже нечто похожее на погребной притвор с кованым кольцом на поперечине. Все это добро он относил на бугорок и там раскладывал на просушку.

Подошел, тоже с багром, хуторянин из третьей от Кольши избы, глуховатый дедуля по прозвищу Ась. Он тут же, еще не сказав ни слова, скрутил «козу» и, раскуривая, принялся пыхать кизячным дымком махорки. Дым клочковато отлетал прочь, как бы чужой в остром весеннем воздухе.

На нем было все велико: рукава на старинном, еще сталинском, ватнике закатаны баранкой, резиновые бродни — тоже, черный суконный картуз опирался на оттопыренные, сухие, прожилковатые уши.

— Здорово, говорю! — наконец произнес дедко и прибавил к сказанному свое привычное: — Ась?

— И ты — здоров!

— Во, ядрень ее не замай! Давеча собачья конура плыла. Не видал?

— А я думал — улей.

— Ась?

— Улей, говорю, — нажал на слова Кольша.

— Да не-е, конура: крыша на два ската. Железная! Цаплял-цаплял, да никак: багор короток. Надо б в воду ступить, да убоялся: крыгой не сшибло б… Конура ха-арошая! Себе б впору… — Дедко кисло, с кашлем и дымом хохотнул. — А чего, лишь бы голова в лаз прошла, ухами не зацапилася. А так — просторная. Ноги не спрямишь, а калачиком — за милу душу… — Дедко еще раз посмеялся, посипел горлом. — Ну а ты чего наловил?

— Да вот… дровишек…

— Тебе-то на кой? У тебя вон солнце прям на полатях! И муки, поди, на три кулича намолол… на своих мельницах? А я зимой глядел, дак дым из твоей трубы не всяк-то день. Думал, солнцем греешься.

— Мое солнце — оно не для этого…

— Ась?

— На нем портянки не сушат.

— А тади для чего? Для сугрева мыслей? Али знак веры какой? Прежде, сказывают, люди солнцу кланялись. Ты не из них ли?

— Не знаю, из каких, — дернул плечом Кольша. — Оно у меня — для зачину дня.

— Ага… Ага… — согласно закивал дедко. — Я ж и смекаю: для обогрева души. Душа она ить завсегда к светлому тянется. Иной раз глонешь стакан — нет, не тот сугрев. На другой день под рубахой ишшо муторней… Дак и весь народ так хлещет, не поднявши головы… Вот чего ты придумал! Глядеть, дак вроде баловство. Ан теперь вижу — умно: не дать душе зазябнуть.

Дедко заморгал красноватыми веками с белесыми тычками редких ресниц и на этот раз тоскливо, сиротски заглянул в Кольшины глаза:

— А можа, ты и мне солнце намалюешь?

— Это можно, — согласился Кольша. — У меня серебрянки еще на два солнца осталось. Давай одно — с улицы, а другое — со двора. У тебя фронтон не дырявый?

— Ась?

— Ветер, говорю, по чердаку не гуляет?

— Не-е! Заборка шалёвчата, в паз уложена. Все крепко. И голубым покрашено. Вроде как небо будет.

— Ладно, договорились, — пообещал Кольша. — После праздников зайду.

— Ага… Ага… — умиротворился дедко. — Кто ж его знает… Краска — она ить на алюминиве, электричество должна пропускать. А кругом — магнитные силы. Глядишь, чего и притянет… Радикулит уймется, али баба перестанет лаяться. У тебя, вишь, завсегда тихо. Иду мимо твово двора — тихо, иду обратно — опять ничего, одни токмо ветряки бурундят. А ить Катька твоя натурная! Горазда и по загривку заехать… Ась? Не было такого?

Кольша смущенно пересунул шапку:

— Такого не было.

9

Тем часом Катерина готовилась к святой неделе. Почуяв волю и свободу рук, собралась за день побелить печь, веничком обмести потолок, выставить рамы, вымыть стекла и уж после всего выскрести половицы и застелить все новое: постель, скатерть, рушники на божницу, половички — от двери до лампады. Работы предстояло много, но доброе дело ради праздника придавало бодрости и стараний. Повязав косынку и подперев телеса, она оглядела горницу, дабы определиться, с чего начинать, и наперво решила убрать от греха Кольшино заведение, которое в горячке работы можно нечаянно задеть и порушить. К тому же от миски начало бражно попахивать, и она в полной правоте и простодушии спровадила посудину в сени на свежий ветерок. Там, на лавке, она еще раз перепроверила содержимое: все оставалось, как было, и она потуже затянула обвязку, чтобы в случае чего никто не смог совершить побега.

И право же, она совершила сей проступок отнюдь не нарочно, не с умыслом. Откуда же ей было знать, что в сени набредут вездесущие куры во главе со своим рыжим любером и горлопаном Петруней?.. Наверняка это он первым обнаружил запрещенную поживу. Дверь в сени, разумеется, была открыта, потому как весна, теплынь, зачем же запираться от такой благодати? По правде сказать, Петруня тоже не собирался шкодить, он только хотел выяснить, дома ли хозяйка. Солнце уже за полдень, а она еще ничего не вынесла поклевать. Забыла, что ли? А между тем еще вчера прибегала в курятник и забрала в подол все до одного яйца — и за вчера, и за позавчера. Так несправедливо. Конечно, они с курами уже покопались за сараем, поразгребали навозца, пощипали ростков лебеды, изловили по одной-две мухи на заборе, но все это — так, легкая разминка; а пора бы получить законную оплату твердой пшеничкой или хотя бы мятой картошкой, что, конечно, хуже: картошка плохо глотается и забивает дых.

Сбежавшиеся следом куры, не найдя в сенях ничего съестного, сразу же обратили внимание на посудину. Самые бойкие из них взлетели на лавку и, теснясь и толкаясь, принялись теребить обвязку и, разумеется, сронили миску на пол. Катерина даже слышала этот глухой звук, но, увлеченная хлопотами по дому, не придала этому значения и не вышла в сени посмотреть, в чем там дело. А дело уже сводилось к тому, чтобы из разбросанных опилок выклевать недвижных муравьев, что и было исполнено в считанные мгновения. Обескураженной Катерине оставалось только собрать древесный мусор на лопату и отнести за сарай.

Вернувшийся с реки Кольша еще от порога взглянул на пустой горничный подоконник и настороженно спросил:

— А где же?

— Ой, Коля! — подступилась к нему Катерина. — Чего я натворила!..

Она принялась каяться, заглядывая Кольше в глаза, как бы ища в них ту стрелку, которая измеряла бы степень его гнева.

Кольша молча зачерпнул кружкой воды, напился, так и не произнеся ни слова, вышел из дому.

Катерина слышала, как под окнами заповизгивали колесики Кольшиной тараборки: стало быть, поехал собирать свой подсохший дровяной улов.

Вечером же, по его возвращении, выждав, когда он сядет за стол, Катерина распеленала марлевый ком и распластала его перед Кольшей: на белом поле редкого тканья, путаясь в мережке, одиноко и беспомощно копошился черный муравей с белой пометкой.

— Митяха! — изумился Кольша.

— Хотела марлечку постирать, гляжу, а он там запутался, — пояснила Катерина. — Только он и уцелел.

10

Надвечер Великой субботы заглянула соседка Муся — обширная и шумная женщина, как-то сразу наполнившая Кольшину избу бодрой теснотой. Она была одета по-дорожному: в голубую китайскую пуховку и веселый светлый платочек, с ивовой плетенкой на изгибе руки. С Катериной она договорилась идти в Кутырки на великую литургию, а если хватит сил, то дождаться крестного хода со всеобщим песнопением в трепете ночных свечей под многоголосье колоколов, а утром освятить куличи и кое-чего для разговления. Муся любила эту необыкновенную сутолоку, заранее возбуждалась и даже тайком, еще дома перед выходом, нарушая запреты, выпила стакашку, отчего сделалась еще общительнее и добрее.

— Слушай, а ты не забыла слова? — еще у порога спросила она у Катерины. — А то ведь петь придется. Ну-ка, как это… — И неожиданно высоко и сочно возгласила: — …Ангели поют на небесах, и нас на земли сподоби чистым сердцем Тебе славити-и!..

— Я лучше помолчу, — сказала Катерина. — Боюсь, напутаю…

— А мы с тобой поближе к диакону. Наш Леонтий хорошо голосит, не даст запутаться.

Желая посмотреть, как прибрана горница, Муся отвела занавеску и увидела Кольшу. Он сидел за столом, перелистывая книгу. Накрахмаленная скатерть остро казала углы столешницы, посередине которой стояла майонезная баночка с каким-то весенним цветком внутри.

— Привет, сосед! — тоже подсела к столу Муся.

— Здравствуй, Мария.

— Все почитываешь?

— Да вот, надо отдавать…

— А я и не помню, когда читала, — винясь, засмеялась Муся. — Дома ни клочка бумажки. Одни старые квитки. Раньше заставляли «Обаполского земледельца» выписывать, а теперь — ну его: не за чего… Вот телевизор гляжу, больше — про секс. Иной раз до петухов маюсь, а утром проснусь — весь низ болит… Последнее здоровье отнимают… Это ж небось нарочно делают.

— А ты не гляди…

— Да я пробовала, — смеялась над собой Муся. — Выключу, похожу-похожу, а сама думаю: ладно, догляжу… Хоть узнаю, как это у людей. А то живешь в темени…

— Хватит тебе, перед всенощной, — укорила Катерина. — Чаю налить, пока соберусь?

328

— А больше — ничего?

— Завтра приходи.

— А я б и сёдни... Отец Федор простит, кадилом отмахает.

Муся расстегнула пухлянку, потрусила кофточкой.

— А что это у тебя в майонезке? Гляди, муравель бегает!

— Да вот, изо льда вытаил...

Муся выложила пышный бюст на стол, приблизилась лицом к баночке, помолчала, понаблюдала черными томлеными глазами.

— И чего теперь?

— А ничего, не здешний.

— Скажи ты! Импортный?

— Бревно распилили, а они там, в снегу. Из дальних лесов.

— Разводить будешь?

— Его уже не разведешь...

— А давай ему невесту споймаем! Скоро подсохнет — во все стороны побегут. Хоть черную, хоть рыжую... Гляди, как носится: туда-сюда, туда-сюда...

Муся отстранилась от стола и озорно оглянулась на Катерину, как бы приглашая ее в сватьи.

— Такую свадьбу отгрохаем! Я самогонки выгоню...

— У них бескрылых невест не берут, — возразил Кольша.

— Ух ты, какой разборчивый! — Муся утерла ладонью насмешенные глаза и как-то уважительно уставилась на Митяху. Но тут же снова захохотала: — А небось подсунь ему какую-нибудь, так он и без крыльев сграбастает!.. Все вы, мужики, одинаковые!

— А он и не мужик вовсе...

— А кто же? Монах, что ли?

— Он — рабочий.

— Дак чего — ему бабы не надо?

— Не надо.

— Просто на волю охота? По земле побегать? Вот пойдем с Катериной в Кутырки, давай по дороге и выпущу — в хорошем месте.

— И про волю он не думает. — Кольша закрыл книгу и провел по ней узкой, сухой ладошкой. — Просто такое — иди, куда хочешь, — ему не нужно. Один он все равно пропадет.

— Ну а тади чего ему? Чего мечется?

— Это он дела хочет, — пояснил Кольша, поглядев на снующего Митяху. — Мучается он без дела... Истратит всего себя на пустую беготню и начнет затихать, гинуть от ненужности.

— Ой, правда! — согласно воспряла Муся. — Я, когда душа заскорбит, сразу кидаюсь стирать. И — отпускает!

— Это для всех закон.

— Тади насыпь ему мусорку. Пусть трудится, щепочки таскает. Как на субботнике.

— Нет, так он не станет. Вот тут пишут: ему идея нужна. Общая задача. Ему надо видеть, что делают другие. Завтра отнесу в лесопосадку, поищу муравейник.

— А ежли сожрут? Он ить тут чужой, из других мест.

— Поищу одной породы. Те только обнюхают, ощупают, обмеряют… Чтоб все совпало. А потом окропят своим духом и отправят на общие работы. И он сразу примется помогать изо всех сил.

— Надо же! — Муся сладко смежила веки и, взяв в руки баночку, принялась рассматривать на свет. — А у меня летом по избе бегают и того меньше. Во-о-от такусенькие! Ручки-ножки даже не разглядеть. А сахар — почем зря таскают! С полки — на подоконник, с подоконника — в дырку под рамой и — привет! С улицы — порожняком, обратно — с сахаром. А сахариночка, поди, тяжелее его самого. Но — тужится, волочет, не присядет, не передохнет. За день, ей-бо, полстакана утаскивают… Вот думаю я: как же это ловко устроено? В ней, в этой букашулечке, небось и сердце есть, все время тикает, и какая-то кровушка перетекает… Не сухой же он изнутри? Дак ведь и надо знать, куда тот сахар тащить? Дорогу помнить… Значит, и в головенке у него не пусто? Как это так, Коля?

— Вот и я пытаюсь понять…

— А я думаю, этого понять нельзя… Может, ты добьешься, а я — нет. Я лучше к отцу Феде: у него все понятно, все — из глины… Пойдем с нами, а?

— Не-е, я не пойду.

— Чего так?

— А ну его… Когда я рисовал солнце, он остановился перед домом, поглядел, как я малюю, и сказал: «Мимо Господа печешься». И пошел.

— А помнишь, как ты сверчка со склада принес?

— Помню, как же…

— Как ты ножик об ножик тер, заставлял его чирикать. А мы приходили слушать.

— Я его Тюрлей звал.

— Да-да — Тюрля. Бывало, ежли вечер лунный — как распоется, растюрлюкается!

— Было, было, — покивал Кольша.

— Занятный ты мужик! — Муся привстала и, обхватив жаркими ручищами, потискала за плечи. — Катька, отдай-ка мне его! Годка на два — скоротать бабий зазимок. А, Кать?

— Сама и прогонишь… — отшутилась Катерина. — Он ить безденежный.

— Стало быть, бессребреник! Синяк под глазом мне набьет!

11

Воскресный день Пасхи, как и Страстная неделя, вставал погоже и осиянно. Небо очистилось до самых неимоверных глубин, в нем не было ни облачка, ни даже мгновенных росчерков стрижей, еще не прилетевших, и все пребывало в торжественном отрешении и благодати. Из-за полевого угора, тронутого хлебной зеленью, доносился перезвон в три разновеликих колокола. Порушенная колокольня долго молчала, и потому, наверное, неопытный звонарь иногда сбивался с беглого боя, но зато эта его рьяная неровность и заливчатое многоголосье придавали бодрящую праздничность всей округе, побуждая к единению и добру.

Катерина с Мусей еще не вернулись с ночного бдения, хотя, по высокому солнцу, и пора бы: поди, на радостях забрели к тамошним знакомым, в чем не было ничего удивительного, поскольку в прежние годы бок о бок тащили лямку на бурачном поле, и на скотном дворе, и в сельповской очереди за пачечной вермишелью или постным маслом. В нынешней хуторской разобщенности прежнее товарищество особенно помнилось и ценилось.

Поскоблив щеки и надев еще вчера приготовленную для него белую рубаху, веявшую праздной чистотой и утюжкой, Кольша вышел за ворота и постоял там в одиночестве, иногда поглядывая на кутыркинский проселок.

Река сильно сдала — грязно обнажились низы прежде залитых ракит, просыпал черный кочкарник на заиленном лугу; но зато здесь, на бугре, под ногами, было зелено и чисто: ободренная теплом, доверчиво шла в рост всяческая мурава, и было удивительно, когда только успели зацвести нежные, застенчивые хохлатки, манившие этой нежной лиловостью еще полусонных шмелей.

А под каждым пеньком или забориной уже барыней гляделась молодая крапива.

Кольшины ветряки — одна красная, с фасадного конька, две голубые, с дворового подконка, — в этот легкий, безмятежный день окончательно угомонились и, будто усталые гонцы, обессиленно задремали, одинаково повернувшись в теплую сторону, откуда последние дни навевал доброжелательный ветерок.

Катерина все еще не появлялась на дороге, и Кольша, возвратясь в дом, засобирался и сам: поверх новой рубахи надел привычную куртейку, перекинул через плечо холщовую торбочку, а в нее сложил окраек черного хлеба, головку лука и бывалую фляжку с колодезной водой.

— Ну, Митяха, пошли… — сказал он, беря на подоконнике баночку с муравьем, который все еще пытался одолеть стеклянную стену. — Пора тебе…

Кольша приоткрыл крышку, пустил внутрь свежего воздуха и, заперев снова, положил майонезку в карман куртки.

В поле он выбрел огородной стежкой, еще нехоженой и сыроватой, оставив на ней свой странный след — глубокие тычки через каждые полтора метра. Стороннему показалось бы, что здесь кто-то прошел на высоких ходулях. Но сама полевая дорога, уходившая к лесополосе, уже просохла, упираться в нее деревянной пятой стало легче и остойчивей, хотя она и возвышалась легким подъемом.

Лесополоса из рослых берез, перемеженных рябиной и кустовой акацией, простиралась на несколько километров. В дальнем ее конце Кольша давно не был, но с хуторской стороны знал несколько муравейников, в один из которых он и собрался определить своего Митяху. В эту пору внедриться в чужую муравьиную артель было нетрудно, поскольку муравьи-хозяева еще не обрели бдительной активности. Облепив вершину гнездового конуса, они всего лишь сонно греются на вешнем солнышке.

С тихим торжеством, будто под свод храма, ступил Кольша под светлую сень полевых берез. Заматеревшие березы, опираясь на чернокорые лапчатые кряжи, стремительно возносились в синеву веселой белизны стволов и там, в вышине, нежно пушились зеленой дымкой. Где-то самозабвенно, раскатно теребил сухую щепу дятел, и все еще не стихал перезвон колоколов, который здесь, среди этой праздничной белоствольной тишины, даже усиливался и медовел. А еще в продольной глубине лесной полосы слышались неспешное дринканье гитары и веселый, возбужденный говор и хохоток.

Вскоре впереди, у березового края, засверкал никель черного мотоцикла, а чуть подальше несколько мопедов подпирали друг дружку рогатыми рулями. Тут же, под зонтом рябины, пять не то шесть парней-подростков полулежа окружали расстеленный рушник, на котором ярко пестрели засахаренные маковки куличей, крашеные яички, стеклянные банки с помидорами и огурцами. И над всей этой красой высилась мрачная крутоплечая бутыль, похожая на монастырскую башню. Тут же, на березовом обрубке, пощипывал гитарные струны парень постарше, уже опушенный чернявой, от уха до уха бородой и с большой цыганской серьгой в левой ушной мочке.

Кольша хотел было стороной обойти пасхальную компанию, но его заметили, гитара умолкла, и навстречу вышли два пацана — оба непокрытые, по-весеннему, а может, по-пьяному встрепанные, со свежими солнечными ожогами на курносых носах и подглазьях. Один из них был долговяз и черняв, другой — поплотней и попеньковей.

Подойдя к Кольше, поразглядывав его неприязненно, исподлобья — не оттого, что имел какие-то претензии, а просто потому, что изрядно охмелел, чернявый, запинаясь, гуняво спросил:

— З-землемер, ш-шеф просит закурить…

— Нет, ребята, я некурящий, — ответил Кольша.

Пеньковатый обернулся и переответил гитаристу:

— Он некурящий! Нету у него.

— Наверное, врет? — отозвался тот и, не оставляя гитары, не спеша, вразвалочку, шурша перезимовавшими листьями, направился к тем двоим. Остальные двое тоже потянулись за ним.

— Знаю я этих жлобов, — раздраженно ворчал гитарист. — У самого есть, а притворяется — нету.

— А ты чей будешь? — поинтересовался Кольша. — По голосу вроде Синяков Павел. Давно тебя не видал, годов пять. Большой вырос!

— Ошибаешься, дядя!

— Не должен… Вот только борода… А голос — Пашкин…

— Ты, землемер, давай зубы не заговаривай, — огрызнулся гитарист, обдав Кольшу волной самогонной одышки. В его ощетиненной бороде, как раз под губой, взмелькивало огуречное семечко. — Тебя спрашивают: курево есть? Есть или нет?

— Нету… — развел руками Кольша. — Зачем оно мне: я же некурящий.

— Найдем — хуже будет, — пригрозил гитарист. — А ну — проверьте!

Те двое — чернявый и посветлей — вяло, без интереса, озираясь по сторонам, с двух боков подошли к Кольше: чернявый снял торбочку и высыпал содержимое на землю; тем же временем пеньковатый запустил руку в боковой карман куртки и ухватил майонезку.

— А баночку не тронь! — рассердился Кольша. — Дай немедля!

Он хотел было вырвать посудину, но гитарист, ухмыляясь, поднял баночку над головой.

— Пашка, отдай!

— У-тю, тю, тю... — высоко вертел баночкой гитарист.

Пытаясь дотянуться, Кольша запнулся, запутался деревягой в сухой прутяной траве и, теряя равновесие, подался вперед, обеими руками толкнул гитару, висевшую на груди Синяка. Раздался нечаянный басовый звон.

— А-а, ты струны рвать?! — понизив голос до шипения, выдохнул Синяк. — А ну, Пепа, сделай ему!

Пеньковатый малый вяло махнул возле Кольшиного уха белой кроссовкой, но промазал и, не устояв, плюхнулся на землю. Остальные пацаны захохотали.

— Слабак! — подтвердил гитарист и повернулся к чернявому. — А ну, ты, давай...

Чернявый, оглядывая Кольшу, примеряясь к нему, зашел сзади и оттуда ударил Кольшу в висок.

— Ребята! — попросил Кольша, зажимая ладонью зазвеневшее ухо. — Крышку хоть откройте... Пропадет ведь...

— Обойдешься! — усмехнулся Синяк и зашвырнул майонезку в глубину лесопосадки.

— Зачем же... — Кольша невольно потянулся за ней руками, но тут же из-под рыжего брюха гитары встречно выметнулся осыпанный песком и листьями резиновый бот и тяжко, тупо, будто кувалдой, саданул ему в грудь, в белую пасхальную рубаху...

— Уметь надо, козлы! — торжествующе крякнул Синяк, оглядывая примолкших пацанов.

Кольша немощно опрокинулся навзничь, раскинув руки крестом. На него посыпались ободренные пинки остальной, еще неумелой стаи...

«Какое чистое небо!» — теряя сознание, успел удивиться Кольша.

* * *

На другое утро, туманное, жесткое от ночной прохлады, Катерина нашла его в лесопосадке застрявшим в цепких кустах акаций; на-

ки еще по-летнему весело и беспечно полоскались друг перед дружкой: «Я так могу, а я так умею!» Но первые утренники уже пометили их обманной лимонной нежностью, определив срок, когда порыв близкой невзгоды бросит их под ноги прохожих или вовсе унесет невесть куда.

А давно ли над этими березовыми вершинками с ликующим визгом проносились вставшие на крыло молодые стрижи, иногда в азарте и юной неловкости задевавшие бельевые прищепки на балконе, которые и сами походили на вилохвостых ласточек, присевших передохнуть на протянутые веревки.

Стрижи исчезли в самый день Яблочного Спаса, когда в соседнем школьном саду еще дозревали, багряно полосатели отяжелевшие штрифели, аромат которых в открытое окно опахал и мой письменный стол, отчего казалось, будто лето остановилось в своем необратимом благоденствии. Но как раз в этом голубом августовском безвременье внезапно обломившаяся тишина повисла гнетущей пустотой и неуютом. Нас всегда смущает всякое прикосновение времени, его рокового перста. Неожиданный отлет стрижей и был знаковым предвестником надвигавшихся перемен, а мы, пребывая в ложном ожидании грядущей вечности, не всегда горазды уловить эти вкрадчивые перемены.

А между тем в легком перистом небе уже заходили предзимними кругами хороводы повзрослевших грачей. Они кружили высоко, на пределе своих возможностей, почти без взмахов, распластавшись крылами. Их гортанный переклик едва долетал из поднебесья. Грачи предавались доступной им радости своего бытия, взмыв над неприютной и всегда враждебной землей, на которой приходилось пребывать озираясь, а крылья держать наготове, будто взведенные курки. Эта радость кружения была выше радости сытости и покоя, потому что приходила вместе с чувством свободы. С бывалыми, умудренными птицами кружил молодняк, обучавшийся лету — крутым виражам и захватывающему скольжению с посвистом ветра в упругом, молодом пере. Должно быть, каждый взлетевший впервые испытывал ликующую гордость от ощущения себя птицей, не ведающей, что ждет ее там, внизу, когда вскоре земля окутается снегом и грянут цепенящие морозы.

Синицы объявились прилюдно только с первой прохладой. Они не попадались на глаза все минувшее лето, и даже не было слышно их тонко зинькающего голоса. В летнюю пору, поглощенные семейными хлопотами, они напрочь исчезали из виду и вели скрытную, неслышную жизнь в кронах окрестных деревьев, порой прямо у нас над головой. Да и до песен ли, до праздного ли мелькания, пока не оперятся, не поумнеют, не усвоят, что такое кошка, все десять, а то и пятнадцать голопузых пискунов? И каждый, едва только забрезжит свет, уже пуще другого разевает оранжевую глотку: дай, дай, дай! Вот и крутись, мать-синица, с утра до вечера: в гнездо с букашкой, из гнезда с какашкой... Сказано это не ради смешка. Если за оглоедами не убирать, то вскоре этим непотребством гнездо наполнится до крайнего предела.

Да и сами-то букашки — они ведь не на каждом кусте, не на всяком листе. Их еще и разыскать надобно да исхитриться поймать. Те ведь тоже умеют прятаться или притворяться не тем, что они есть. Да еще желательно, чтобы добыча была не кусача, не растопырена во все стороны. А то иная гусеница так устрашающе волосата, будто ерш для чистки бутылок, а малиновый клоп этак вонюч, что с души воротит. А пуще всего подавай им пауков, что развешивают свои тенета меж кустов и построек. Их брюшко наполнено уже готовой белковой кашицей, которую они сами высасывают из мягкотелых насекомых. Такой паучок для птенца сущее лакомство, за которое он готов выклевать глаз своему братцу и даже вытолкнуть из гнезда.

Все эти премудрости мамаше надо знать, чтобы не летать попусту, не носить в гнездо напраслину. В иной день до трехсот вылетов приходится совершать родителям в поисках завтраков, обедов и ужинов для своих ненасытных чад. А в иное благоприятное лето, не дав себе опомниться, собраться с новыми силами, синичья пара заводит новую кладку. И все начинается сызнова: туда-сюда, туда-сюда с рассвета до заката, без отгулов, без выходных. Поглядишь на эту птаху-кроху — в чем только душа держится: комочек перьев на тонюсеньких ножках да пара бусинок черных глаз, а какая материнская отвага, какое самопожертвование! А то бывает: папаша еще докармливает первый выводок, а синица-мать тут же, поблизости, в запасном гнезде, насиживает яички второго захода...

Наш великий классик Пушкин как-то не подумавши написал:

Птичка Божия не знает
Ни заботы, ни труда...

Ой ли, однако!

И все же напрашивается вопрос: зачем синице этак напрягаться, выбиваться из последних сил? Для чего заводить такую уйму выкормышей? В чем смысл такого самопожертвования?

А резон тот, что уж больно много этих милых, веселых, никогда не унывающих птичек погибает в лихие зимы. Из дюжины выращенных птенцов одолевают холода едва ли две-три синички. Оттого генетический механизм устроен таким образом, что синицы, дабы вовсе не сгинуть со свету, вынуждены выращивать потомство с большим запасом, как бы упреждая беспощадные зимние потери: хоть кто-нибудь да уцелеет... Такую жестокую дань они платят за то, чтобы не покидать свою родину, не искать чужого тепла и сытости, как делают иные, а еще для того, чтобы с первым дыханием весны оповестить округу своим веселым, вдохновенным треньканьем. Одолеть невзгоды и встретить желанную весну — надежду всего сущего в мире — воистину дорогого стоит!

И Александр Яшин напоминает нам об этой удивительной верности:

> Разве можно забывать:
> Улететь могли б,
> Но остались зимовать
> Заодно с людьми.

В предзимье каждый выводок начинает совершать кочевые облеты того участка, который достался ему как бы в родовое наследство. В соседнем школьном саду перепархивают синички одной семейки, тогда как насаждения нашего переулка — уже вотчина другого выводка. Всякое посягательство на чужую собственность пресекается строгим синичьим законом. Свои хорошо знают друг друга и ревностно следят, чтобы в их владения не залетали чужаки — особи без определенного места жительства или, по-нашему, — бомжи.

Садовый участок, конечно, побогаче, поукормистее уличного. Там растет десятка полтора фруктовых деревьев, в шершавой, растрескавшейся коре которых много укромных затаек для всяких куколок и зимующих яичек. Кроме того, яблони имеют широко распростертую крону и не все листья опадают с похолоданием. От укусов насекомых под воздействием специальных ферментов эти листья сворачиваются в трубочки, фунтики и прочие пригодные упаковки, в которых и зимуют зародыши будущих вредителей. Но кроме яблонь и груш в саду много и чего другого: вишенника, смородины, непроходимой черноплодки и даже ломкой пустотелой бузины, из которой получаются отменные трубочки для стрельбы на уроках жеванной бумагой.

Владельцам же уличного участка скоротать зиму намного хлопотней. В их распоряжении всего-то несколько березок, парочка рябин, куст всегда пощипанной черемухи, костлявая неприютная акация, с которой даже собачата избегают общаться...

А еще разогнавшийся было в рост молодой каштан, этот лопоухий и простодушный верзила, которого вскоре и обрубили с одной стороны, чтобы не мешал телевизионной антенне. Впрочем, каштан у синиц не считался гостеприимным деревом: он рано сбрасывал свою квелую листву, в неприступных колючих плодах не заводится червоточины, а ветви его просты и незамысловаты для укрытия поживы.

Что и говорить: не велик и не густ лес в нашем переулке, всех его щедрот едва ли хватит, чтобы можно было десятку синиц безбедно скоротать предстоящую зиму.

Ну, допустим, в октябре, когда еще не вся листва опала, удается отыскать какое-никакое пропитание: глядишь, синяя муха села погреться на теплую, озаренную солнышком древесную кору и даже довольно потирает лапкой об лапку; а вот еще не нашел себе места для зимовки паучишка, торопко сучит-сучит свою паутинку, спешит спуститься на ней куда-то поукромней; а то и шальная бабочка, будто с похмелья, вдруг неловко затрепыхает своими цыганскими оборками над сладко, обманно повеявшей на нее черемухой. Но сколько понадобится усердия и сноровки, чтобы хотя бы раз в сутки склевать что-либо съедобное в промозглом, то сыплющем моросью, то секущем колючей крупкой ноябре? И сколь раз синичка с надеждой постучится в окно, завидев зелень на подоконнике? А в пугающем омертвелостью голых ветвей декабре? А в крутом, заиндевелом январе? А там еще и февраль — не подарок, и, считай, половина марта — не мед.

Каждый день стайка синичек из конца в конец облетает свой небогатый, задымленный автомобильными выхлопами уличный участок. Уже давно развернуты и обысканы подозрительно скрюченные листья, обследованы все трещины и щербатинки на каждом стволе, все развилки и надломы в кроне. Но все реже и ничтожней добыча, все чаще и неотвратимей пустые бескормные дни.

И вот, сколько ни старайся, сколь ни оглядывай уже много раз осмотренные места, наконец приходит то роковое время, когда ничего не нашедшая, окончательно выбившаяся из сил, голодная, мелко вздрагивающая птаха забивается в свое гнездовье, а то и просто в какую-нибудь застреху или поленницу дров, где столь же люто, как и снаружи, где по-нашему не включишь свет, не затопишь печку, не нальешь горячей воды в бутылку и не подсунешь ее под озябший бок и где, подобрав под себя одеревенелые, непослушные лапки и укрыв голову морозно шуршащими крыльями, забывается она в опасном беспамятстве. Так, едва вживе — каждую долгую ночь, которая в глухую пору начинается в пять часов вечера и тянется, терзая птаху лютостью, до девяти утра следующих суток. И каждый раз — без надежды, что эта ее ночлежка озарится для нее новым грядущим днем...

В безнадежную пору зимнего прозябания начинает рушиться порядок в синичьих семьях. Одни, отчаявшись, покидают родное урочище и принимаются скитаться по чужим местам — всегда гонимые и не принятые, другие пускаются обшаривать помойки, мусорные баки, всякие свалки и скопления мусора. Иные превращаются в профессиональных воришек-«домушников», устраивая шмон везде, куда возможно заглянуть и проникнуть, вплоть до плохо закрытой кастрюли с застывшим говяжьим борщом, выставленным хозяйкой на балкон вместо холодильника. А то и залазят в сетчатые авоськи, если там окажется курица, и даже внутрь выпотрошенной курицы.

Голодное, нищенское существование птиц (как и людей) нарушает свойственное им поведение. Шастанье по мусоркам и задворкам, случайные ночевки в закопченных расщелинах печных труб, в вентиляционных вытяжках и всяческих закутках, источающих самую малость тепла или хотя бы заслоняющих от ветра, со временем оборачиваются тем, что синицы утрачивают свою природную статность и привлекательность, от неопрятности бытия тускнеет, обтрепывается некогда нарядная одежка, приводить в порядок которую постепенно пропадает желание. Из прежних, ладно пригнанных рядков оперения часто выбиваются встрепанные, вывернутые наружу перышки, так и не заправленные снова вовнутрь, как бы сделала нормальная сытая синица. В эту зимнюю невзгоду появляются и просто бесхвостые синицы, не иначе как побывавшие в лапах таких же голодных и обездоленных наших прежних диванных мурлык, некогда мытых шампунем и пухово расчесанных гребнем.

Не доводите, пожалуйста, до этой унизительной стадии наших крылатых единопланетян и начинайте мастерить кормушки.

Лучше это делать в разгар листопада.

Поэт тоже поощряет нас на это доброе дело:

> Не богаты их корма,
> Горсть зерна нужна,
> Горсть одна —
> И не страшна
> Будет им зима.

Кормушка — вещица нехитрая. Под нее иногда приспосабливают даже обыкновенный пакетик из-под молока. Такая тоже сгодится. А вообще-то: кормушки всякие важны, кормушки всякие нужны... Только не надо их путать с птичьими домиками для жилья. Конструкций таких домиков великое множество, по крайней мере на страницах всяческих изданий: от «Веселых картинок» до «Сада и огорода на вашем балконе». В иные годы пускаются конструировать птичьи коттеджи даже такие солидные органы, как «Труд» и «Сельская жизнь», а также многочисленные общества и организации, вплоть до любителей стрельбы по боровой и водоплавающей дичи. Устраиваются межрегиональные выставки и конкурсы на предмет «Чей дизайн лучше?» с вручением призов и почетных грамот. Правда, случается это всегда весной, когда приходит маревая теплынь и сочатся соком расковыренные березы, когда всем хорошо — и уцелевшим после зимы птицам, и особенно самим конструкторам: весна же! Пора сбросить надоевшее пальто и вволю позабавиться лазаньем по деревьям. В иных коллективах День птиц проводится даже под пиво и музыку.

После такой вдохновенной жилищной кампании в наших садах и рощах пернатых становится гораздо больше. Осчастливленные птицы, обзаводясь потомством, особенно не просчитывают, что с ним будет зимой. Устроители же веселого Дня птиц тоже не больно задумываются на сей печальный счет...

Кормушку не принято вывешивать под музыку. Деяние это во многом личное, схожее с исповедью. Оно столь же необходимо птицам, сколь и нам самим, ибо приносит очищение совести и благотворение души поступком. Выждав, когда в доме никого не остается, я принимаюсь мастерить, заведомо испытывая чувство внутреннего очищения и уважения к самому себе. В память об Александре Яковлевиче Яшине я вывешиваю кормушки вот уже несколько осеней. Придумки бывали всякие. Этой же осенью, в связи с появлением разных пластиков, я решил сделать по-новому. Первым делом я отпилил дощечку величиной с почтовый конверт. Она послужила донцем кормушки. А крышу я решил сделать из пластиковой бутылки, которые теперь есть в каждом доме, но, к сожалению, и не только там...

Ножницами я отрезал от бутылки донышко и воронковидную горловину. Остался пустотелый цилиндр, или, проще сказать, труба. Эту трубу я разрезал вдоль по одному боку, после чего края разреза прибил посылочными гвоздиками к большеньким сторонам дощечкидонца. Получился домик, похожий на фургон с округлой прозрачной крышей, сквозь которую будет хорошо видать, что делается внутри — своего рода кафе-«стекляшка», где всякий на виду. Остается теперь с одной торцовой стороны прикрепить петельку для гвоздя, а с другой — веточку, можно с разветвлениями, так называемую присадку, на которую будут опускаться гости.

Свое изделие я повесил на вертикальном створе оконной рамы так, чтобы тюлевая штора скрывала меня своими узорами, зато я мог бы хорошо видеть все, что делается снаружи.

Однако, пока стоят еще погожие октябрьские деньки, заправлять кормушку едой не следует. Поспешное гостеприимство не пойдет на пользу птицам. Особенно молодым, еще не имеющим достаточного опыта добывать себе пропитание в естественных природных условиях. Многие зимующие птицы легко и быстро привыкают к кормушке и через день-другой запросто залетают в нее уже с наработанным проворством и бесцеремонностью, как к себе домой.

Но как неуютно и потерянно чувствуют они себя, если кормушка по каким-то причинам оказывается пуста: иссяк ли запас зерна или устроитель птичьей столовой отлучился на несколько дней в командировку, а то, часом, и занемог, слег в больницу и т.п. Раз-другой посетив опустевший закромок, бывалая синица вскоре переключается на прежний способ пропитания, принимается, хотя и без видимой охоты, рыскать в кронах деревьев.

Молодняк же продолжает настойчиво заглядывать в кормушку, особенно перед вечером, и на синичьих недоуменных мордашках проступает недавнее детское «дай, дай, дай!».

Ночевать впустую, не поевши, особенно в холодные ночи, — дело, конечно, неприятное, а для синиц — и рисковое. Они в отличие от медлительных и созерцательных воробьишек не запасают жирка впрок. Да и у воробьев его — только-только про черный день. А у синицы и вовсе... Все съеденное, весь запас энергии она расходует на движение, на свою непоседливость. Эта исключительная подвижность и предприимчивость обеспечивает синицу пищей, а добытая пища гарантирует ей подвижность. Нет еды — нет и активного движения, нет движения — не будет и еды. А без одной из этих составляющих итог печален... Почти как и у многих людей, не накопивших валютного жира...

Первейшим птичьим кормом не так давно считалась конопля — эта малюсенькая кубышечка, наполовину состоящая из высокооктанового топлива, то есть растительного жира. Она являлась кормом всей клеточной пернатой живности: щеглов, чижиков, коноплянок, реполовов, зеленушек, овсянок... Некогда коноплю сеяли почти в каждом крестьянском хозяйстве. Из нее добывали прекрасное душистое масло, без которого блины не блины, заготавливали посконь для домашнего тканья, которое шло на рушники, скатерти и крестьянскую одежду. Если бы спросить, чем пахла тогдашняя Россия, то можно смело сказать: не антоновскими яблоками, не медами, не подмаренниками, а в первую очередь коноплей — полевой потаенной горечью отчей земли.

Но с некоторых пор это замечательное растение провинилось перед человечеством: злой умысел приноровился извлекать из него еще и вредоносные наркотики.

По этой причине я уже много лет не видел живой конопли, кажется, не стало ее зерен и в птичьих лавках.

Ныне коноплю заменил подсолнечник. Тоже прекрасный, калорийный корм, правда, доступный не всякой птице. Особенно так называемые «семечки», которыми торгуют тетки на перекрестках. После каления на сковороде их скорлупа обретает чрезмерную крепость. Надо видеть, сколько усилий приходится прилагать синице, чтобы вскрыть жесткое теткино семечко своим тоненьким и хрупким клювом. Иногда эта попытка не приводит к успеху и синица вынуждена ронять так и не расщепленное зернышко.

Лучший из подсолнечников — полевой, тот самый солнечный круг, когда он еще весь в обрамлении оранжевых лепестков, а сам его лик подернут рядками бронзовых соцветий. Но при одном условии, что он уже пребывает в стадии созревания: ядрышко налилось и сформировалось, а кожура еще не затвердела до древесной прочности. Такой подсолнышек для птиц — первое лакомство. Стоит только выставить его за окно, как все синицы округи — тут как тут! Видно, они еще издали чуют его острый, влекущий запах.

К сожалению, подсолнух «кругом» недолговечен, и если его не заготовить вовремя, то приходится довольствоваться весовым зерном. Но отнюдь не поджаренным, не из бабушкиных полустаканчиков и бумажных фунтиков, которые у нас обычно покупают, идя в кинотеатр...

Можно предложить синичке ломтик свежего свиного сала, величиной со школьный ластик. Только непременно несоленый! Ломтик прикрепляют мягкой проволочкой тут же, рядом с кормушкой, или даже на присадочной ветке. Синичка жадно набрасывается на него и долбит с таким азартом, особенно когда сало затвердеет на морозе, что стук ее клюва слышен даже в комнате.

Все это — любимая синичья еда. Но в кормушку можно засыпать также и обыкновенное пшено, льняное семя, вышелушенный репейник, сечку гречи и просто хлебные крошки, словом, все, что окажется под рукой. И хотя по причине своих пищеварительных особенностей синица не расположена к «постной» пище, зато на такое разнообразное угощение могут пожаловать и другие окрестные обитатели, в первую очередь дворовые воробьишки. Они ведь тоже птахи и тоже жестоко страдают зимней порой! Недаром сказано: синица — воробью сестрица.

Серым, не очень уютным утром, мотавшим концы голых берез, я открыл свое кафе для птичьего посещения. Как водится, по случаю открытия предлагалось самое разнообразное меню, была даже тертая морковка, но главенствовал все же полевой подсолнечник, вытеребленный из выспевших кругляшей.

Так знаменательно совпало, что это предзимнее утро явилось началом для почитаемого в святцах Зиновия-Синичника, покровителя всех зимующих птиц. В старинных книгах его изображали с горстью зерен на протянутой ладони — совсем как у Александра Яшина: «Горсть одна — и не страшна будет им зима». Пока я заправлял кормушку, с балкона был слышен благовест Сергиевского собора, призывавший верующих к молитве и добрым делам.

Синичка будто ждала в гуще берез, пока я затворю за собой дверь, и тут же объявилась на железном урезе балкона. Это оказался сам птах, возможно даже, что глава уличного синичьего клана! Ну хорош, хорош, пострел! Бодр, свеж, подтянут. Белый стоячий воротничок подпирает округлые щечки; атласный шейный платок небрежно выпущен поверх горчичного чичиковского жилета; отменного кроя зеленый фрак с черными фалдами чудо как впору: нигде ни лишней складочки, ни пустяшного зажимчика. На рукавах — всё шевроны, шевроны, как бы служебные знаки отличия. А черные глазки, что буравцы — так и шьют, так и сверлят. Перед таким красавцем не то что горсть семечек веером рассыплешь, а и все карманы повывернешь.

Птах пошустрил глазами направо-налево, бочком-бочком проскакал по балконному перильцу поближе к заведению и вдруг легким спорхом перебросил себя на веточку-присадку. В один погляд он оценил строение, убедился, что все устроено без подвоха, и, не труся, не озираясь, с неспешным достоинством снял с ворошка самое верхнее подсолнечное семечко.

Расклевывать его тут же, принародно он себе не позволил, а слетел на соседнюю березу и только там, уединившись, принялся за утреннюю трапезу.

Но, разумеется, стук клюва по скорлупе не утаишь: тотчас поблизости, на соседних ветках, лимонно замелькала еще парочка синичек: «Ты что там делаешь?» После того как птах слетал за вторым семечком, те две сразу и сообразили: что и где дают.

И пошло, и замелькало: туда — сюда, туда — сюда. С дерева — на кормушку, с кормушки — на дерево.

Синицы никогда не едят скопом, как воробьи или голуби, не устраивают «кучу малу», а непременно чередуются. Так кормятся они и в природе, перепархивая с ветки на ветку на приличествующем расстоянии. Такая предупредительность объясняется тем, что их корм в естестве не бывает насыпом, а всегда нуждается в поиске. А для поиска нужно дать время. Оказывается, подобная деликатность рождается целесообразностью, полезной для всего клана.

Но зато сильный всегда ест первым, если пищи оказывается сразу много, как в нашем случае с кормушкой. И это тоже, в общем-то, синицам на пользу: для сохранения вида нужны крепкие особи, выстоявшие в борьбе за выживаемость.

Примерно то же самое ныне происходит и с нами, в пору нагой силы и бесправия, не правда ли? Что ж, дикая сила — она ведь на определенной стадии тоже участвует в становлении разума. А пока блага — не по закону, а по весьма условной совести. Самому же совестливому Бог подаст и упокоит.

Именно такая совестливая душа и объявилась на другой день у кормушки. Это оказалась синичка-лазоревка. Ну такая махотуля, такая кроха, меньше и выдумать нельзя. Что твой пуховой бубенчик на малышевой шапочке. А ведь тоже ежегодно высиживает по двенадцать — пятнадцать деток. А лазоревкой ее зовут за то, что много на ней голубых и лазоревых перышек и в крыльях, и в хвостике, и даже шапочка на ней не черная, как у обычных синиц, а нежно-голубая.

Сквозь штору вижу, что и ей хочется отведать подсолнушка, переминается на перильце, тянет головку, вострит крылышки, однако все ей боязно сунуться в синичью круговерть: враз затолкают, уронят наземь, а прав у нее никаких — чужая она, нездешняя, может, и не курская, и никто ее здесь не знает, даже не принимают за синицу. Теперь вот кочует, пробавляется чем придется, пробирается на юг до тех пор, пока будут встречаться деревья. Да вот запахло семечками, поди, останется тут на недельку, пока кормят...

Наконец выпал такой благовидный момент, когда на пороге кормушки никого не оказалось. Лазоревка, обмирая, шмыгнула вовнутрь фургончика-стекляшки, второпях схватила случайное семечко, оказавшееся пустым, еще больше сомлела от неудачи, выронила его долу, взамен ухватила другое, на ощупь полненькое, и, едва не столкнувшись в проходе с подлетевшей синицей, успевшей, однако, больно ущипнуть ее за голубую шапочку, с колотящимся сердцем, но счастливая, упорхнула на самую дальнюю березу, где и затерялась среди россыпи сережек.

А спустя еще день на суету синиц неожиданно прилетел поползень — прочно сложенный крепыш в простом, однотонном сюртуке без излишеств, с коротким и упористым хвостом. Он и в самом деле опирался на него при лазанье по стволам. Сразу видно — деловой, себе на уме господинчик. Ему б еще ряд пуговиц по белому брюшку. За синицами он всегда послеживает, будто пристав, ошиваясь поблизости, присматривая за ними то от комля, то с верхушки дерева, вися вниз головой. Все видит, хотя глаза и перевязаны черной тесьмой — так, для блезиру. Знает: коль синицы замельтешили, стало быть, обнаружили поживку. С долгим, крепким клювом, уверенный в своем праве, поползень не стал занимать очередь к закрому, а прямо так и плюхнулся откуда-то на присадку, упреждающе огласив: «Цит, цит!» — дескать, цыц у меня!

Синицы послушно разлетелись по березам. Подсолнечное семечко поползень расщелкнул без всякой долбежки, в один нажим, а кожуру ловко пустил по ветру. Еще раз подцепил черное семечко, так же мигом извлек из него белое ядрышко, мелькнувшее в клюве, но, узрев что-то неладное за оконной шторой, выкрикнув свое «цит, цит!», упорхнул восвояси.

Но ничего, впереди долгая зима, он, гордец, еще не раз прилетит.

Забавные минутки доставили мне местные воробьи. Все эти дни они, увлекшись вытеребливанием семян, мельтешили в путаных зарослях. спорыша на соседнем стадионе и потому прошляпили открытие халявного «кафе», где все дают за здорово живешь. Набежавший фокстер выпугнул их из травы, и они с дождевым шумом расселись по нашим березам.

А дальше все просто: сначала один Чив слетел на балконную железку, потом рядом сел второй, и пошли нанизываться пушистым, неощипанным шашлычком — один к другому, один к другому — все восемь воробышей, оказавшихся в наличии на сей момент. Сидят рядком, словно и взаправду нанизанные на шампур: бок о бок, душа в душу, хитроватые, плутоватые пухлячки, в любой миг готовые смыться, глядят в восемь пар черных бисеринок, всё видят, всё примечают.

В отличие от синиц, промышляющих порознь, так сказать, рыночным способом, воробьишки предпочитают жить ватажкой: куда один, туда и все. У них вроде как социалистический метод хозяйствования: один ищет еду для всех, все — для одного. Этот артельный способ их вполне устраивает. Совсем как в песне: «Возьмемся за руки, друзья, возьмемся за руки, друзья, чтоб не пропасть поодиночке».

В ихней артели старшего нет, всем правит инициатива. Вот и теперь: кто-то из восьми, какой-то осмелевший Чив, первым нырнул под крышу «стекляшки». Тотчас и все остальные взметнулись тоже и принялись осаждать «кафе». Внутрь удалось протиснуться только половине, остальные пытались удержаться на крыше. Однако коготки не ухватывали скользкий пластик, и воробьишки кубарем сыпались с округлой кровли. Поднялись шум, гам, чивиканье, мельтешение крыльев. Неудачники забирались на спины сотоварищей, те отпихивались и щипались клювами.

И вдруг на фургончик грузно плюхнулся голубь — обыкновенный чердачный сизарь. Под его тяжестью кормушка скособочилась, так что посыпались и семечки, и пшено. Воробьишки — и те, что стиснуто клевали внутри, и те, кто суетился около, — все разом исчезли из виду.

Сизарь, подергивая маленькой оранжевоглазой головкой, несколько раз заглянул с крыши вовнутрь заведения, но по природной несмышленности так и не сообразил, как ему добраться до еды. Решив, что это все не про него, он перелетел на балконное перило, а с него, повернувшись вокруг себя, сронился вниз, на тротуар — к плевкам и окуркам.

И опять запорхали, замелькали синички.

Тем временем зима, эта подколодная змея, день ото дня все больше заглатывала лето, умерщвленное ненастьем и холодами, от которого остались лишь одиночные листья на деревьях да жухлые бархатцы на уличных газонах. И вот сегодня крутой ночной морозец льдистой повителью расписал мое окно, из которого больше не стало видно кормушки. Пришлось делать продых, этакий круглый зрачок в морозных художествах минувшей ночи. Но и без того было видать, как за матовым узорочьем, поторапливаемые морозом, учащенно порхали озябшие синицы.

В обтаявшую продушину я и разглядел еще одну страждущую го-ремыку. Это была обычная желтозобая синька. Она нахохленно сиде-ла на промерзшем железном периле балкона, как-то странно вздерги-вая плечиками, стараясь удержать крылья наподобие заглавной буквы «А». Из-под ее встрепанного брюшка омертвело высовывалась пра-вая лапка с беспорядочно скрюченными серповидными коготками.

Я сразу уяснил себе причину этого ее странного подергивания крыльями, которые она всякий раз пыталась расставить пошире, что-бы опираться на них, будто на больничные костыли. Было ясно, что у нее осталась живой только одна левая ножка.

Что это: последствие удара коварной западни или мертвая хватка лавсановой петли, подстроенной каверзными ребятишками? Сотво-рившие это — теперь вот зрите свое злодеяние!

Синька перепорхнула на присадку и, помогая себе частыми взма-хами крыльев, все же ухватила крайнее семечко. С ним она снова вернулась на балконное перило, где попыталась расклевать добычу. Но этого не получилось. Для успеха ей необходимо было удерживать подсолнечную зерновинку между обеих лапок, как делают это все нормальные синицы. Так что зернышко осталось нетронутым. Синь-ка слетала на кормушку еще раз. Но и второе семечко тоже пришлось выронить. Она и в третий раз ухватила зернышко и улетела с ним на березовую ветку, надеясь, что там ей повезет. Но я-то уже понимал, что куда бы ни улетела она со своей добычей, теперь уже нигде и ни-когда хромоножке не расклевать неподатливую кожурку.

На другой день Синька объявилась снова. Но все ее попытки до-быть желанное ядрышко оказались напрасными. Она пробовала даже ложиться на бок, чтобы освободившейся лапкой удерживать семечко. Но чтобы его расщепить, требовалась жесткая опора. На весу это ни-как не получалось.

В этот вечер, когда все остальные синицы заведомо разлетелись по своим ночлежкам, хромоножка еще долго согбенно сидела на хо-лодном балконном закрайке, пока мороз снова не затянул окно весе-лой замысловатой ботвой.

С той поры Синька больше не появлялась на моем балконе. Где она теперь? Что с ней? Уж не полетела ли за сине море искать луч-шую долю?..

На предстоящую неделю наметил себе два неотложных дела. На-перво — сходить за реку, пособирать всякого корму, какой еще был доступен: ольховых шишек, из которых после просушки можно натрясти съедобных крылаток; семян репейника, что под каждым забором; мелких черных зернинок огородной ширицы. Все еще гроздьями свисают винтокрылые семена клена — лакомство для снегирей. Однако эти осторожные северные гости редко слетают на кормушку, тем более если она вывешена не на открытом месте, скажем, в саду или в парке, а приспособлена к жилому окну.

А вдруг снегирек и ко мне слетит? То-то будет праздник!

А второе дело — размножить на принтере стихотворение Александра Яшина «Покормите птиц» и расклеить на видных местах.

Размножил и расклеил: у подъезда своего дома, на двери почтового отделения, на ближайшей автобусной остановке, возле кинотеатра «Юность», у входа в булочную, на аллеях «Парка пионеров», под навесом соседней школы и просто на фонарных столбах. И еще осталось сколько-то — для раздачи знакомым.

Недели через две, когда крыши домов, газоны и стволы деревьев припорошил неспешный снежок, отправился посмотреть окрест, как воздействовал Яшинский призыв, — ведь минувших двух недель с того дня, как я расклеил стихотворение, вполне достаточно тому, кого оно растревожило, всколыхнуло душу, чтобы смастерить и вывесить кормушку.

Перво-наперво обошел по периметру наш двухсотвосемнадцатиквартирный дом-громадину — нигде ничего, ни одной кормушки. Только возле моей, как и прежде, перепархивали воробьи и синицы.

На соседнем строении тоже ничего. Оглядел дом напротив — пусто. Не обнаружил я свежесколоченных кормушек ни в школьном саду, перед окнами гимназии, в которых иногда видно, как повзрослевшие старшеклассники в замечательных нарядах учатся прекрасному — пластичности бальных вальсов и мазурок...

Уныло и голо оказалось и на аллеях «Парка пионеров», где кто-то по дикости ума совсем недавно перебил ноги скульптурной лани, а гипсовому кенгуру отшиб оба уха...

Горько и одиноко после всего этого, тем горше, что заключительные строчки яшинского стихотворения звучат так:

> Приучите птиц в мороз
> К своему окну,
> Чтоб без песен не пришлось
> Нам встречать весну.

Но надежда умирает последней. Вдруг вижу на автобусной остановке давнего своего знакомого — тонкого, прогрессирующего живописца, приверженца Сальвадора Дали.

Обрадованно пожав его руку, я извлек из бокового кармана куртки листок с яшинским стихотворением.

— Слушай, на, почитай!

— А что такое? — он был чем-то радостно озабочен и взял листок отстраненно, двумя пальцами, как обузу.

— От души написано... — вдохновенно пояснил я.

— Покор... Покормите птиц, — машинально произнес он заголовок и тут же протянул листок обратно.

— Да ты почитай, почитай! — настаивал я, возвращая бумажку.

— А-а! Некогда мне их кормить! — отвел он листок, а заодно и меня тоже. — Еду я, уезжаю... Уже билет на руках.

— И куда?

— За океан... — махнул он куда-то в сторону. — Теперь там птиц кормить буду... — И, усмехнувшись, добавил: — И сам кормиться...

* * *

И еще одно благое дельце надо было довести до ума... Уже давно собирался заиметь стапелию, дающую удивительные цветы, похожие на золотые ордена Славы. Отводок мне обещали. Надо было только приготовить горшочек с подходящей землей.

Вспомнилось, что еще летом набрал хорошей зернистой земли из кротового выброса. Хранилась она на балконе в резиновом четырехгранном ведерке, предназначенном для шоферского обихода.

Заглянул в кромешную глубину, а там, на черной, уже, должно, промерзлой земле, зеленоватым отливом мерцала какая-то птаха. Она лежала ничком, уткнувшись клювом в почву, широко, из угла в угол, распахнув крылья. По скрюченной лапке, торчавшей из-под правого крыла, я узнал в ней хромоножку Синьку, так и не склевавшую ни единого подсолнечного семечка. Этой распахнутостью крыльев, обнимавших квадрат луговой земли, Синька как бы олицетворяла яшинское:

> Улететь могли б,
> Но остались зимовать
> Заодно с людьми...

2001

СОДЕРЖАНИЕ

Литературно-художественное издание

Русская проза

Носов Евгений Иванович

В ЧИСТОМ ПОЛЕ, ЗА ПРОСЕЛКОМ...

Выпускающий редактор *В.И. Кичин*
Художник *Ю.М. Юров*
Корректор *Г.Г. Свирь*
Верстка *И.В. Хренов*
Оформление и подготовка обложки *М.Г. Хабибуллов*

ООО «Издательство «Вече»

Адрес фактического местонахождения:
127566, г. Москва, Алтуфьевское шоссе, дом 48, корпус 1.
Тел.: (499) 940-48-70 (факс: доп. 2213), (499) 940-48-71.

Почтовый адрес:
129337, г. Москва, а/я 63.

Юридический адрес:
129110, г. Москва, ул. Гиляровского, дом 47, строение 5.

E-mail: veche@veche.ru
http://www.veche.ru

Подписано в печать 21.11.2017. Формат 84 × 108 ¹/₃₂.
Гарнитура «Times New Roman». Печать офсетная. Бумага офсетная.
Печ. л. 11. Тираж 500 экз. Заказ